NonFiction
論創ノンフィクション 005

定点観測 新型コロナウイルスと私たちの社会

忘却させない。風化させない。

2020年前半

森 達也 編著

MORI Tatsuya

刊行によせて

最初は舐めていた。だってメディアと政治権力は、危機を必要以上に煽る。北朝鮮が打ち上げた実験ミサイルが日本上空高度八〇〇キロを飛んだときも（ちなみに宇宙ステーションの軌道は高度四〇〇キロ前後）、政府は落ちてきたら大変だとJアラートを発令してメディアも大騒ぎした。なぜ危機を煽るのか。支持率や視聴率や部数を上げるため。このメカニズムは市場原理として常に働いている。だから新型コロナのニュースが出始めた一月下旬、この感染症に興味はほとんどなかったし、二月や三月の予定が消えることなど全く考えていなかった。

……どうやらこれは、これまでなかった事態かもしれない。

そう思い始めたのはいつ頃だろう。二月ではない。まだ全く楽観していた。三月。予定が消え始めた。いつのまにか国内ニュースは、ほぼコロナ一色。それが何日も続く。毎年恒例の花見の会が中止との連絡があり、勤めている大学の卒業式や入学式もなくなり、参加する予定だったイタリアやドイツの映画祭やシンポジウムや講演会も延期になり、やがて残念ですが今回は中止となりました、との連絡が来る。かつてない状況の只中に自分はいる。そう実感したのは、四月に入ってからだと思う。感染症についての本を今さら読んだ。識者や専門家の声も聞いた。

とにかく生活は一変した。家にいることは嫌いじゃない。ならば晴耕雨読だ。田舎住まいだから小さな畑もある。でもなぜか長く活字を読めない。見逃していた映画をネットで観る。やっぱり集中できない。何だかふわふわしている。時ばかりが過ぎる。何よりもコロナがよくわからない。いやもちろんウイルスそのものだけではなく、未曾有の状況にどのように自分は立ち向かえばいいのか、あるいは(立ち向かうのではなく)違う姿勢が必要なのか、その考える足場がふわふわとこころもとない。

そんなときに論創社の谷川茂から、書籍企画を依頼するメールが届いた。


私がおそれているのは、忘却と風化です。これだけ政府がどうしようもない状況であるにもかかわらず、「馴致《じゅんち》能力」の高さゆえに、そのどうしようもなさを忘れたり、なかったことにしてしまう可能性が、日本人には「ある」と強く考えています。だからこそ、しつこいくらいに記録し、忘れさせない努力が必要なのではないか。書籍には、その役割を担うことができるのではないか。そう考えるにいたりました。

忘却と風化を防ぐには、一定の期間で継続して記録すること、すなわち定点観測が必要です。そして、この定点観測を、森さんと私が信頼する論者たちにしていただこうと考えております。さらに、森さんには本企画の編者をお願いできたらいいな、と思っております。

実は一月に谷川とは飲む約束をしていたのだけど、すっかり失念してすっぽかした。その負い目がある。それに編者といっても、実務は谷川がやる。僕の任務は、論者たちへの声掛けと「刊行によせて」の執筆。ならばできるかな。それに何よりも、かつてない事態であるからこそ、「しつこいくらいに記録する」ことは確かに重要だ。多くの論者の声も聞きたい。考える足場のために、一本でも多くの補助線が欲しい。依頼した多くの方たちも、唐突なこの申し出を快く了解してくれた。

今は六月。そろそろ締め切りだ。論者たちの多くの視点が交錯したとき、コロナ（とこれに影響された社会）は、どんな形を現すのだろう。そして僕は何を思うのだろう。とりあえずここで「刊行によせて」は終わり。

森 達也

目次

【編集部より】

・本書の各論考は、巻頭の斎藤環氏のものを除いて、あいうえお順（執筆者名）で掲載した。

・基本的に、二〇二〇年一月一日から五月三一日を定点観測の対象とした。

［医療］

「医療」に何が起こったか

斎藤 環

斎藤　環（サイトウ・タマキ）

一九六一年、岩手県生まれ。精神科医。筑波大学医学研究科博士課程修了。爽風会佐々木病院等を経て、筑波大学医学医療系社会精神保健学教授。専門は思春期・青年期の精神病理学、「ひきこもり」の治療・支援ならびに啓発活動。著書に『社会的ひきこもり』（ＰＨＰ新書）、『世界が土曜の夜の夢なら』（角川文庫）、『オープンダイアローグとは何か』（医学書院）、『「社会的うつ病」の治し方』（新潮選書）、『中高年ひきこもり』（幻冬舎新書）ほか多数。

はじめに

「新型コロナウイルス感染症」のパンデミックがもたらした影響のうち、私は医療分野を担当することになった。私は精神科医でウイルスや感染症の専門家ではないが、大学では疫学に関わる仕事をしているということもあって、まったくの門外漢というわけでもない。時系列的な記述は本書の巻末年表で確認いただくとして、本稿では医学的に重要と思われるエピソードをできるだけ網羅的に取り上げる。今回は初回となるので、基本的事項の確認の比重が多くなることをご了解願いたい。

新型コロナウイルス（SARS-CoV-2）の感染によって引き起こされる急性呼吸器疾患（COVID－19）の事例が最初に報告されたのは二〇一九年の一二月で、中国・湖北省の武漢市で四一人が原因不明の肺炎を発症し、その後の分析で、原因が新型コロナウイルスだということが明らかになった。以後急速に武漢市内から中国大陸に感染が拡がり、さらに中国以外の地域にも拡大していったのは周知の通りである。

WHO（世界保健機関）は二〇二〇年一月三一日に「国際的に懸念される公衆衛生上の緊急事態」を宣言し、二月二八日にはこの疾患が世界規模で流行する危険性について「非常に高い」（最高レベル）と評価、三月一一日には、テドロス・アダノム事務局長がパンデミック相当との認識を表明した。パンデミックとは感染症の全世界的流行を意味する言葉であり、エンデミック（地域流行）やエピデミック（特定なコミュニティ内での流行、このうち突発的で規模が大きなものをアウトブレイクと呼ぶ）を上回る、最も深刻な事態である。

五月三一日の厚生労働省（以下、厚労省）の発表によれば、国内での新型コロナウイルス感染症の感染者は一万六八五一例、死亡者は八九一名である。入院治療等を要する者は一四八四名、退院または療養解除となった者は一万四四五九名となった。全世界では感染者六〇一万七六人、死者三六万八〇一四人となっている。

ＣＯＶＩＤ－19の感染拡大は、全世界で社会文化的にも未曾有と言って良い規模の影響をもたらしたが、その詳細については本書の各章をご参照いただきたい。

COVID-19の症状と治療

ＣＯＶＩＤ－19の典型的な経過について、現時点で判っていることを述べる。

感染経路としては接触感染と飛沫感染がある。つまり、ウイルスが付着した手で鼻や目や口を触ることによる感染と、咳やくしゃみによる感染、さらにエアロゾル（気体中に液体または個体の微粒子が拡がった状態）による感染の可能性が指摘されている。よって、気道が主要なウイルス伝播経路になるのだ。人間の体内に侵入したSARS-CoV-2は、細胞表面のアンジオテンシン変換酵素Ⅱ（ＡＣＥ２）受容体に結合することで感染するとみられている。

この感染症に特異的な症状は少なく、無症候性の感染者も少なくない。典型的な症状としては発熱、空咳、易疲労《いひろう》、喀痰《かくたん》、息切れ、咽頭痛、頭痛、下痢などがしばしばみられる。くしゃみ、鼻水などの上気道症状は少ないとされる。発症早期の軽症段階では風邪との鑑別が難しい。感染から一定の潜伏期間（推定二～一四日間、平均五日）を経た後に、発熱と風邪症状が約一週間続く。呼吸器症状以外にも、下痢や吐き気、頭痛や全身のだるさなど、消化器系や神経系の症状が出現する場合もある。このほか欧米では、川崎病（血管炎を中心とした小児の病気）に似た症状を呈した小児の事例が報告されている。

無症状ないし軽症のまま治癒する人もいる一方で、症状が出てから約五～七日程度で、急速に肺炎が悪化し重篤化することも多い。ちなみにインフルエンザでも二次感染による肺炎を起こすことがあるが、新型コロナウイルスは、直接肺炎を引き起こす。これが急速な重篤化の要因となる。

この段階では胸部CT検査も感度が高い検査法となる。無症状であっても異常所見（すりガラス陰影や浸潤影）を認めることがある。日本における医療機関のCT保有台数は世界一であり、診断精度も高いことから、PCR検査の不足を補うように用いられたが、実はCOVID－19の診断については問題も多く、少なくともスクリーニングには用いられるべきではないとされている。

新型コロナウイルスによる肺炎が重篤化した場合は、人工呼吸器など集中治療が必要となり、インフルエンザなどよりも入院が長期化しやすい。高齢者や基礎疾患（糖尿病、心不全、呼吸器疾患など）がある場合は重症化するリスクも高いが、若年者でもサイトカインストームと呼ばれる過剰な免疫反応を起こして重症化する事例も報告されている。

新型コロナウイルス感染症に特徴的な症状として、嗅覚や味覚の低下があるとの報道が広がったが、これに対し日本耳鼻咽喉科学会は「嗅覚や味覚の障害は（中略）必ずしも新型コロナウイルスだけが原因ではなく、また、新型コロナウイルス感染症による嗅覚や味覚の障害は自然に治ることが多く、特効薬もない」として、二週間はできるだけ不要不急の外出を控え、毎日体温を測り様子を見るよう、声明を出した（二〇二〇年三月三〇日）。

このほか、さまざまな合併症の存在が知られている。高熱、気管支炎、肺炎の初期症状などが併発し、重症例では呼吸不全も起こる。また、血液に乗ってウイルスが体内に拡散され、肝不全、腎不全、心不全、髄膜炎、脳炎もしくは中枢神経系感染、多臓器不全などが引き起こされることが確認されている。

COVID－19に対しては、現在のところ確実な治療法はなく、基本的には対症療法のみである。軽症事例は基本的に経過観察、中等症については入院と必要に応じて酸素投与と呼吸管理、重症例に対しては人工呼吸器やECMO

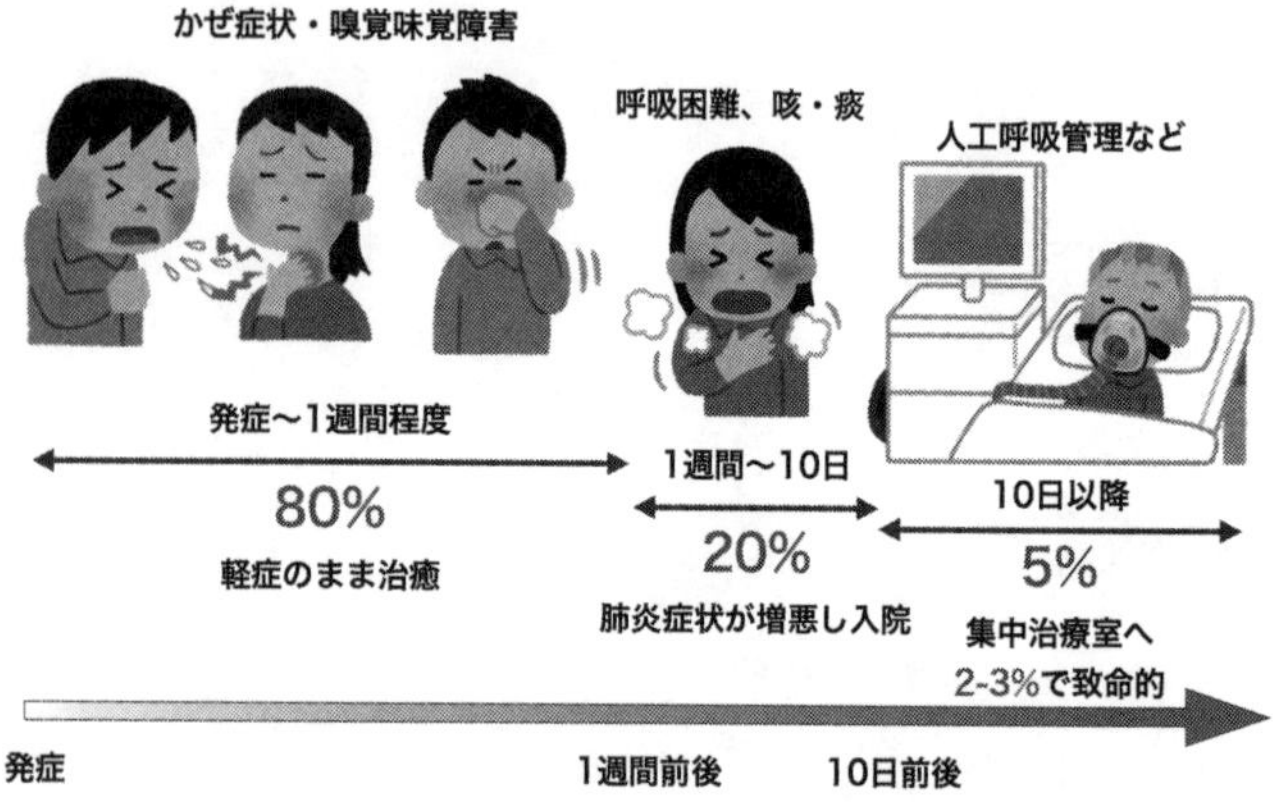

図　新型コロナウィルス感染症の経過

「新型コロナウイルス感染症（COVID-19）診療の手引き（第2.1版）」より引用
（2020年6月17日発行）

（体外式膜型人工肺）が用いられるが、その詳細についてはここでは省略する。

確定診断

ＣＯＶＩＤ－19の確定診断は現在、ＰＣＲ検査もしくは抗原検査でなされている。ＰＣＲはポリメラーゼ連鎖反応（polymerase chain reaction）の略で、ＲＮＡサンプルの特定領域を数百万〜数十億倍に増幅することで少量のＲＮＡサンプルの解析を可能にする技術である。患者の喀痰や鼻咽頭ぬぐい液に含まれるウイルスのＲＮＡをＰＣＲ法で増幅し、遺伝子型を判別することで診断が確定する。二〇二〇年三月六日からＰＣＲ検査は医療保険の適用となり、保健所を経由しなくとも、医療機関が民間の検査機関等に直接依頼を行うことが可能となった。

ＣＯＶＩＤ－19の確定診断は、抗原検査でも可能である。酵素免疫反応を測定原理としたイムノクロマト法によって、鼻咽頭ぬぐい液中に含まれるウイルスの抗原（ウイルス表面のタンパク質）を検出する手法である。特別な検査機器を要さず、簡便かつ短時間（約三〇分間）で検査結果が得られ、陽性であれば診断が確定する。ただ、ＰＣＲよりも必要とされるウイルス量が多く、仮に結果が陰性であったとしても、追加でＰＣＲ検査を行う必要がある。このほかの検査法としては抗体検査があるが、精度や信頼性が十分ではないため診断目的ではほとんど使用されない。

ちなみに感染力のピークは、発症直前から直後にあるとされているため、発症者の発見と隔離のみでは感染の封じ込めはできない。感染予防には社会的距離の徹底が重要である。なお重症例ではウイルス量が多く、発症から三〜四週間にわたり病原体遺伝子が検出されることもあるが、これはそのまま感染性を意味するわけではない。また、尿、血液、便から感染性のあるSARS-CoV-2が検出されることはまれである。

マスクの予防効果について

厚労省新型インフルエンザ専門家会議は「症状のある人が、咳・くしゃみによる飛沫の飛散を防ぐために不織布製マスクを積極的に着用すること」を推奨している。これは症状のある人が外出の際、咳やくしゃみによる飛沫の飛散を防ぐことが主たる目的である。健康な人のマスク装用は、机、ドアノブ、スイッチなどに付着したウイルスが手を介して口や鼻に直接触れることを防ぐこと、ウイルスを含んだ飛沫を吸い込まないようにする効果が期待されている。ただし後者の効果は完全ではない。このほか「咳エチケット」が推奨されている。これは咳やくしゃみをする際に、マスクやティッシュ・ハンカチ、袖などを使って、口や鼻をおさえ、飛沫の飛散を防ぐ行為を指す。

一方でマスク不要論も存在し、「マスクに感染予防効果はない」「社会的距離が保たれていれば十分」と主張する専門家もいるが、十分に根拠のある主張とはみなされていない。日本人に比べマスクの普及率が低かった欧米圏でも、感染拡大とともにマスクの需要は高まっていった。イタリアでは四月七日に、ニューヨークでは四月一六日にFace maskの着用が義務付けられてから、感染者の減少が促進されたとの報告もある。

ダイヤモンド・プリンセス

新型コロナウイルス感染症の日本における流行の発端となった出来事として、クルーズ船「ダイヤモンド・プリンセス号」船内における感染爆発がある。一月二五日に香港で下船した中国系の男性乗客が、新型コロナウイルスに感染していることが判明した。二月三日に横浜港大黒埠頭に移動して検疫体制に入ると、多くの乗客の感染が相次いで判明し、発症していない乗員・乗客の約三七〇〇人は、そのまま船内で待機することとなった。結局、乗客・乗員全員が下船できたのは約一カ月後の三月一日だった。本件は感染者七一二人、死者一三人が発生する惨事となった。

クルーズ船にDMAT（災害派遣医療チーム）の一員として乗船した岩田健太郎教授（神戸大学大学院医学研究科）は二月一八日夜、「ダイヤモンド・プリンセスはCOVID－19製造機。感染対策は悲惨な状態で、アフリカのそれより悪く、感染対策のプロは意思決定に全く参与できず、素人の厚労省官僚が意思決定をしており、船内から感染者が大量に発生するのは当然」と批判する動画を拡散して物議を醸した。船内で対応にあたっていた橋本岳・厚労副大臣は岩田教授に反論した上で船内の写真をTwitterに投稿したが、それがまさに岩田教授が批判したゾーニングの不備を疑わせる写真であり、批判を受けて投稿はただちに削除された。岩田教授もその後、ゾーニングは改善したという理由で件《くだん》の動画を削除した。第一線で感染拡大を防ごうとした医療スタッフの必死の努力も、岩田教授の義憤もそれぞれ根拠があるだけに、なんとも後味の悪いエピソードだった。

本件についてはさまざまな評価があるが、私は総合的に考えて、日本の対策は一定の成果を挙げたと考えている。外国船籍のクルーズ船の検疫ということもあって指揮系統は曖昧、三〇〇〇人以上の乗客全員を受け入れられる隔離施設もない状況では、乗客全員を船内に隔離した上で、なるべく他人との接触を控えるよう要請し、重症者のみを下船させ治療するという方針以上の対策が可能だったとは思えない。一時は国際的にも批判されたものの、その後米国でクルーズ船の集団感染が起きた際には、米政府も乗客を船内で隔離する方法を採っている。この事実からも、日本政府の対応が不適切だったとする批判は必ずしも当たらないと考える。

専門家会議

新型コロナウイルス感染症対策専門家会議（以下、専門家会議）は、二〇二〇年二月一四日に「新型コロナウイルス感染症対策専門家会議の開催について」に基づいて設置され、二〇二〇年二月一六日から開催された。内閣に設置された新型コロナウイルス感染症対策本部の下で、医学的な見地から適切な助言を行うことを目的とした会議であり、座長には国立感染症研究所所長の脇田隆字が、副座長には地域医療機能推進機構理事長の尾身茂が就任した。これ以降、新型コロナウイルス感染症の対策は、本会議の助言に基づいて政府が政策立案する形となった。これに続いて新型コロナウイルスクラスター対策班が二月二五日に設置され、専門家会議と緊密な連携のもとで活動を続けた。

初期の段階では海外からの流入を防ぐ「水際対策」が重視された。三月五日には中国と韓国からの入国を制限する措置を安倍晋三首相が発表した。これに加えて、クラスター対策の徹底、二月末には「大規模イベントの自粛要請」や「全国一斉休校」といった措置に踏み切ったこともあって、三月の連休までには感染症の拡大が若干収まってきたという観測も出ていた。

ところが中国からの流入を食い止めるほうに気を取られて、欧州に由来する第一波の到来を許してしまった。もっとも、これはまだイタリアやスペインで感染爆発が生ずる以前のことで、誰にとってもその予測は困難であったと考えられる。日本政府は三月一一日にイタリアの一部からの入国を制限しはじめたが、入国制限の対象をイタリアやスペインの全土を含むヨーロッパの大半地域にまで広げたのは、ようやく三月二七日になってからだった。

八割おじさんの活躍

ここからの記述はクラスター対策班のメンバーである西浦博（北海道大学大学院医学研究院教授）を中心に進める。専門家会議関連のメンバーではメディア露出も多く最も知名度の高い一人であり、政策提言にも大きく寄与した人物と考えられるためである。

西浦の専門は感染症の治療ではなく疫学、公衆衛生である。感染症については、新型コロナウイルス感染症の流行をコンピュータでシミュレーションする「数理モデル」で流行状況の特徴を解明する研究に取り組んでおり、二月二五日、厚労省新型コロナウイルスクラスター対策班に、専門家会議の押谷仁（東北大学大学院医学系研究科教授）らとともに参画した。

行動変容の指針として有名になった「三密」は、西浦が押谷との議論の中で類型化した、クラスターの共通項として発案された。すなわち、患者の感染が起きる環境として、人が「密閉」された空間に「密集」し、「密接」した関係で発話がある、という「三つの密（三密）」の条件が特定されたのである。

二月二七日までに北海道各地で感染源としてのクラスターへのリンクのわからない孤発例が非常に広範に報告された。札幌都市圏に大きなクラスターが存在すると考えられたため、専門家会議は二月二八日に鈴木直道・北海道知事に提言し、知事の判断で「新型コロナウイルス緊急事態宣言」が発表された。この結果、感染拡大は抑え込まれ、実効再生産数は減少した。

しかし、その後北海道以外でも感染経路が特定できない症例が急速に増加し、医療提供体制も逼迫してきたため、新型コロナウイルス感染症対策本部の決定により、埼玉県、千葉県、東京都、神奈川県、大阪府、兵庫県および福岡県の七都府県に対し、新型インフルエンザ等対策特別措置法第三二条第一項に基づく緊急事態宣言が発出された。その後も感染拡大が止まらなかったことから、四月一六日には緊急事態措置を全都道府県に拡大した。この当時、「すでに日本の医療現場は崩壊している」とする声が上がりはじめていた。

この時点までに西浦は、流行拡大を防ぐには人との接触を八割削減することが必要である、と提唱しており、ネット上で「八割おじさん」を自称するようになった（押谷の命名による）。この推計のもととなった基本再生産数は「二・五」だったが、審議の場に提出された資料では何者かによって値が「二・〇」に書き換えられていたという。政府関係者が西浦の試算を控え目に見積もろうと考えていたことがうかがえる。

さらに西浦は四月一五日の記者意見交換会で、対策をまったく取らない場合、日本国内では約八五万人が重篤患者となり、中国の死亡率データなどに基づけば、うち約四二万人が死亡する、との試算を公表した。その上で、人と人の接触を八割減らせば、約一カ月で流行を抑え込めるとした。この「四二万人死亡」という言葉だけが切り取られた結果、後になって西浦をエセ予言者呼ばわりするものが出現することになる。

クラスター対策や自粛要請がどの程度感染拡大の抑制に効果があったかは、今後詳しい検証が必要となるであろうが、現時点では私は専門家会議の提案を高く評価しているし、西浦のキャラクターやあえて個人的見解をマスコミに開示する率直さは、人々を安心させつつ一定の緊張感を与えることに貢献したと考えている。

緊急事態宣言後、外出自粛の要請などにより人々の接触機会が激減し、新規感染者数は着実な減少傾向に転じた。予想されたオーバーシュートは回避され、新規の感染者数もクラスター対策で対応できる水準に落ちつき、医療提供体制も重症者に対応できる状況となったため、五月二五日には、緊急事態解除宣言が行われた。もっとも専門家会議は、来たるべき第二波への備えを強調している。

クラスター対策とは何か

COVID－19は、主にクラスターを形成することで感染拡大が起きているため、クラスターの制御が感染拡大を予防する上で大きな意味を持つと考えられた。このため積極的疫学調査を実施することで、クラスター（集団）感染の感染源等を捉え、早急に対策を講ずることにより感染拡大を最小化させようというクラスター対策が重視されたのである。

日本のクラスター対策の成果としては、以下のものがあるとされる。

①クラスターの連鎖による大規模感染拡大を未然に防止できた。

②初期の積極的疫学調査から、共通の感染源となった「場」（三密）を指摘し、歌うことや大声で話すことといったプラスアルファの要素とともに周知に努めたことにより、クラスター（集団）感染が生じやすい環境をできるだけ回避することを市民に効果的に訴えることができた。

③クラスターを中心とした感染者ごとのつながり（リンク）を追うことにより、地域ごとの流行状況をより正確に推計することができていた。つまり、リンクが追えない「孤発例」が増加することは地域で感染拡大を示すものと判断することができ、地域での早期の対応強化につながった。

あまり論じられることがないが、クラスター対策の独自性には、以下のようなものがあった。諸外国における接触者調査では、「感染者」を起点として、その濃厚接触者（潜在的な患者）を洗い出すという「前向き（Prospective）」の調査が行われている。こうした調査は日本でも行われているが、日本ではこれに加えて、複数の「感染者」を見た場合には共通する感染源があるかをさかのぼって（Retrospective）調査していた。このようにして共通の感染源となった「場」を特定した結果、「場」に共通する「三密」の概念を早期に発見でき、その「場」にいた者についても積極的疫学調査を網羅的に実施できたのである。これは保健所が従来から結核患者などに対して行ってきた調査方法が土台となっており、保健所はクラスターの調査にあたっても寄与するところがきわめて大きかった。

保健所の機能

クラスター対策をはじめ、保健所が果たした役割はきわめて大きかった。発熱などの症状のある患者が、帰国者・接触者相談センターに電話で相談した後に、帰国者・接触者外来を受診し、医師が必要と認めた場合にPCR法または抗原検査が実施される。診断が確定したら、医師はただちに最寄りの保健所に届け出る。届出に基づき、患者に対して感染症指定医療機関などへの入院勧告が行われる。厚労省では、従来のFAXによる届け出方法に加え、保健所等の業務負担軽減および情報共有・把握の迅速化を図るべく、新型コロナウイルス感染者等情報把握・管理システム（HER－SYS）を導入している。HER－SYSの活用により、保健所、自治体、医療機関、関係業務の受託者等の関係者の間での情報共有が即時に行えるようになった。

保健所は日本独自の公衆衛生システムであり、結核対策を主たる目的として一九三七年に設立された。高度経済成長後、結核患者や死亡者が減少してきたことで保健所システムは弱体化したが、九〇年代の結核の再流行でたまたま再強化された。この偶然は、今回の新型コロナ対策にとってはまさに不幸中の幸いであった。

コロナ対策では二〇二〇年一月から、保健所がPCR検査の窓口、検体採取の訪問、検体の検査所や医療機関への搬送、結果の受検者への還元、濃厚接触者の調査と検査など、クラスター対策の前線のさまざまな役割や機能を担わされた。これだけの激務を負わされても何とか踏みとどまれているのは、たまたま保健所の結核対応力が強化されていたためでもある。それでも感染者が激増すると、食い止めきれず院内感染事例が多発した。

東京や大阪のような大都市では医療機関が増加した反面、保健所数は大幅に減らされてきた。このため感染者数が増えると保健所だけでは対応しきれなくなった。現状を改善するには、保健所の機能を拡充するのみならず、ゲートキーパー（門番）を担う拠点医療機関を設置する必要がある。

新型コロナウイルス感染症への対応では、国からの上意下達というよりも、都道府県知事・事業者・住民の相互の協働体制で対応することが比較的うまくいく。海外でも高く評価された「和歌山モデル」の例もある。国や専門家に依存しすぎず、自治体と住民とが協働の公衆衛生体制を持つことが望ましい。この点からも専門家会議も指摘するように、住民サービスとサーベイランスの最前線である保健所の体制を早急に強化する必要があるだろう。

「新型コロナ終息」のイメージ

新型コロナウイルスの感染拡大はいずれ終息する。それは間違いない。ただし、終息のためには、ワクチンの普及か集団免疫の獲得のいずれかしかないとされている。つまり、現時点では終息の時期はまったく予測がつかない。

先述の西浦による推計では、基本再生産数を国際標準並みの二・五と想定した場合、人口の六〇%が感染すると新規感染者数は自然に減少に転じると考えられた。イギリスではボリス・ジョンソン首相が三月一二日に、経済活動を制限せずに集団免疫を目指すと宣言して弱者切り捨て政策との批判を浴び、ただちに撤回を余儀なくされた。一方スウェーデンでは一貫して集団免疫獲得を目指し国民もこれを支持したが、結果的に感染による死者は六月下旬の時点で五〇〇〇人に迫る結果となっている。これを成功とみるか失敗とみるかはともかく、この死亡率は、単純計算で日本ならば五万人以上の死者数に相当することになるが、そうした状況がとうてい容認されるとは考えられない。現実的には、三密とクラスターに配慮しつつ経済活動を慎重に再開するという路線のみが可能であろう。

ワクチン開発については多くの国と企業が開発にしのぎを削っている状況であるが、仮にワクチンそのものが完成しても、第一相試験から第三相試験までを経て安全性を確立する必要があり、全国民が接種できるには一～二年以上を要するのが通常である。よって現時点では、まだ特記すべきニュースはない。

これに関連して、日本で新型コロナウイルス感染症の患者数が欧米諸国に比べきわめて少ない理由の一つに、BCGの接種が挙げられている。国際的にもBCGを接種している国はしていない国より死者数が少ない傾向があるという。その理由としては、BCGが「訓練免疫」という仕組みで人体に備わっている自然免疫を活性化させ、重症化抑制に寄与している可能性があるという説もある。必ずしもトンデモ説と一蹴できない根拠もあるため、現在検証が進められている。

現在、抗ウイルス薬についても有望とされるものが複数存在する。レムデシビル（米ギリアド・サイエンシズ）、ファビピラビル（富士フイルム富山化学の「アビガン」）、シクレソニド（帝人ファーマの「オルベスコ」）、ナファモスタット（日医工の「フサン」）、カモスタット（小野薬品工業の「フォイパン」）、イベルメクチン（ＭＳＤ）などである。レムデシビルが最有力とされているが、やはり現時点では特記すべきものはない。

誰がＰＣＲ検査を受けるべきか？

ＰＣＲ検査についての論議は最も対立と紛糾がみられた問題である。ただちに全例検査すべしという意見と、全例検査はナンセンスという立場の対立である。ＰＣＲ検査は、少なくとも流行当初は人手も時間もかかる検査であり、現実問題としても検査数を急に増やすことは困難な状況にあった。

私も医師として、全例検査はベネフィットよりもリスクが大きいと考えている。その理由は後述するが、何よりも「アメリカの失敗」が非常に印象的だったためでもある。アメリカでの流行が急速に拡大しつつあった三月一二日、民主党下院議員ケイティ・ポーターは、アメリカ疾病管理予防センター（ＣＤＣ）局長への議会質疑応答で局長を問い詰め、全国民へのウイルス検査無料化の言質を勝ち取った。まるで映画のワンシーンのようなこの場面の動画に喝采した人も多いだろう。ここまでは良かった。しかし、その後何が起こったか。無料の検査に殺到した人々の行列からクラスターが発生し、全例検査が感染拡大を招くという皮肉な事態が起こったのだ。

二〇二〇年上半期の時点では、専門家会議はもちろん、私が信頼する専門家は誰も全例検査を推奨していない。もちろんこの時点での検査数が十分であるという意味ではない。検査ニーズが十分に満たされているかといえば、とてもそうとは言えない状況が続いている。いっそうの検査拡充の必要性は認めた上で、それでも全例検査を肯定的に論ずる人は少ない、という意味だ。

患者が新型コロナウイルス感染症と思われる症状を有していて、医師が必要と判断した場合には検査を行う。これが基本方針だ。加えて、無症状者であっても、事前確率が高い人々にもPCR検査を行う必要がある。「事前確率が高い人々」とは、感染者と濃厚接触した履歴があるもの、特に感染者の出た病院や施設の濃厚接触者、あるいは感染クラスターの関係者などを指している。ここまでは大方の合意が成立している。議論の争点は、無症状で事前確率の低い患者に対して検査を行うべきか、という点である。一部のマスコミや識者は、早い段階から、そうした患者を含む全例検査を徹底すべしと強く主張していた。

全例検査の主張に対する反論としては、PCR検査の感度と特異度の問題が指摘されている。ちなみにここで述べる感度、特異度は、PCR検査そのものの精度というより、検体採取で確実にウイルスのRNAを採取できるかどうか、技師の技術的練度などを総合した数値として理解されたい。検査過程は適切でも、検体が適切に採取されなければ感染者であっても陰性という結果になりうる、ということである。

ＰＣＲ検査の感度（陽性を正しく陽性と判断する割合）は七〇％、特異度（陰性を正しく陰性と判断する割合）は九九％とされることが多い。ということは、感染者（陽性者）を誤って陰性と判断する確率が三〇％、非感染者（陰性者）を誤って陽性と判断する確率が一％ある、ということだ。偽陰性三〇％、偽陽性一％という数字は決して小さくない。

人口一万人の町で、仮に感染者が一％（一〇〇人）いるとしよう。全例にＰＣＲ検査を行うと、九九人が擬陽性と判定され、隔離されることになる（非感染者九九〇〇人のうちの擬陽性者が一％だから）。感染していないのに隔離を強制されるのは人権侵害である。その一方で三〇人の感染者が陰性と判定される可能性があり（感染者一〇〇人の三〇％は偽陰性者だから）、この三〇人は陰性という結果に安心して活動し、感染を拡大してしまう可能性がある。

この推計が正しいとして、九九人の非感染者に医療資源が割かれる一方、三〇人の偽陰性者が感染を拡大させることが好ましいとは思えない。検査対象を絞り込むことで、こうした弊害は小さくできる。第一波の段階で、潤沢とは言えない日本の医療資源が、ぎりぎり医療崩壊に陥らずに踏みとどまったのは、検査数を絞り込んだことによると評価されている。実際、国民全員が検査を受けて、陽性者全員が適切な医療を受けるという〈ユートピア〉は世界中のどこにも存在しない。その意味では、日本の検査方針が大失敗と非難されるのはあきらかに不当であろう。

ただし、リスクコミュニケーションという点では問題なしとしない。専門家会議や医師の側の論調は「ＰＣＲ検査のむやみな拡充は医療崩壊を招くので好ましくない」というものだった。繰り返すが、このロジックは決して間違いではない。しかし国民に対する説得のありようとしては筋が悪いとしか言いようがない。「病棟がコロナ患者で溢れますよ」「そうなると必要な人が治療を受けられず命の選別が起こりますよ」「さらに他の疾患の人まで医療現場から締め出されますよ」「それでいいんですか」。これは恫喝である。

問題は、この理屈が、人々にいったん自分のことを棚上げにして、社会全体を俯瞰する視点から考えることを要求していることだ。不安の渦中にある人々には、そんな余裕はない。「検査で不安を取り除いて欲しい」という気持ちは理屈を超えている。不安は理屈では癒やされない。そういう人々の大多数は、医療崩壊するから検査は控えてという理屈では決して納得しないだろう。私は医師であるため当初はこの理屈に違和感を感じなかったが、医師以外の人にとっては、単に医療システムの保全を最優先する独善的主張に見えたとしても不思議はない。

マスメディアも、「全例検査」VS「限定検査」という党派的な対立を煽りすぎたのではないか。どちらも「検査体制拡充の必要性」については一致しているのだから、なすべきことは検査態勢の現状を開示し透明化した上で「必要な人ができるだけ迅速に検査が受けられる体制を整備しますが、費用も人手も限界があるので、もう少し待ってください」と、繰り返しアピールすべきだったのではないだろうか。

メンタルヘルス

最後に精神科医として、メンタルヘルス上の影響について述べておこう。コロナ禍の直接的な影響というよりは、自粛生活で長期化したひきこもり状態が、さまざまな変化を引き起こした。もっとも顕著だったのはDVと虐待の増加で、これは当初から予想されていたことではあった。権力勾配をはらんだ密室は、しばしば攻撃性や暴力の温床になることが知られていたからだ。

コロナ禍以前からひきこもっていた人も少なくなかったのだが、彼らは新型コロナウイルスへの不安はさして訴えなかった。ただ、両親がずっと在宅ワークで家にいるというストレスに苦しんでいたものは少なくなかった。ひきこもりの専門家としては、「無為にひきこもることも社会の役に立つ」「長くひきこもると意欲が低下する」といった事実が広く知られた点ではプラスの変化もあったと考えている。実際、人との接触が激減することで意欲を喪失し、いわゆる「コロナうつ」を自称する人が増えた。医療現場で問題になるというレベルではなかったが、宙吊り生活が長期化してどうにも意気が上がらない閉塞感を象徴する言葉ではあった。

精神科診療の現場では、通院のリスクを避けるため、電話診療の規制が緩和され、電話で問診をして処方を出すことも一時的にせよ可能になった。その結果、多くのクリニックで外来患者が激減した。長期に通院している慢性患者はそれでも十分に対応できることがわかった。カウンセリングもリモートになり、私が試みているオープンダイアローグという対話実践によるケアも、Zoomなどに置き換えざるを得なかった。それである程度うまくいくことがわかり、リモートは非常手段というよりも診療における新たな選択肢となった。

リモートの是非は医療には直接関係のない話のようだが、必ずしもそうではない。在宅ワークへの切り替えによって欠勤が減った会社員、リモート授業であれば学習参加ができる不登校児など、リモートのポジティブな面が少なからず見えてきた。一部のASD（自閉症スペクトラム障害）患者など、通勤や対人刺激が平均的な人よりも大きなストレスになる場合があり、そうした人にとってもオンラインは救いとなった。多くの企業がリモートワークの枠を残す方針を取りつつあるが、通勤かリモートかの二者択一ではなく、双方の比率を含めて多様な選択肢が可能となることが望ましい。

（二〇二〇年七月一五日）

参考文献

・報道資料「新型コロナウイルス感染症の現在の状況と厚生労働省の対応について（令和二年五月三一日版）」（https://www.mhlw.go.jp/stf/newpage_11606.html）

・新型コロナウイルス感染症対策専門家会議「新型コロナウイルス感染症対策の状況分析・提言」

（令和二年五月二九日　https://www.mhlw.go.jp/content/10900000/000635389.pdf）

- 「新型コロナウイルス感染症（ＣＯＶＩＤ－19）診療の手引き（第2.1版）」（二〇二〇年六月一七日発行、令和二年度厚生労働行政推進調査事業費補助金「新興・再興感染症及び予防接種政策推進研究事業一類感染症等の患者発生時に備えた臨床的対応に関する研究」）
- 新型インフルエンザ専門家会議「新型インフルエンザ流行時の日常生活におけるマスク使用の考え方」（平成二〇年九月二二日）（https://www.mhlw.go.jp/shingi/2008/09/dl/s0922-7b.pdf）
- 「【特別寄稿】『8割おじさん』の数理モデルとその根拠」――西浦博・北大教授」（「Newsweek日本版」二〇二〇年六月一一日付）（https://www.newsweekjapan.jp/stories/world/2020/06/8-39_4.php）
- 「新型コロナ、日本独自戦略の背景に結核との闘い　対策の要『保健所』の歴史から見えるもの」（二〇二〇年五月二五日付「47News」　https://this.kiji.is/636063326715642977?fbclid=IwAR3XL2GZZwmTuWOUe53bfwzjsmUU7h6gd88tjVARtMJLiMmU_tUffNZXhTo）

※その他、関連する新聞記事、Wikipedia 記事などを適宜参照した。

［貧困］

コロナ禍の貧困の現場から見えてきたもの

雨宮処凛

雨宮処凛（アマミヤ・カリン）

一九七五年、北海道生まれ。作家、活動家、フリーターなどを経て、二〇〇〇年に自伝的エッセイ『生き地獄天国』（ちくま文庫）でデビュー。〇六年からは貧困問題に取り組み、『生きさせろ！ 難民化する若者たち』（ちくま文庫）はＪＣＪ賞（日本ジャーナリスト会議賞）を受賞。著書に『「女子」という呪い』（集英社クリエイティブ）、『非正規・単身・アラフォー女性』（光文社新書）、『ロスジェネのすべて　格差、貧困「戦争論」』（あけび書房）、対談集『この国の不寛容の果てに　相模原事件と私たちの時代』（大月書店）、『相模原事件裁判傍聴記　「役に立ちたい」と「障害者ヘイト」のあいだ』（太田出版）など多数。

横浜港に停泊したダイヤモンド・プリンセス号で新型コロナウイルス（以下、新型コロナ）の集団感染が発覚した二月五日、私は横浜地裁にいた。

相模原の障害者施設で一九人を殺害した植松聖の裁判を傍聴していたのだ。

この頃の私は、都内から朝七〜八時台の満員電車に乗って毎日のように横浜地裁に「出勤」していた。一月から始めた傍聴だったが、日を追うにつれ電車内のマスク着用率は上がり、「この中で絶対に咳などできない」という緊張感は増していった。しかし、新型コロナウイルスはまだどこか「対岸の火事」だった。ウイルスそのものよりも、満員電車のピリピリした空気が怖かったことを覚えている。

裁判が結審した二月一九日、横浜地裁から帰る私に友人からメールが来た。「今日、ダイヤモンド・プリンセス号に隔離されていた乗客が公共交通機関で大勢帰るから気をつけて」という内容だった。横浜駅でそんなメールを受け取りつつも、私はどこかで「大げさだな」と思っていた。

二月二七日、全国の小中学校が三月二日から一斉休校となることが発表された。突然の発表は全国に大混乱をもたらしたが、「思いつき」に始まり、「それに伴う補償については誰も考えてない」というこの国の新型コロナ対策の「定番」は、この時にすでにできあがっていた。

子どもが学校を休めば、仕事を休まざるを得ない親が続出する。「補償しろ」という声が散々上がってやっと国は、休校によって休む会社員などには日額上限八三三〇円、フリーランスで働く親はなんの根拠も示さずにその半分の四一〇〇円を助成すると発表した。ご丁寧なことに、風俗業や接待を伴う飲食業で働く親は除外という「職業差別」付きだった。結局、これには多くの批判が集まり、四月七日に撤回。また、この助成金の申請が始まったのは、一斉休校から半月以上が経った三月一八日だった。

コロナ禍で働く人々の実態

さて、それでは新型コロナ感染拡大を受け、この国で働く人々はどのような状況だったのか。ここに三月前半の状況を読み解く資料がある。三月六〜七日に「全国ユニオン」が開催した「同一労働同一賃金ホットライン〜新型コロナウイルス対策の雇用形態間格差を是正しよう！〜」。寄せられた相談は一二〇件以上。電話をかけてきたほとんどが正社員以外だ。ちなみにこの国の非正規雇用者の平均年収は一七〇万円ほど（国税庁）。これでは貯金もむずかしい。以下、いくつかの声を紹介しよう。

「スーパーの試食販売に派遣されていたが、二月中旬から仕事がなくなった」
（派遣・女性・流通）

「スポーツジムでエクササイズやトレーニングの指導をしている。今は待機中。今後が心配」
（個人事業主・男性）

「新型コロナの影響でツアーが相次いで中止。仕事がなくなり、生活ができない」
（派遣・添乗）

「予定していた仕事がすべてなくなった」（男性・イベント）
「三月二日から休みになった。補償がどうなるか説明がない」（パート・女性・テーマパーク）
「週六日・一日五時間、二〇年以上勤務しているが、仕事がなくなった」（パート・女性・ホテル配膳）
「三月から就職する予定だった会社での主な仕事先が韓国と中国だったことから、仕事に行けなくなり、内定を取り消された」（求職者・男性）
「新型コロナの影響で学校給食が中止になった。補償はあるのか」（公務非正規・女性・学校給食）
「幼稚園の送迎バスの運転手。新型コロナの影響で三月から自宅待機になった。補償があるのか不安」（派遣・男性・運転手）
「スポット派遣で週五日働いていたが、時期とコロナの影響で週一回しか働けない」（日雇い派遣・男性）
「ある競技の警備をすることになっていたが、無観客になったので仕事もなくなった。賃金はどうしたらいいいか」（経営者・男性・警備）

ホテル、観光、飲食など業種は多岐にわたる。また、学校給食の仕事をする人が補償について心配している様子からは、一斉休校は、学校現場で働く人の補償についても決めないまま強行されたということがわかる。一方で、休業に伴う補償が、正規と非正規で差があるという相談も寄せられた。

「正社員は特別休暇で有給で休みにするが、パートはないと言われた」

（パート・女性・社会福祉施設）

「新型コロナの影響で仕事がなくなった。正社員は有給だが、パートは無給と言われた」

（パート・女性・旅行会社）

また、在宅ワークが推奨されていたが、非正規ではそれができない実態も明らかになっている。

「派遣先はリモートワークになった。自宅でもできるのでリモートワークにしたいと言ったが、派遣はダメだと言われた」

（派遣・女性）

失業と同時に住む場所を失う不安を抱える人もいる。

「離婚して昨年一一月から働いている。やっと慣れてきたが、雇い止めを通告され、寮も出るように言われ困っている」

（派遣・女性・ホテル）

一方、三月一五日に緊急生活保護ホットラインを開催した「ホームレス総合相談ネットワーク」も一二〇件の電話相談を受けている。「観光バスの運転手の仕事を解雇された。所持金は二万円で、失業保険だけでは生活できない」「歩合制でサウナで体をほぐす仕事をしているがサウナが休業し、収入が途絶えた。五〇〇〇円しかない」などの訴えや、住宅ローンを払っている世帯からの切実な声が寄せられたという。

逼迫の様子は、三月二〇〜二一日に開催された全国一般東京東部労働組合の「新型コロナウイルス関連　雇用不安集中労働相談」の報告からも垣間見える。

「仕事が激減しました。最初、労働時間を二時間減らされ、出勤日も週四日に減らされました。次いで休業命令が出されましたが、パートには休業補償は一日一〇〇〇円のみです。一日一〇〇〇円では生きていけません」

「『仕事がないから休んで』と言われてもう一カ月半もすぎた。このままでは生活ができない。公共料金すら払えない。電気もガスも止められてしまう」

これらの電話相談はいずれも三月。この時点でこれほど大変な状況なのに、給付の話はまったく具体化せず、出てきたのは「お肉券」「お魚券」といった素っ頓狂なものばかり。庶民は今まさに、明日の家賃の支払いやローン、光熱費、携帯代の支払い、学費の支払いや今日の食費に困っているというのに、その声は国には届かない。「自粛と給付はセットだろ」というハッシュタグをTwitterで見かけるようになったのもこの頃だと思う。

一方で「これまで貧困と無縁だった人々」からの相談が増えていることが気になった。例えば〇八年のリーマンショックで派遣切りされた人の多くは製造業派遣の男性。その年末の「年越し派遣村」には、寮を追い出されるなどした男性たちが五〇〇人以上、集まった。だが、新型コロナによる経済危機でホットラインに電話をかけてくる人々はあらゆる業種に及んでいた。サービス業では非正規で働く女性も多く、また「働き方改革」の中、推奨されてきたフリーランスも多くいた。住宅ローンを抱える人からの相談が多いことにも驚いた。なぜなら、私は〇六年から一四年間、貧困問題の現場に身を置いてきたわけだが、貧困当事者にはこれまでただの一人も「住宅ローンを抱える人」などいなかったからである。全員が賃貸物件、もしくはネットカフェや寮、路上での暮らしだった。住宅ローンが組めるような安定層はこれまで、私たちのもとに相談に来ることはなかったのだ。

じわじわと始まるホームレス化

そんな三月末から生活困窮者支援をする人々の間で広まり始めたのは、「炊き出しに新顔がぽつぽつと来るようになった」という話。三月末に支払うはずの家賃が払えず、路上に出てくる人が出始めたのだ。

「でも、家賃滞納で追い出されるのは三カ月以上滞納してからでは？」という声もあるだろう。が、すでに三月末の時点で「追い出し」は始まっていた。これは五月に入ってから徐々に明らかになってきたのだが、一カ月程度の家賃滞納で追い出された中には、「シェアハウス」

に住む人が少なくなかった。初期費用も安く、女性限定の物件などもあり、近年もてはやされているシェアハウスだが、利用者にかなり不利な条件での契約がまかり通っているケースがあるのだ。このように、居住が不安定な層からのホームレス化が始まった。

三月、新型コロナ不況を受け、私も世話人の一人である「反貧困ネットワーク」が呼びかけて「新型コロナ災害緊急アクション」が結成された。貧困問題を解決するために活動する三〇ほどの団体で結成され、情報を共有しながら相談・支援活動をしていくこととなった。

そうして三月二四日、二〇二〇年の東京オリンピック延期が発表される。その翌日、小池百合子都知事は記者会見で東京都の「ロックダウン」の可能性に触れ、平日の自宅勤務、夜間の外出自粛を要請。二七日には大阪府と岐阜県が不要不急の外出を控えるよう求め、愛知県、福島県は首都圏への行き来を控えるよう呼びかけた。桜のシーズンを迎えようとしていたこの頃、「花見の自粛」が呼びかけられ、桜並木が通行禁止になったりベンチが使用禁止になったりもした。三〇日、小池都知事はライヴハウスやバー、ナイトクラブなどに行かないよう呼びかける。「自粛」要請を受け、ただでさえ瀕死の業種は大打撃を受けるわけだが、補償はこの時点でもセットで語られない。

そうして三月三〇日、志村けん氏の訃報が日本中に衝撃を与える。

四月七日、とうとう東京都をはじめとした七都府県に緊急事態宣言が出される。同日、厚生労働省（以下、厚労省）から生活保護に関するある通知が出された。生活保護を受けるには様々な調査がなされるのだが、それらを簡略化すべきという内容の通知だ。生活困窮者が増えることが予想される中、申請に来たらとにかく保護を開始しろ、ということである。

この頃、困窮者を救済する別の制度も要件緩和を繰り返していた。それは「住居確保給付金」。住まいを失ったり、失いそうな人に対して最長九カ月まで家賃(上限あり)が支給される制度だ。家賃が支給されるのであればなんとかやっていける、という人は多くいるだろう。特に新型コロナで真っ先に困窮に晒されたのが、ライヴが中止となったミュージシャンなど。が、四月末まで彼ら彼女らはこの制度を使えなかった。なぜなら、「六五歳未満で離職・廃業から二年以内」という条件があり、さらにハローワークに登録して求職活動をする必要があったからだ。ライヴが中止になったから家賃支援を受けたいミュージシャンが、ミュージシャンを「廃業」し、別の仕事につくため職探しをしなければ使えない制度だったのである。これについてはまず年齢制限が撤廃され、二〇日には離職・廃業していなくても収入が減った人も対象となった。三〇日からは求職申し込みも不要となった。このようにして、やっとミュージシャンやフリーランスも使えるようになったのだ。

これらの事実を見ていくとわかる通り、この国の制度は「使い勝手がめちゃくちゃ悪い」ものが多い。新型コロナによってそんな「条件」が撤廃されたこと自体はよかったと思うが、新型コロナが収束したら元に戻りそうな予感もする。

さて、緊急事態宣言から数日後、深刻な事態が発生した。四月一一日から、ネットカフェが休業することとなったのだ。が、「ネットカフェ難民」という言葉が示す通り、そこでは家のない人々が寝泊まりしている。一八年の東京都の調査によると、都内だけで「ネットカフェ難民」は四〇〇〇人。閉鎖してしまえば、それだけの人が路頭に迷うのである。

この頃、国やメディアはしきりに「ステイホーム」を訴えていた。が、そもそも「ホーム」のない人はどうすればいいのだろう？

そんな状況を受け、四月三日、私はホームレス支援団体などとともに東京都に申し入れをした。ホームレス化の可能性が高い困窮者への支援を強化すべきという内容で、支援の情報提供や、ホテルなど民間施設の借り上げによる居所の提供などを求めたのだ。

三日後の四月六日、小池都知事は会見で、ネットカフェ休業によって寝場所をなくす人々のためにホテルの部屋を確保する、と発表。このことに、私たちは快哉を叫んだ。ロンドンでは三月の時点で、市長がホテル三〇〇室を路上生活者に開放していたのだ。小池都知事はそのために一二億円を計上したと胸を張った（が、ホテル利用についてはその後、様々な問題が露呈する）。

そうして四月一一日、都内のネットカフェの多くが閉鎖。

この日、私は新宿の炊き出しにいた。毎週土曜日、支援団体によって都庁前で弁当などが配布されているのだ。新型コロナを受けて、この場にも新顔が増えていると聞いていた。平時であれば弁当配布に並ぶのは七〇〜八〇人ほどで、多くが近くで野宿をするなどの「常連」。が、新型コロナ不況が始まってからは一〇〇人以上が並ぶようになり、うち二〜三割は新顔ということで、その割合は五月、六月とどんどん増えて半数近くなり、行列も二〇〇人に迫るほどになっていった。また、この炊き出しでは支援者が生活相談も受けているのだが、平時では数人しか相談しないところ、新型コロナ以降は三〇人以上が相談を希望するということだった。多くがホームレスになりたてで、若者も多い。たいていの場合、生活保護の申請が勧められる。

一方、これまで「国の世話にはなりたくない」と路上生活を続けていた人も、生活保護申請を考え始めて支援者に相談するようになっていた。その背景には、新型コロナ不況を受け、ホームレスの人々が集めて換金する「アルミ缶」の値段が暴落したこと、「行列の並び代行」など路上生活者を支える「都市雑業」が激減したことなどがある。よく「ホームレスには新型コロナ不況なんて関係ないから気楽だな」と言う人がいるが、それは違う。ホームレスほど世界経済に影響される存在はない。リーマン・ショックの際にもアルミ缶や古紙の値段が暴落し、彼らの生活を直撃した。路上生活こそ、グローバリゼーションの波をもろに食らうのである。

所持金一三円のAさんは……

さて、この日、私が炊き出しに行ったのは、Aさん（三八歳・男性）と会うためだった。Aさんはこの日の朝、「つくろい東京ファンド」の緊急相談フォームにメールしていた。つくろい東京ファンドとは、住まいのない人を支援する団体。普段から夜回りなどをして支援活動をしているが、緊急事態宣言が出た四月七日、サイトに緊急相談フォームを設けたところ、「アパートを追い出された」「ネットカフェが閉まると行き場がない」などの相談が殺到。支援者たちはボランティアで昼夜を問わず駆けずり回るという「野戦病院」のような状態となっていた。Aさんも、「つくろい東京ファンド」に連絡してきた一人だった。その時点で所持金は一三円。家もない。電車賃もないため、支援者が彼がいる場所の駅まで迎えに行き、この場に連れてきたのである。そこで私は彼の支援を引き継いだ。

事情を聞くと、半年ほど前に住まいを失い、日雇い派遣で働きながらネットカフェ生活を続けてきたという。しかし、三月頃から新型コロナで仕事がなくなり、四月に入ってからは一日しか働けないままこの日を迎えていた。食費やネットカフェ代で所持金は減るばかりで、利用していたネットカフェも閉鎖。そうしてSOSメールを出したのだ。

なぜ、ここまで日雇い派遣の仕事が激減したのか。聞くと、飲食店の休業などにより、そこで働く人々が日雇い派遣に殺到しているという。また、多くのイベントが中止になったことにより、設営などの現場も流れ、動いている現場に人が押し寄せたのだ。Aさんがしていたのは冷凍食品の仕分け。マイナス三〇度の倉庫内で作業するという辛い仕事で、日給は交通費込みで七〇〇〇円台。決していい条件ではないが、新型コロナ不況の中、この現場の倍率は上がり、シフトにあぶれるようになってしまったのだ。

この日、私はAさんを「東京チャレンジネット」の窓口に案内した。小池都知事が発表した「ネットカフェ生活者用に確保したホテル」に泊まるための窓口である。都の人との面談の結果、Aさんはその日の土曜と翌日の日曜、ホテルに泊まれることとなった。食事は三食お弁当が出るという。また、月曜朝にチェックアウトし、それまでいた北区で生活保護申請をすることになった。

この申請には私が同行することになったのだが、問題は月曜からの宿泊だ。一番いいのはアパートが決まるまでビジネスホテルに泊まれることだが（申請が通れば、敷金などは生活保護から転居費として出る)、Aさんは月曜朝にホテルを出ることになっている。ということは、北区で生活保護申請をする際に、「今日からアパートに入るまで、都が用意したホテルに泊まらせてください」と交渉しなければならない。首都圏では生活保護申請をするとアパートに移るまで、場合によっては何カ月も相部屋・大部屋の劣悪な施設(無料低額宿泊所など)に入れられてしまうことが多いからだ。まさに「三密」の条件が揃ったような場所である。せっかくギリギリで路上生活を免れたのに、制度に繋がることによって新型コロナに感染してしまっては元も子もない。

ということで月曜日、Aさん、そして何かあった時のために北区の区議会議員とともに区役所を訪れた。結果から言うと、満額回答だった。役所の人によるとその日の朝、都から通知が来て、北区の七〇室のビジネスホテルがリストアップされていたという。私たちが行った時点でネットカフェからの相談者はすでに四人来ていて、女性もいるということだった。そうして生活保護を申請。その間に、今日から滞在できるホテルも決まった。この時点で緊急事態宣言の期限は五月六日までだったので、その日までホテルに宿泊できることになる。所持金がないのでお金も貸し出され、生活保護が決定されるのを待つ間(最大二週間程度)、アパート探しを進めておくよう言われた。都内の単身者が生活保護を受けると、家賃の上限は五万三七〇〇円。敷金など込みで転居費の範囲内と認められれば、すぐにアパートに入居できる、という段取りをつけたのだ。

こうしてこの日、Aさんの生活はメキメキと音を立てるように再建され、五月六日には無事にアパートに入居。コロナ禍を機に、まさにピンチをチャンスに変えてネットカフェ生活に終止符を打ったのだ。働き者のAさんは、新型コロナが収束すればすぐに仕事も見つかるだろう。これまでは住まいがないからこそ、日雇い派遣しかできなかったのだ。

しかし、生活保護申請に同行した翌日、Aさんのケースは「奇跡的にラッキーなケース」だったと知った。他の区では、生活保護の申請後、都が準備したホテルではなく、無料低額宿泊所などに案内されているケースが多くあったのだ。六畳の部屋に二段ベッドがふたつという四人部屋に案内された人もいたという。これでは「クラスター」をわざわざ発生させるようなものではないか。このような運用の背景には、東京都が各自治体に出した事務連絡に「一義的に無料低額宿泊所を使うべし」という一行の存在がある。あれほど小池都知事は「ホテルを用意した」と誇らしげに述べたのに、なぜそんな通知を出すのか。この緊急時において、あまりにも現実を無視したやり方である。

これに対しては多くの支援者、国会議員や区議会議員が東京都、厚労省に声を上げた。すると四月一七日、厚労省は「やむを得ない場合を除き個室の利用を促すこと」という内容の通知を出す。これを受け、東京もやっと「原則、個室対応」という事務連絡を出したのだった。ほっと胸を撫で下ろしたのだが、貧しい人の命を軽んじるような都、国のやり方には不信感が残った。

さて、四月一六日には緊急事態宣言の対象が全国に拡大。

四月一八～一九日には「コロナ災害を乗り越える　いのちとくらしを守るなんでも相談会」

住まい・生活保護・労働・借金etc…〜」のホットラインの電話相談員をつとめた。二日間で寄せられた電話は、全国で約五〇〇〇件。が、フリーダイヤルには四二万件のアクセスがあったという。ということは、電話をかけたうちの一・六％しか繋がらなかったということだ。その数字が示す通り、電話を切った次の瞬間に電話が鳴りだすという状況だった。

共通したのは、「外出自粛・休業要請で仕事と収入が途絶え、今月または来月の家賃（自宅・店舗）やローンが払えない。生活費も底をつく」という崖っぷちの状況だ。もっとも多かった相談は「生活費問題」で二七〇〇件以上。他にも、「生活はギリギリ。コロナになってもならなくても死ぬ」「四〇年近くカラオケスナックを運営してきた。二月下旬から売り上げが急減し、四月は一七日までの半月あまりで、月の売り上げが合計六〇〇〇円。自粛しろと言っても、私たちはもう生活できない」などの悲痛な声が寄せられた。

弱い立場の人々から追い詰められる

この頃、東京都と同じようにネットカフェが閉鎖した神奈川の状況が明らかになってきた。神奈川県はネットカフェ生活者のため、県立の「神奈川武道館」を開放。しかし、そこは冷暖房もない空間に簡易ベッドが並ぶ体育館だった。ベッドは布で仕切っているだけで上部は空いている。また、寝具は毛布が二〜三枚だけで、まだ肌寒かったこの時期、利用者は寒さに震えていたという。一番の問題は、食事の提供がなかったこと。利用者の中には、所持金が十数円という人もいた。しかし、そのような事情が考慮されることはなかったという。結局、神奈川武道館を利用したのはピーク時で七六人。うち女性は九人。武道館は五月七日の朝、閉鎖。彼ら彼女らはその後、どうなっているのだろう？

四月後半には、新型コロナ不況を象徴するような事件が起きた。まずは二三日、六〇代の男性が閉店後のスーパーからカップ麵などを盗んで逮捕。日雇い労働をしていた男性は新型コロナで失職し、「腹が減っていた」と述べたという。二五日には、横浜市で不動産会社の女性が客の男に刺され、バッグや車を奪った疑いで男が逮捕されている。逮捕された二四歳の男は、「新型コロナウイルスの影響で仕事がなくなり、生活に困っていた」「女性を殺害して現金を奪おうと思った」と供述。刺された女性は、重体。

ゴールデンウィーク中の五月二〜三日には「新型コロナ関連　労働・生活相談」というホットラインの電話相談員をつとめた。持続化給付金などについて、「いつ出るのか？」「いつ振込まれるのか？」と苛立った声で聞く人が格段に増えていた。「もう廃業するしかないのか」と嘆く自営業者もいれば、「所持金が尽きた。家に米しかなく、食料をもらえないか」という相談もあった。残金があと三〇〇円しかないという人のもとには、支援者が急遽駆けつけて緊急のお金を渡した。

五月三日には、電話相談のあと、住まいも所持金もないとSOSをくれた人と待ち合わせした。「新型コロナ災害緊急アクション」の緊急相談フォームにメールをくれた人だった。

SOSが来た場合、たいてい支援者が駆けつけるのだが、すでに携帯が止まっている人も多く、それがあらゆることを困難にしていた。何しろ、こちらから連絡がとれない。本人がフリーWi-Fiのある場所でしかメールを送受信できないからだ。相手がメールを確認することを祈りつつ、「何月何日の何時にここ」という形で、一方的に待ち合わせをする。また、充電問題もある。せっかく連絡がとれたのに、充電が切れてしまって音信不通となったケースも多々あった。携帯は、現代においては文字通り命綱である。

そうして無事に会えると、緊急宿泊費と当面の生活費を渡して、その場で安いホテルを予約。そこに泊まってもらう。後日、詳しい聞き取りをして、公的な支援、制度に繋げるといった流れだ。多くは生活保護申請ということになる。支援者たちは連日そんな対応に追われているのだが、都内では、生活保護申請に同行してくれる区議会議員のネットワークも作られていた。連日の支援の中、そのような仕組みが自然とできていたのだ。ちなみに支援にかかるお金は寄付金でまかなっている。

この日、待ち合わせした人も、すでに携帯が止まっていた。「メール見れなくて来ないかもな」と思いつつ待っていると、外出自粛でほとんど人の姿のない新宿駅に現れたのは、大きな荷物を抱えた女性だった。三〇代くらいだろうか。聞けば、数年間ほどネットカフェを転々とする生活をしていたという。しかし、新型コロナで仕事がなくなり、所持金も尽きたということだった。話しながら、彼女は泣き出した。女性がたった一人で住む場所もお金もなく、どれほど心細かっただろう。

そんなゴールデンウィークが開けると、状況は一段、確実に悪化していた。駅で街で、一日で「ホームレスになりたて」とわかる人々が目に見えて増えていった。

風俗やキャバクラの女性からの相談も増えていた。風俗で働くある女性は、寮から追い出されそうだと連絡してきた。三月から客は激減しているのに、高い寮費を取られ続けているのだという。すでに別のバイトをしていたものの、寮費を払うと生活できない。

話を聞いて驚いたのは、この女性が3・11の時も同じような目に遭っていたということだ。震災で客が激減した際、荷物が部屋にあるまま、寮を追い出されてしまったのだという。そうして住まいも荷物もすべて失ってしまった。そういえば新宿の炊き出しには、「〇八年の派遣村でお世話になった。今回は新型コロナでまた支援団体にお世話になります」と話す男性もいた。この国には天災や経済危機が起きるたびに、生活が根こそぎ破壊される人たちが一定数、存在している。

一方、都の用意するホテルに入れた上、生活保護申請もできたものの、その後の生活再建に不安を抱える元ネットカフェ生活者も多くいた。それはやはり携帯問題。ホテルを出たらアパート生活を始めたいが、携帯がないとアパートが契約できない。そして携帯を作るには、身分証明が必要だ。が、ネットカフェや路上での生活が長い人の中には、「寝ている間に荷物、財布を盗まれる」という形ですべての身分証明を失っている人が非常に多い。せっかく生活保護を受けても、携帯がないのでアパート契約がむずかしい。携帯を得ようにも、身分証明が何もないので作れない。仕事をしたくても、携帯も身分証明もなければ雇ってくれる場所がない。その上、住民票もない。そんな悪循環を断ち切ることが、なかなかむずかしい。

さて、東京都が確保したホテルは延長を繰り返し、この原稿を書いている時点で七月八日まで滞在できることになっていた。しかし六月一日、新宿区がとんでもないことをやらかした。この時点で六月七日まで滞在できたのに、ホテル利用者を六月一日に追い出してしまったのだ。少なくとも八七人が行き場もないまま路上に追い出された。これに私たちは激怒し、六月八日、新宿区に申し入れ。翌日、新宿区長は謝罪。

ちなみに都の用意したホテルは約一〇〇〇人が利用したのだが、都内のネットカフェ難民だけで四〇〇〇人。残り三〇〇〇人はどうしているのだろう?

一方、五月末には「新型コロナ緊急アクション」に新たなタイプのSOSが来た。「犬とともにアパートを追い出された」という女性からのものだった。所持金は一五〇円ほどで、「昨日から、私も犬も食べてません」。女性はすでに犬とひと月ほど野宿していた。ペット連れの人からのSOSは想定しておらず、犬とともに泊まれるホテルはなかなかないことから支援は難航したものの、なんとかペットといられるシェルターを確保。が、そこに入った途端、一八歳の高齢犬が体調を崩し、動物病院通いが始まった。治療費がかさんだため、私は反貧困ネットワーク事務局長・瀬戸大作氏やつくろい東京ファンドの稲葉剛氏らとともに「反貧困犬猫部」を立ち上げた。「犬猫部」では飼い主とともに住まいを失った犬猫を支援するため、寄付金を募っている。

このように、三月頃から私や周りの人々の日常は、野戦病院のようである。時々「いつまで続くのか」と考えると、軽い恐怖に襲われる。というか、この活動は、民間団体がボランティアでできるキャパをとっくに超えている。なぜ、国や自治体は支援を強化しないのか。ちなみに四月の生活保護申請件数は前年比で二五％増。過去最大の伸び率だという。満足な補償や給付がなく、自粛ばかりが呼びかけられた当然の帰結である。ちなみに私も収入は講演、イベントの全中止でかなり減ったが、ギリギリ五〇％以下にはならなかったので持続化給付金の対象にすらならない。

ということで、これが二〇二〇年二月から七月初旬までの、私から見えていた貧困の現場だ。これだけ多くの人が困窮する背景には、この国には新型コロナ以前からギリギリで暮らす人々が大勢いたという現実がある。今日も所持金が六〇円とか〇円という人たちからＳＯＳメールが入っている。助けを求める声が減る気配は、今のところない。

（二〇二〇年七月四日）

［ジェンダー］

コロナ禍とジェンダー

見えないものが見える化した日々

上野千鶴子

上野千鶴子（ウエノ・チズコ）

一九四八年生まれ。京都大学大学院社会学博士課程修了。東京大学社会学博士、平安女学院短期大学助教授、京都精華大学助教授、コロンビア大学客員教授、メキシコ大学大学院客員教授などを歴任。一九九三年に東京大学文学部助教授、九五年に東京大学大学院人文社会系研究科教授、二〇一二年－一七年に立命館大学特別招聘教授。現在、東京大学名誉教授、認定ＮＰＯ法人「ウィメンズアクションネットワーク（ＷＡＮ）」理事長。専門は、女性学、ジェンダー研究、ケア研究。著書に、『近代家族の成立と終焉』（岩波書店）、『上野千鶴子が文学を社会学する』（朝日新聞社）、『差異の政治学』（岩波書店）、『家族を容れるハコ 家族を超えるハコ』（平凡社）、『ケアの社会学』（太田出版）、『おひとりさまの老後』（法研）、『おひとりさまの最期』（朝日新聞出版）など多数。

はじめに

コロナ禍はこれまでに経験したことのない事態だと多くの人が言う。「もうコロナの前には戻れない」という声も聞く。だが目の前で起きていることは次のふたつだ。第一は非常時には平時の矛盾や問題点が拡大・増幅してあらわれるということ。第二は、すでに起きていた変化が、危機によって加速するということ。それをジェンダーの視点から検討するのが本稿の役割である。できるだけ日録風に、ドキュメントとしても資料価値があるように記述したい。

二月二七日　ケアはタダじゃない

二月二四日に政府の専門家会議が「新型コロナウイルス感染症対策の基本方針の具体化に向けた見解」を発表。その後、専門家会議の諮問を経ずに突然二七日に安倍晋三首相が全国の小中学校に三月二日から春休みまでの休校要請をしたために、学齢期の子どもを持つ親たちはパニックに陥った。勤労者世帯の共働き率は約六割、もはや家に専業主婦のいる時代ではない。学童疎開ならぬコロナ疎開で地方の祖父母宅へ子どもを送り出すことができれば幸運だが、預ける祖父母がいなければ、どうしたらいいのか。小中学校が休校なら、保育所、幼稚園はいいのか、高校はいいのか、と現場は混乱した。学校が閉鎖されたために、かえって学童クラブのニーズが高まり、学童が三密になるという本末転倒も見られた。政府の「要請」にすぎなかったのに、地域差を考慮せず、全国一律に休校が実施されたことも、同調圧力を感じさせた。

夫婦が働いていれば、子どものために休むのは母親になる。共働きで家計を維持しているのに減収分はどうなる、というので休業補償の手当が日額八五〇〇〇円となった（その後、雇用調整助成金の特例措置として、上限一万五〇〇〇円となった）。フリーランスはどうなるというので、その半額補償が提示された。だが働いて家計を維持しながら子育てもしているシングルマザー世帯を、休校は直撃した。シングルマザーには風俗関連の仕事をしている女性も多いが、四月三日厚生労働省（以下、厚労省）は休業補償の対象に風俗業を含めないと発表、女性団体から抗議が起きて、政府はこれを撤回した。のちに持続化給付金の対象からも風俗業を排除。これも抗議を受けて撤回した。

新学期まで一カ月以上、そのあいだ、どうやって子どもを見ろというのか。保育所と学校がなければそのしわよせはすべて母親に来る。給食がなければ一日三食用意しなければならない。外出を自粛させられてストレスのたまる子どもの相手もしなければならない。子どもはいったい誰が世話するのか、「ケアはタダではない」という声が急速に浮上した。メディアに登場するのは「母親」というキーワードばかり、父親は登場しない。「ワンオペ育児」の実態が赤裸々に浮かび上がった。家族社会学者の落合恵美子氏は『『家にいる』のはタダじゃない――家族や身近な人々が担う『ケア』の可視化と支援」と論じた。[1] 彼女たちは家にいる女性たちに緊急アンケートを実施し、家事負担がそれ以前より大きくなったことを実証した。

三月五日　政治日程優先の初動の遅れ

習近平・中国国家主席の訪日を延期するという発表と同時に中国と韓国からの入国制限を決

定。三月二四日、検討中だった東京五輪の延期が決まったとたん、翌二五日に東京都の小池百合子知事が「ロックダウン（都市封鎖）」という強いことばで警戒を発する。日本のコロナ対策の初動が遅れたと言われるが、いずれも政治日程が優先されたことがあきらかだ。

四月七日　IT後進国の現状

緊急事態宣言発令。期間は五月六日までの一カ月間。対象はリスクの高い東京、埼玉、千葉、神奈川、大阪、兵庫、福岡の大都市圏を持つ七都府県。感染ゼロの岩手県のように地域差もあるのに、地方自治体のリーダーは一律に政府の指示に従った。愛知県のように、緊急事態宣言指定地域に加えるよう要請した自治体もあり、地方自治の内実が問われた。一六日には対象地域は全国に拡大した。

緊急事態宣言のもとで、各自治体は外出自粛、休業、県境を越えた移動の自粛などを要請。東京都では休業要請の範囲がどの業種までなのかで混乱が起きた。諸外国の緊急事態と違って日本では強制力と罰則がないにもかかわらず、自粛は急速に普及。休業は要請であって禁止ではないが、都はいちはやく休業協力金という補償を提示、政府も休業補償のための財政支出を決めた。

休校措置は高校から大学へと拡大し、卒業式、入学式をとりやめる学校が続出。また五月開講の見通しが立たなくなってきたため、オンライン授業への対応が教員に要請されるようになった。そこで改めて浮上したのが日本の教育のＩＴ化の遅れである。端末機器も情報インフラも不備で、大学生でもPCやWi‐fi環境を持たない者がおり、大学によってはPC貸与まで配慮しなければならないところもあった。それだけでなく教員がスキル不足でIT化に対応しきれないこともあらわになった。以前から社会学者の調査で、PCユーザーとスマホユーザーの二極化と固定が問題視されていたが、この先、情報格差の拡大が経済格差の拡大につながる怖れが強まった。

企業は在宅勤務やテレワークを推し進めたが、共働き家庭では夫婦が共にテレワークに従事というケースもあり、そこからは「夫のテレワークが妻のテレワークより優先される」「妻のテレワークは子どもや家事で寸断される」「夫が家にいると昼の食事をつくる負担が増える」「そもそも家のなかにひとりになれる場所がない」等、在宅勤務のジェンダー非対称性も浮かび上がった。

四月一〇日　介護現場の危機

家にケアを要求する存在があれば、誰かがそれを担わなければならないのは、子どもの場合も高齢者の場合も同じである。コロナ禍は子どものケアだけでなく、高齢者のケアがかかえていた矛盾も露呈した。

四月一〇日、NPO法人「暮らしネット・えん」代表の小島美里氏ら四事業所と訪問ヘルパーは「訪問系サービスにおける新型コロナウイルス対策の要望書」を国に提出した。[2]

四月末までに全国の高齢者入所施設で五五〇人余が感染、うち約一〇％にあたる六〇人が死亡、国内死者の一五％を占めていることを、ＮＨＫが調査、報道。高齢者施設でのクラスター感染は各地で頻発、感染した高齢者の死亡率も高い。イタリアでは死者中の高齢者割合は五〇％以上、医療対応が追いつかない状況で、高齢者には呼吸器などの医療資源を優先配備しないという苛酷なトリアージがおこなわれたという。

これを受けて多くの高齢者施設は施設隔離、家族や訪問者との接触を禁じた。また子育て中の施設職員のなかには、感染を怖れて離職する者もあり、現場の人手不足に拍車がかかった。入居施設だけではない。短期入所（ショートステイ）、デイサービスなど三密を避けられない介護事業所のうちでも閉鎖や休業が相次ぎ、四月二五日までに全国で八五八の通所系事業所が休業に追い込まれた。デイサービスがなくなれば、高齢者は在宅で過ごすほかない。だが、訪問介護事業も、休業要請で家にいる家族が訪問介護を断ったりして、需要が縮小した。

医療現場の危機や疲弊に対しては訴える声も大きく、感謝の声も聞かれたが、介護現場の危機や疲弊に対しては、配慮がなかなか届かなかった。現場のヘルパーたちは、感染リスクの情報もなく、防具も装備も不足した無防備な状態で、発熱した利用者宅を訪問しなければならなかった。しかも訪問介護の現場ではすでに独居率が高く、要介護の独居高齢者が訪問介護を受けられなければ、食事も排泄もできない追いつめられた状況にあった。

だが、ここでもまた、問題はコロナ禍以前から根深く継続していたといえる。介護保険六事業のうち訪問介護はもっともワリの悪い事業であり、ヘルパーの労働条件の低さはつとに知られていた。報酬改定のたびにも訪問介護事業の報酬は改善されず、それ以前から事業所の倒産や閉鎖が続いていた。それだけではない。前（二〇一九）年一二月の社会保障審議会介護保険部会では、介護保険を後退させるような改定案が政府から示唆されていた。世論の反発を怖れてこの改定案は撤回されたが、近い将来、ふたたび審議会のテーブルに載ることは必至である。その危機感から介護保険の後退を憂う関係者が全国各地から三〇〇人参加して、この一月一四日「介護保険の後退を絶対に許さない！　院内集会」が衆議院議員会館で開かれた。集会参加者の発言は、樋口恵子・上野千鶴子編『介護保険が危ない！』[3]（岩波ブックレット）に収録されている。

一月の時点でホームヘルパーの有効求人倍率は一三倍、不況のなかでもどれほど人気のない職業かがわかる。とりわけ待機時間も移動時間もコストに換算されない登録ヘルパーの労働条件は劣悪で、これでは労働基準法のもとの労働者としての権利の侵害だと、昨年、藤原るか氏らによるホームヘルパー訴訟が、国を相手取って提訴された。

介護報酬の低さもまたジェンダー化されている。とりわけ身体介護と生活援助（当初は家事援助と呼ばれていた）の格差と後者の報酬の低さは、家事が「女なら誰でもできる非熟練労働」と見なされていることと無縁ではない。政府のねらいには介護保険からの生活援助はずしがある。生活援助は家族や地域の共助によるボランティア活動に委ねたいという意向が見えるが、訪問介護の現場では、生活援助は在宅生活を支える基本であり、熟練を要する専門的な労働であるという認識が共有されている。

医療現場でも介護現場でも、同じように人手不足が問われた。政府は医療現場の人手不足については、退職看護師、退職保健師等の再活用を訴えたが、介護現場の人手不足に対して提示した示唆はおどろくべきものだった。訪問介護に無資格ヘルパーを使ってもよいとしたのだ。[4]これには現場の怒りがわきおこった。医療職に対しては無資格者を使ってよいとは決して言わないのに、介護職に対しては無資格者OKという態度ほど、ケアという労働に対する政策決定者の蔑視をあらわにするものはない。このような態度こそ、介護の人材崩壊に対して安直に外国人材を入れようという政策が出てくる根拠となるものだ。またコロナ危機の最前線にある医療職に対しては診療報酬を増額しようという動きがあるのに、介護職に対しては介護報酬を増額しようという動きはない。[5]このままでは、コロナ危機を通じて、介護事業所、介護職共に危機は加速するだろう。

四月一七日　コロナ隔離で増えるDVと虐待

コロナ禍で在宅中の家庭でDVが増える可能性に、ドイツ政府がいちはやく警鐘。さらにフランスでも警告が続いた。それを受けて、四月一七日、日本でも橋本聖子女性活躍担当相がDV増加を懸念して、内閣府に二四時間対応の相談窓口を開設することを発表。この背後にも女性団体の働きかけがあった。一九九五年の阪神淡路大震災のときも、二〇一一年の東日本大震災のときも、孤立した避難住宅や復興住宅におけるDVの増加が報告されていた。コロナ禍による失職や倒産などで経済的基盤を失い、休業と外出自粛のもとで家にいることを余儀なくされた男性による、妻へのDVや子どもへの虐待が増えることが懸念された。事実、「配偶者暴力支援センター」の四月のＤＶ相談件数は前年同月比で三〇％増。ＤＶ相談の現場では、狭い家に夫がいるために、相談の電話をかけることもできないという被害者のなげきも聞かれる。そのため音声を伴わないＬＩＮＥによる相談などもおこなわれている。

それ以前から千葉県野田市の栗原心愛《みあ》ちゃん（一〇歳）、東京都目黒区の船戸結愛《ゆあ》ちゃん（五歳）など、実父、養父による子どもの虐待死事件が相次いでおり、孤立した家庭での男性の暴力が深刻な問題となっていた。加害男性もまた失業者であるなど社会的弱者であるともいえるが、抑圧移譲ともいえるこの弱者いじめが男性性の特徴といえば、反論したい男性もいるだろうか。男性と暴力性の問題は、男性自身の課題として解くべきであろう。

ＤＶ女性や被虐待児童を受け容れるシェルターや保護所のなかには、コロナ禍で閉鎖したところもあり、ニーズが高まっているにもかかわらず、受け容れ場所は少なくなっている。そのなかでも家に帰れない一〇代の少女たちの受け皿を提供しているのが一般社団法人「Colabo」[6]である。それ以前から、「風俗は最後のセーフティネット」といわれるように、居場所を失った若い女性を吸収するのが性産業であることは、ノンフィクションライター・坂爪真吾氏の『「身体を売る彼女たち」の事情』[7]（ちくま新書）や、鈴木大介氏の『最貧困女子』[8]（幻冬舎新書）などで指摘されてきた。Colabo の代表、仁藤夢乃氏によればコロナ自粛のもとで少女たちへの支援のニーズは高まっているという。Colabo はクラスター感染のリスクのある首都圏の夜の繁華街で、活動を続けている。

四月一七日　世帯主給付の問題点

四月一七日、安倍首相は一六日までに決定していた収入減少世帯への三〇万円給付を一転、全国民に一律一〇万円を支給する、総額一三兆円にのぼる特別予算を充てた「特別定額給付金」を決定した。三〇万円給付は、減収証明の難しさや申請の複雑さなどで評判が悪かったが、必要のない富裕層から低所得者まで一律定額給付という政策は、人気取りのばらまきと呼ばれてもしかたがない。しかも財源は全額国債、買い取り先は日銀、つまり紙幣を必要なだけ刷ればよいという無能無謀な政策である。財政規律はふっとび、国がつくった借金は次世代にツケがまわる。リベラル派の多くは一律給付に賛成のようだが、財政学者の井手英策氏と同様、わたしもこの愚策には反対である。政治の役割は再分配、必要な人へ迅速確実に支援を届けることである。非課税世帯すべてに世帯員数に応じて給付しても、予算額はこれほどかからず、効率もよかっただろう。

給付にあたって問題化したのが、行政の非効率であった。マイナンバー制度は普及しておらず、電子システムは不具合が続出し、自治体によっては電子申請をとりやめてアナログの郵送に限ったところもあった。マイナンバーに銀行口座がひもづけされていないこともあらわになった。これもまた、プライバシーの監視の名でリベラル派には反対する人が多いが、わたしには理解できない。もちろん中国のような監視社会をのぞむわけではないが、欧米諸国には社会保障番号制があって、どこにいても同じ番号が持ち運びできる。カナダでは電子申請後、一週間でお金が振り込まれたという情報を聞くし、行政の効率がすこぶる高い。その前提になっているのが、一人一番号による税制・社会保障の個人単位制である。

今回、特別定額給付金の給付にあたって、大きな問題になったのが、日本の税制・社会保障制度の世帯単位制である。特別定額給付金の申請者は世帯主、給付金は世帯主の口座へ振り込まれる。だが、これに対して四月二四日、NPO法人「全国女性シェルターネット」から要望書[9]が提出された。DVから逃れたり離婚係争中の別居妻が受けとれないという問題が指摘されたからである。DV加害者から逃れた妻は、夫の追跡を絶つために住民票の届け出をしていないケースが多い。

この世帯主給付の問題は、すでに東日本大震災の際に指摘されてきた。たとえDVがない場合でも、世帯主に給付された給付金を世帯主が自己利益のために優先して使うことも、報告されてきた。あれから一〇年、政府は世帯単位制を変えないまま、小手先の運用で配慮を示している。DV妻がDVを受けて別居している証明をやりやすくしたり、住民票がなくても申請を可能にしたりという手続きが総務省のHPには提示してあるが[10]、それを知らない対象者にはアウトリーチ（手を差しのべること）ができない。

日本の社会保障の世帯単位制は九〇年代から問題化されてきた。日本の社会保障は、住所地主義でも知られるが、そのもとになっているのが世帯単位制のもとでの住民票である。社会福祉の申請にあたってホームレスの人びととの壁になっているのも、この住所地主義である。世帯単位のもとになっているのが、明治にさかのぼる戸籍制度である。もしこれが個人単位制なら、住所地主義にこだわる必要はなくなる。また世帯単位制は女性に不利に作用してきた。というのは、結婚、離婚、再婚等のたびに女性は世帯内の地位が変わり、そのつど年金や健康保険上のカテゴリーが変わるからである。自己申告主義にもとづく日本の社会保障制度のもとでは、女性が申告漏れなどをすると、その後の社会保障に損失を受けることもある。したがって社会保障を個人単位制にすることを、社会政策学者たちは早い時期から提唱してきた。これをポータブルな社会保障と呼ぶ。すなわち世帯内の地位の変動にかかわらず、自分自身の社会保障の権利をどこへでも「持ち歩く」ことができるという意味である。

世帯単位制は夫婦同氏の強制にもつながる。世帯単位制は世帯主の性別を指定していない。だが妻が夫の姓を名のる割合が九六％、世帯主が男である割合が八九・九％という現状では、世帯単位制はジェンダー非対称に働く。しかも政府が年金モデルとして提示する「標準世帯」は、あいもかわらず雇用者の夫に無業の妻、子どもがふたりという昭和モデルであることの限界は、つとに指摘されている。

コロナ禍のもとで、長いあいだの懸案であった社会保障の世帯単位制の問題が噴出した。だが夫婦別氏すら法制化を阻まれている現状では、社会保障制度の根幹を維持したまま、小手先の運用で隘路をつくっていくしか、行政の対応はのぞめないように見える。

四月二三日　性暴力を許容しない

四月二三日、お笑いタレント岡村隆史氏が、オールナイトニッポンの生放送で、「コロナ禍で風俗に行けない」となげくリスナーに答えて「コロナが終息したら絶対面白いことあるんですよ。美人さんがお嬢（風俗嬢）やります。短時間でお金を稼がないと苦しいですから」と発言。「女性蔑視」「性的搾取の容認」と抗議の声があがった。一般社団法人「Voice Up Japan」は「女性軽視発言をした岡村隆史氏に対しNHK『チコちゃんに叱られる』の降板及び謝罪を求める署名活動」をネット上で展開、一万六二〇九筆の署名を集めて、ニッポン放送を通じて岡村氏と吉本興業とに提出した。[11] Voice Up Japan は、前年「ヤレる女子大生ランキング」を掲載した『週刊SPA!』に抗議を申し入れた、ICUや早稲田大学の学生を中心とした団体である。ついで #KuToo 運動を牽引した石川優実氏が、「#岡村学べ　ナインティナイン岡村隆史さんを起用し、女性の貧困問題やフェミニズムについて学べる番組を制作・放送してください」というネット署名活動を展開し、三万七八九筆の署名を集めた。[12] ネット上では岡村氏を擁護する対抗署名運動もあり、また双方の署名活動に「ネットリンチか」「行きすぎ」といった反発やくそリプが大量に寄せられた。

それ以前から伊藤詩織氏の実名による性暴力被害の告発から勢いを得て、二〇一八年の財務省次官のセクハラ問題で加速した #MeToo 、#WeToo 、#withyou などのネット内外の運動、翌年の岡崎判決（娘を長期にわたって強姦していた実父の無罪判決）への怒りから火がついた全国各地のフラワーデモなど、性暴力被害について「もう黙らない」「がまんしない」という動きが若い世代を中心に拡がっていた。Voice Up Japan[13] は文字どおり「声をあげる」ことを可能にする社会をめざす。コロナ禍のもとで、国際女性デーのデモが中止されたり、四月二六日に予定されていた東京レインボープライドのパレードが「#おうちでプライド」のオンライン参加に変わったりしたが、そのためかえってオンライン・アクティビズムが活性化したともいえる。その動きは後に五月一一日に最大四七〇万ツイートに達した「#検察庁法改正に反対します」にも反映された。そして政権が検察庁法改正案を廃案にせざるをえなかったように、オンライン・アクティビズムは確実な成果を挙げた。

五月二一日　シングルマザーの窮状

五月二一日、NPO法人「むすびえ」代表の湯浅誠氏がコロナ緊急対策「こども食堂基金」の呼び掛けメッセージを発信。[14] 学校も学童保育も三密を避けるために閉鎖、となると、それまで各地に拡がっていた子ども食堂も閉鎖せざるをえなくなった。子ども食堂は、親と一緒に食事できない子どもや、貧困のために食事を抜かなければならない子どもたちのために各地で拡がってきた。そんな子どもがいるのか、といえば、現にいるのだ。日本の子どもの貧困率は一三・九%(二〇一七年)、OECD諸国のなかでも最低に近い。そして子どもの貧困とは、もちろんその親の貧困の反映である。親の貧困には「自己責任」の声がかぶせられるのに対し、「子どもの貧困」は同情されやすいので、「子どもの貧困」がメディアでとりあげられてきた。

その貧困家庭の多くがシングルマザー世帯である。シングルマザー世帯の貧困率は二〇一七年で一五・六%、主たる理由は子持ちの女性が就ける職業が非正規に集中することにある。日本のシングルマザーは就労率が八割と高いが、その職種が年収二〇〇万円以下の非正規職であるために、ダブルジョブ、トリプルジョブをかけ持ちする人も少なくない。ちなみにシングルマザー世帯の平均年収は二〇〇万円余、非正規に限れば一三三万円である。

コロナ禍はこの非正規職のシングルマザーを直撃した。これまでもシングルマザーの生活改善のために運動してきたNPO法人「しんぐるまざあず・ふぉーらむ」[15]に届いた現場の声のなかには、「子どもを食べさせるために親は食事を抜いている」「明日食べるものがない」などの、悲痛な悲鳴があふれている。休校措置で給食がなくなって家にいる子どもに食べさせるため家計の負担は増したのに、仕事はなくなるというダブル、トリプルのパンチが彼女たちを襲った。フードバンクのような食糧配給が歓迎され、子ども食堂の半数以上が閉鎖された代わりに食材や弁当の配給を続けている。かれらはすでに支援の糸でつながった家庭の窮状をよく知っているために、活動をやめるわけにはいかないのだ。

シングルマザーの貧困はそれ以前からデフォルトだった。結婚・出産で経済的自立を失った多くの女性は、離婚時に貧困状態に陥る。離婚時に養育費の取り決めをする夫婦は約三割、その養育費の額も月額二〜四万と低額、そのうえ、一年半後にはほぼ支払いが滞る。日本におけるシングルマザーへの公的支援はきわめて貧しく、就労で自立しようにももっぱら非正規雇用しかない。日本の社会は子どもを育てる女性にペナルティといってよいほどのハンディを与える一方で、父に当たる男性が養育責任から逃れることを容易にする社会なのだ。ストック形成のゆとりもないシングルマザーの貧困は、そのままシングル女性の老後の貧困に引き継がれる。その原因を、「夫による就労の禁止」と指摘した研究者がいるが、事実上育児と就労が両立しない現状は、あげて女性から就労と稼得の機会を奪っているといえる。

五月某日　エッセンシャル・ワーカーズ

テレワークがいかに推奨されても、テレワークできない職業がある。生活必需品の小売り業や物流業、ビルのメンテナンス、ゴミの収集などである。初期には一時期マスクやトイレットペーパーが品薄になることもあったが、緊急事態の期間中を通じて、日用品や生鮮食品が供給不足になることはなかった。それどころか春から夏にかけて蔬菜類の収穫期を迎え、産地では育ちすぎた野菜を廃棄処分するとか、学校給食の需要が減って処分に困るという事態もあらわれた。飲食業の休業に伴って、高級食材（和牛など）が供給過剰気味になることもあった。生鮮食品を扱うスーパーでは、期間中の売上は約二割増し、そのあいだ中、物流業者もスーパーの店員も現場で働いていたことになる。

この期間、物流が滞るとか、ゴミの回収がストップすることがなかったことは、記憶に留めておきたい。個人的な感慨に属するが、ゴミが定期的に回収されるたびに奇跡だと感じられたし、宅配業者から荷物を受けとるたびに心から感謝の念が湧いた。コロナ禍のもとの生活を戦時下に喩える人もいるが、供給が潤沢なこと、3・11のときのように物流が滞ったりしないこと、都市インフラが機能していたことは特筆すべきことだと思う。裏返しにいえば、コロナ禍は、ケア労働とならんで、都市インフラを支える「見えない労働」を「見える化」したともいえる。

こういう生活に「なくてはならない」「欠かせない」労働に従事する人たちをエッセンシャル・ワーカーズという呼称で呼ぶこともすぐに広まった（キー・ワーカーズとも呼ぶ）。となると、それ以外の者たちは「非本質的」な仕事についていることになる。テレワークが可能な仕事や、われわれのような文筆業はさしずめ「非本質的」労働者ということになるだろう。政府が緊急事態下で「不要不急」の外出を控えてください、とくりかえし呼び掛けたせいで、自分の仕事が「不要不急」かどうかも、考えるようになった。

五月二二日　文化芸術は「不要不急」か？

コロナ禍で大きな打撃を受けたのはスポーツ、文化、芸術関連の事業者である。とりわけ音楽や演劇などパフォーミングアートの分野では、公演の休止やキャンセルが相次ぎ、フリーランスの多いこの業界の人々を直撃した。ドイツやカナダはただちに文化事業への補償を打ち出したが、日本政府の対応は鈍かった。文化庁は「新型コロナウイルスの影響を受ける文化芸術関係者に対する支援」を打ち出したが、その内容はフリーランスに対する雇用調整助成金の適用や持続化給付金の活用など、貧弱なものである。

各地のライヴハウスやミニシアターの窮地を救うべく、五月二二日俳優の渡辺えり氏や小泉今日子氏たちを中心とする関係者が、萩生田光一・文部科学大臣に対して「文化芸術復興基金」の創設を求める要望書を手渡した。この活動もまた「#WeNeedCulture」というオンライン・アクティビスムによって推進された。他方で歌手や演奏家たちが、国境を超えたオンライン配信を無料で提供するなど、新しい動きも見られた。

五月二九日　非正規雇用者のコロナ解雇

一カ月限定の緊急事態宣言が明ける直前、政府は五月六日に緊急事態宣言の延長を発表した。コロナ禍が一カ月で終熄しないことがはっきりしたことで、コロナ休業、コロナ解雇、コロナ倒産等が相次ぎ、失業率は高まった。なかでも直撃を受けたのは非正規雇用の女性たちである。

それ以前から派遣切りや雇い止めで非正規雇用の女性は不利な立場に置かれていた。六月一六日の厚労省の発表によればコロナ解雇は二万五〇〇〇人、うち非正規労働者が五四%を占める。総務省が五月二九日に発表した二〇二〇年四月労働力統計によると、前年同月比で非正規雇用は九七万人減、三月の労働力調査では女性の非正規雇用が二七万人減、男性が二万人増、男性の増加は正規から非正規への転換と思われる。メディアは「雇用調整の安全弁に使われている」と言うが、もともと「労働のビッグバン」と呼ばれる雇用の規制緩和は、「景気の安全弁」として機能することを政策意図として、ネオリベ政権によって推進されてきたものだ。非正規雇用という雇用形態はその政策意図どおりの効果を果たしている。安倍首相は就任後雇用を拡大してきたと胸を張るが、正規雇用は横ばい、増えたのはもっぱら非正規雇用である。二〇一五年の労働者派遣法改悪によって三年派遣で打ち止めになったのみならず、契約期間が一年どころか三カ月更新も珍しくない。本書がカバーする期間は五月末までということだが、六月末には三カ月更新の契約満了期が来ることに怯えている非正規の女性は少なくない。

首都圏の女性ユニオンや労働相談窓口には、コロナ解雇の相談件数が増えているという。労働組合は正社員を守るが、非正規雇用の労働者に関心がなく、組合員組織化の対象にすらしていないところも多い。そのあいだに職場の混成化は進み、公務員では非正規労働者割合が四人に一人に達しようとしている。正規と非正規とのあいだには、賃金格差のみならず処遇格差が大きく、コロナ禍のもとでは正規職はテレワークが推奨されたのに、非正規職は出社を強制され、テレワークに対応する機材やインフラも提供されなかったという声も聞かれる。

非正規問題はジェンダー問題である。日本の労働者全体のうち非正規比率は約四割、全非正規労働者の七割が女性である。男性労働者のうち非正規が二割台なのに対して、女性労働者の非正規割合は六割に近い。男女雇用機会均等法（以下、均等法）が成立したあとも、日本の企業におけるジェンダー格差がいっこうに改善されない理由に、この非正規雇用の女性化がある。均等法は非正規労働者には適用されない。その結果、女性の出産離職率も七割前後と長期にわたって改善されない。雇い止めというかたちで解雇されると、マタニティ・ハラスメントとも性差別とも告発することができず、長年にわたって女性労働者が闘って獲得してきた結婚退職や早期定年制の違法化は、実質的に骨抜きにされた。

非正規雇用者にシングルマザーが多いこともつとに知られている。九〇年代以降、増え続けた非正規雇用者のうち、シングルもしくはシングルマザーという「家計支持者」は激増した。非正規雇用者は、もはや正規雇用をのぞまない「家計補助」動機で働く既婚中高年女性だけではない。したがって解雇や雇い止めは彼女たちの生活を直撃する。休校要請で浮かび上がったシングルマザーの窮状に、コロナ解雇は追い打ちをかけたのである。

六月二二日　テレワークがもたらした職住一致

「朝日新聞」はこの日、テレワーク経験者に地方移住希望者が有意に多いことを示すアンケート結果を報道した。「もうコロナの前には戻れない」という変化のひとつに、テレワークを実践してみてラッシュアワーの通勤地獄を続ける理由が見当たらないことや、どこにいても仕事ができるなら、QOL（クオリティ・オブ・ライフ）の高い生活を送れる場所に住みたい、という希望がある。夫婦共働き時代のテレワークは、新しい職住一致を予感させる。

通勤というイヴァン・イリイチの言う「シャドウ・ワーク」は、近代産業社会の職住分離の結果の産物である。工場や職場が住宅から分離され、生産の場と消費の場とが別々になった。住宅は「消費の場」といわれるが、実のところ家事・育児・介護という無償のケア労働がおこなわれる「再生産の場」である。在宅勤務を余儀なくされることで、多くの男性たちは家庭のなかで何がおこなわれているか、子どもたちが日中をどう過ごしているかをはじめて知ったのではないか。その過程で夫婦間性別役割分担の再調整もおこなわれたケースもあると聞く。

近代社会の性分業は男が一〇〇%の生産者、女が一〇〇%の再生産者、しかも前者が支払い労働で後者が不払い労働というまことにジェンダー非対称なものであったが、これからは男も女もいくばくか生産者であり、いくばくか再生産者であるというバランスを要求されるようになるだろう。わたしたちが生きているのはすでにものづくりの工業社会ではなく、知識資本主義の情報社会である。前近代には、働ける者はすべて働く一家総労働団の職住一致があったが、それが近代の職住分離を経て、新しい職住一致へと移行する徴候が見られるとしたら興味深い。

某月某日　女性リーダーのいる国

最後に日付けのつかない国際比較をしておきたい。

グローバリゼーションのもとのコロナ禍は、国境の存在を顕在化させることで、同時に国家のリーダーシップの違いをあきらかにした。なかでも女性リーダーのいる国のコロナ対策が高い評価を集めた。それは女性リーダーを持つ国を他の国と比較検討しうるほどに、各国首脳に女性リーダーが増えたことを反映している。ドイツのアンゲラ・メルケル首相、ニュージーランドのジャシンダ・アーダーン首相、フィンランドのサンナ・マリン首相、ノルウェーのエルナ・ソルベルグ首相、デンマークのメッテ・フレデリクセン首相、そして台湾の蔡英文総統である。これらの女性リーダーは、果断で迅速な決断力だけでなく、国民へのコミュニケーション力でも高い評価を受けた。国民のコロナ感染者数が相対的に少なかっただけでなく、死者数も抑えることができた。

この女性のリーダーシップが示したのは、科学的で強いリーダーシップと、共感的で高いコミュニケーション力とが共存しうるという事実である。それはこれまでの男性的リーダーシップと女性的リーダーシップのステレオタイプを打ち破るものであるだけでなく、新しいリーダーシップのあり方を示すものであった。女性リーダーのいる国の特徴として、国の規模が小さく、政治と国民との距離が近いことを挙げる人もいるが、ドイツは大国である。他の説明要因として民主主義の成熟を挙げる論者もいる。すなわち、リーダーの性別を問わない程度に民主主義が成熟した社会で女性がリーダーに選ばれるのであって、女性リーダーは原因ではなく結果であるというものである。これまで「初の」と呼ばれて例外的だった女性リーダーのなかには、「女らしさ」のステレオタイプを破るために、男性性に過剰同一化するケースもあった。イギリスのマーガレット・サッチャーの武断政治はその例である。ためにイギリスのフェミニストのあいだでは、サッチャーの評判はすこぶる悪い。今回のコロナ禍でも東京都の小池百合子知事の、政府よりつねに強硬な姿勢はきわだった。その小池都知事の「尊敬する政治家」がサッチャーであることは示唆的である。女性リーダーは、すでに「第二段階」に入っているのかもしれない。

本書の意図どおり、本稿は中間報告にすぎない。コロナ禍は現在進行中であり、終熄の見通しはまだない。これが終熄したら、あたかも何もなかったかのように、ふたたび「いつか見た過去」に戻るのだろうか。引き続き、ウオッチしたい。

（二〇二〇年七月二日）

注

1 https://wan.or.jp/article/show/8880

2 https://www.jnpc.or.jp/archive/conferences/35648/report

3 上野千鶴子・樋口恵子編『介護保険が危ない！』岩波ブックレット、二〇二〇年。介護保険後退の要点は、①要支援はずし、②要介護1と2はずし、③生活支援はずし、④ケアプラン有料化、⑤所得による利用者負担率の上昇、⑥介護報酬の切り下げ等である。同書には集会当日の参加者による声明文も収録されている。

4 保育士の人手不足に対しても同じ対応がとられた。

5 その後、介護報酬を要介護度により二段階上げて請求するよう厚労省から指示があったが、これは同時に利用者負担額を増やすものであり、介護事業者から不満の声があがった。

6 https://colabo-official.net

7 坂爪真吾『「身体を売る彼女たち」の事情－自立と依存の性風俗』ちくま新書、二〇一八年

8 鈴木大介『最貧困女子』幻冬舎新書、二〇一四年

9 https://wan.or.jp/article/show/8903

10 総務省通達「配偶者やその他親族からの暴力等を理由とした避難事例における特別定額給付金関係事務処理についての被害申出受理確認書について」http://woman-action-network.s3-website-ap-northeast-1.amazonaws.com/data/2020/05/23/87e8cbed305

906385ff51f4a13471655.pdf

11　https://www.change.org/p/ 女性軽視発言をした岡村隆史氏に対しＮＨＫ「チコちゃんに叱られる」の降板及び謝罪を求める署名活動

12　https://www.change.org/p/＃岡村学べ　ナインティナイン岡村隆史さんを起用し、女性の貧困問題やフェミニズムについて学べる番組を制作・放送してください

13　https://voiceupjapan.org

14　https://www.youtube.com/watch?v=kr12VLZhlH4

15　https://www.single-mama.com

※注11と注12のＵＲＬについては、刊行の時点で削除済み。

［労働］

コロナ禍の労働現場

今野晴貴

今野晴貴（コンノ・ハルキ）

一九八三年、宮城県生まれ。NPO法人「POSSE」代表。ブラック企業対策プロジェクト共同代表。一橋大学大学院社会学研究科博士後期課程修了。博士（社会学）。『ブラック企業―日本を食いつぶす妖怪』（文春新書、第一三回大佛次郎論壇賞受賞）、『ブラック企業ビジネス』（朝日新書、第二六回日本労働社会学会奨励賞受賞）、『ストライキ2・0―ブラック企業と闘う武器』（集英社新書）など著書多数。

はじめに

筆者はNPO法人POSSEの代表として、コロナ危機のはじまりから六月まで労働相談および生活相談に関わってきた。また、四月には学者、弁護士、支援団体、ジャーナリスト等でつくる「生存のためのコロナ対策ネットワーク」を発足し、共同代表を務めている。同団体では全国の支援団体と連携した一斉相談会なども開催してきた。

本稿では、労働・生活相談の現場の視点から、六月までに現場で起こっていた状況を報告するとともに、この状況に立ち向かった新しい社会運動の動きについても紹介していきたい。

1 六月までの労働相談の現状

はじめに、労働・生活相談から見える現場の実情を見ておこう。私が代表を務めるNPO法人POSSEおよびその連携労組[1]は、すでに三〇〇〇件を超えるコロナ関連労働相談を受けている。[2] 両団体の昨年（二〇一九年）における総相談件数がおよそ三〇〇〇件であるから、相当なペースである。相談の内容は、休業、解雇、出勤（「三密」対策や時差出勤、テレワークなど）に関するものが多いが、圧倒的多数は「休業」に関する相談である（表1参照）。[3]

使用者側の事情による休業	1570
労働者側の事情による休業	230
解雇、雇止め、採用取り消し	346
在宅勤務等の感染防止	498
その他	241

表1　労働相談の問題別件数

また、産業については、「小売り・飲食」が六二二件と最多であり、「医療・介護」四〇七件、「その他サービス」二四六件、「観光・交通」一八〇件、「製造業」一六八件、「IT関係」一三九件、「専門学校・塾・その他」が一三〇件、「小中学校教員」八九件と続く。やはり、サービス業からの相談が多く、営業自粛や時短営業によって休業せざるを得ないという構図が看取できる。問題は、労働者が休業状態に置かれた際に、休業手当が支払われていないか、払われていても生活するのに不十分だという点にある。

そもそも、労働基準法（以下、労基法）の第二六条には、「使用者の責に帰すべき事由」による休業の場合に、会社（使用者）が休業手当（平均賃金の六〇％以上）を支払わなければならない旨が定められており、新型コロナウイルス（以下、新型コロナ）に伴う休業要請の状況においても企業側がこれを支払わない場合には原則として罰則が適用される。[4] この規定の「使用者の責に帰すべき事由」とは、不可抗力による場合を除き、「使用者側に起因する経営、管理上の障害を含む」と解されている。また、民法上、企業は原則として一〇〇％の休業補償の責任を負っており、労働者が請求する場合には、これも同様に責任を免れないものと考えられる。[5]そのため、新型コロナの感染が広がり、自粛「要請」が出される中でも、企業側の休業手当の支払い義務は必ずしもなくならないのである。

ところが、実際には、休業手当が支払われていない事例があとを絶たない。休業手当の支払い義務はないものと一方的に判断し、支払わない企業が少なくないからである。もちろんこれは労基法違反に当たり、国が取り締まる対象であるはずだ。だが、厚生労働省（以下、厚労省）は緊急事態宣言下の休業要請が該当すれば労基法上の支払い義務が消滅するかのようにアナウンスし、[6]企業側にも「支払い義務は必ずしもなく、手当は自主的なもの」と理解する動きが広がってしまった。また、民事的な請求権については、そもそも労働者自らが司法に訴えることによってしか救済されない。要するに、「営業自粛」が広がる中で、休業手当の支払いは「企業次第」の状況に置かれてしまったわけである。

差別される非正規雇用

さらに、労働相談を雇用形態別に見ると、正社員は五三五件に過ぎず、契約社員（三〇〇件）、派遣（三八六件）、パート（四七七件）、アルバイト（五四七件）、個人事業主（一〇八件）、その他・不明（三一七件）となっており、非正規雇用の割合が極めて高い。「非正規雇用だけ休業手当が支払われない」といった相談が非常に多いのだ。たとえば、フィットネス業界ではインストラクターの九割が非正規雇用だが、大手のコナミスポーツでは時給制の非正規雇用にだけは、一切休業手当を支払っていなかった。同社に団体交渉を申し入れた総合サポートユニオンの組合員の中には、シングルマザーとして子どもを三人育てている労働者もいた。彼女は、有給休暇もやむなく申請したが二週間で使い切り、万が一に備えてあった一カ月ほどの生活費も使い果たし、子どもの学費のための貯金を切り崩している状態だった。

非正規雇用に対しては、そもそも「休業しなければならない」という意識を使用者側が持っていない場合が一般的であるとさえいえる。「シフトを減らしたから」といわれたまま、無給状態に置かれているケースも非常に多いのだ。また、非正規雇用の雇止めも深刻だ。非正規雇用は「雇用の調節弁」とされてきたが、今回も真っ先に解雇されている。使用者からただ「しばらく来なくていい」と言われてしまっているケースや、何もいわれないまま不安な状態に置かれているケースもある。とりわけ派遣労働者の解雇が目立つ。派遣会社は、労働者を解雇した場合に次の就労先を見つける責務があるが、派遣先の契約終了とともに、「当然のように」解雇をしている。現在は、休業状態が過去最多だが、すでに実質的に解雇されている非正規雇用労働者も多く含まれている。

「三密」労働の横行

一方で、これまで述べてきた休業のケースとは逆に、営業を継続した企業からも労働相談が絶えない。医療・介護労働のようなエッセンシャル・ワーカーについては、特に小売業界から、防護シールドの支給や混み合うことを避けるなどの感染防止対策がとられておらず、出勤が怖いという相談が多かった。「自粛要請」するだけの日本では、感染症防止対策は、保健行政も労働基準行政も何ら取り締まる法的根拠がなく、「三密」対策を怠った状況で営業している企業に対しても、行政は規制をかけていない。ある相談者は、区役所や労働基準監督署に「三密職場」の問題を告発したが、何の手立ても講じられなかったという。もちろん飲食業界などでは、「自主的」に営業を継続していたケースも少なくなかったが、やはり労働者は出勤命令を拒むことはできなかった。

「三密」問題で特に相談が多かった業界はコールセンターである。たとえば、ＫＤＤＩエボルバでは、高層階のため窓を開けての換気が不可能な環境の下、一フロアに一〇〇人近いオペレーターが密集し、オペレーター間の距離は一メートルほどしかなかった。向かいのオペレーターとの間に仕切りはなく、マスク着用やアルコール消毒は義務化されず、さらにヘッドセットは共有となっていた（総合サポートユニオンの団体交渉によって、この状況は改善された）。あるいは、喫茶店大手のカフェ・ベローチェでは、業界全体で営業自粛が進む中で営業を継続し、通常よりも少ない人員でより多くの利用者（他の店舗が閉じているため殺到した）の接客をさせられた結果、衛生管理は普段の水準さえ確保できなかったという。

飲食店ユニオン[7]に加盟した労働者たちは、「利益より人命を優先してほしい」と訴えていた。いずれの職場も非正規雇用労働者が低賃金で職場を担っている。さらに、「非正規雇用だけテレワークにしてもらえない」、正社員も含め「時差出勤を要請したが、業務に支障などないはずなのに、頑なに断られている」といった相談も多数に上った。ある超大手企業の社員からは、三密職場の責任者が部署の在宅勤務を決断したが、「そんなことをしたら出勤したくなくなる社員が増えるから」という理由で、上部から一方的に破棄されたという告発が寄せられている。

このように、テレワークや自粛の広がりが喧伝されていた一方で、実は、営業の継続も、その方法も、あくまでも「自主判断」にゆだねられてしまい、少なくない経営者が労働者の安全や感染防止対策よりも自社の営業継続を優先させていた。そして、そのような状況下でも、労働者たちは恐怖を抱えながら出勤するしか選択肢がなかったのである。とりわけサービス業では非正規労働者が多く、低賃金で働く労働者たちが、そうした「危険業務」を強いられていた。日本社会では、緊急事態宣言下でも通勤電車はかなりの混雑を見せていたが、労働の現場が以上のようなものであれば驚くには当たらないだろう。

緊急事態宣言解除後の問題

さらに、五月二五日に緊急事態宣言が解除されて以降は新しい問題が見られる。「生存のためのコロナ対策ネットワーク」では、五月三一日、六月一日の二日間に全国ホットラインを実施したが、寄せられた三八三件の相談のうち、最も多い内容は、「会社都合の休業」であり（二五六件）、その傾向は変わらなかった。ただし、今回のホットラインで特徴的であったのは、「会社は完全休業していないが、勤務時間が減らされ、収入が減ってしまった」といった相談が多かったということだ。

たとえば、宴会での配膳を行う女性（パート）は、「週五～六日勤務だったが、三カ月前から週三～四日勤務になり、賃金がかなり減ってしまった」といい、百貨店の食品売り場で働く女性（パート）も、「コロナの影響で予算がないからと、月一五〇時間の契約が、九〇時間に変更された」という。

小売店や飲食店など、緊急事態宣言の解除を受け、少しずつ再開する動きも見られるが、それでも、東京では再び感染拡大が指摘されており、客足は遠のいたままだ。こうした状況に対応するように、契約内容を下方に変更される事態が広がっているのである。なかには、「これまで一年契約をくり返してきたのに、新型コロナを理由に、三カ月契約に変更されてしまった」（貿易会社）という女性からの相談もあった。非正規労働者の雇用期間をより短くして、会社の状況によっていつでも切れるようにしておこう、という会社側の思惑が露骨に表れている。

また、こうした労働条件の変更には、本来は労働者の合意を得ることが必要となるが、「従わなければ解雇する」というような会社側の強硬な姿勢もうかがえる。ある卸売業で働く女性は、会社から売上が下がったことを理由に、来月から給料を五万円下げることに合意しろ、と要求され、同意書にサインしなかったところ、即日解雇を言い渡されたという。

そのほか、製造業で働く女性（パート）も、もともと週五日の契約を結んでいたが、来月から週二日に減らされ、「不満があれば、辞めてもらって結構だ」といわれてしまったという。このように、「コロナ禍」を理由に、あるいは「コロナ後」を見据えて、多くの労働者が不利益変更を余儀なくされ、それに応じなければ雇止めをちらつかされるというような問題が、増加している。

コロナ危機が長引く中で、労働者への影響もより深刻な形で長期化していく傾向が明らかになっているということだ。

2 女性の下層労働者に集中する労働・貧困問題

今回のコロナ禍では、リーマンショックのようなかつての経済危機以上に、女性の労働・貧困問題が深刻である。とりわけ貧困相談においては、女性が置かれている状況の厳しさが顕著となった。四月にはいると生活保護関係の相談が急増し、一五日時点で総数一九四件にも上ったが、「二〇代女性」が二八ケースと最大だった。「若年女性の貧困化」の背景には、非正規雇用が「女性に多い」という問題と、女性の主な就労先である「サービス業」ではもともと非正規雇用が特に多いうえに、今回のコロナ危機が直撃しているという事情がある。

そもそも、雇用者に占める非正規雇用の割合は三八・三%だが、女性の非正規雇用率は五六・〇%に上る(「労働力調査」二〇一九年平均。役員を除く)。また、今回コロナ危機で大打撃を受けている宿泊業や飲食サービス業は、特に非正規雇用の女性が多く働いている産業であり、「宿泊業、飲食サービス業」で働く労働者数は、男性が一〇九万人であるのに対し、女性はほぼ倍の二〇三万人となっている(二〇一七年就業構造基本調査)。そして、同産業の非正規雇用の割合は七四・四％であり、全産業分類の中で最多であり、女性に絞ってみると、その割合は八五・二％にもなるのである（同）。

この、「宿泊業、飲食サービス業」の非正規雇用で働く（若年者を中心とした）女性たちが、今回のコロナ危機で一気に「貧困の危機」に陥っているという構図が見て取れるわけだ。

次に、重要なのはこれらのサービス業が、不況期には「雇用の受け皿」となってきたということだ。飲食業を中心としたサービス業は、設備や技能の面で参入障壁が低いために、常に失業者が流入する業界なのである。そのため、社会学ではサービス業の下層は「都市雑業層」とも呼ばれ、その大部分は「貧困層」としてとらえられている。

実際に、二〇〇八年のリーマンショック期には、大量の「派遣切り」が製造業でおこなわれたが、彼ら／彼女らの元にあっせんされた仕事もまた、飲食サービス業の非正規雇用が非常に多かったのである（ちなみに、政府はAIにより雇用が減少する中で、製造業などから失業者が流入することでかえって飲食などのサービス業は「増える」可能性があると試算している）。

ところが、今回のコロナ危機は、この「最下層の受け皿」ともいえるサービス業を直撃している。その際に最も影響を受けるのが、もともと労働市場で差別され、サービス業の非正規雇用に集中している（若年層を中心とした）「女性」なのである。実際に、労働相談の現場では、「ホステスの仕事をしているが、コロナの影響で出勤を減らされ、日払いのお金も不安定。仕事の掛け持ちも考えているが、雇ってもらえるか不透明。水商売の人は生活保護を受けられないのか」といった相談も多い。

コロナ危機のこうした「下層を直撃する」という性質を考えると、今回の危機はリーマンショック期よりもさらに深刻な貧困問題を引き起こす可能性がある。「雑業」さえ参入の余地がないとすれば、「働いて何とかする」という道は、ほとんど限られてくるからだ。したがって、今回は生活保護などの社会保障制度が、さらに重要な状況になっていくだろう。

3 政策の不備と、対抗する社会運動

政府の対策の不備

では、政府はこの間、どのような対策を打っていたのだろうか。政府が休業や解雇に対して取っていた政策は、もっぱら「企業への助成金」であった。対策の柱に置かれた雇用調整助成金（以下、雇調金）は、経営不振に陥った企業が労働者を解雇せずに休業手当を支払った場合に、その支払いに対し企業に助成するという制度である。政府は早くからこの制度を、新型コロナを理由とする休業に拡大し、その後も助成率を引き上げるなど対策を強化していった。

だが、当初の雇用調整助成金は休業手当を全額助成するものではなく、支給には上限もあり、支給までの日数もかかる。そのうえ書類も煩雑なことから、企業はほとんど利用しようとしなかった。しかも、すでに述べたように企業側には休業手当の支払い義務は必ずしも存在しない

と喧伝されていた。企業が本来責任のない（と思っている）休業手当を支払い、しかも自己負担、事務経費の負担を背負ってはじめて国から助成されるのである。大半の企業はこの支払いを拒んだことはすでに見たとおりだ。とりわけ非正規雇用に対する不払いは苛烈であった。政府が助成制度を整え、休業手当の支払いを確保すると同時に、解雇を防ごうとした意図はわかる。しかし、その方法はあくまでも企業の自助努力の支援にとどまっていたのである。

そもそも、この助成金は現在のように非正規雇用が広がる以前のオイルショック期につくられた制度である。企業が雇用を守ろうという意思を持っていることが前提になっている制度だということだ。当時は企業別組合も「正社員」に限られていたとはいえ、その雇用を守ることに熱心だった。ところが、今日の企業は非正規雇用を極限まで拡大しており、雇用を守る意思を持っていない。しかも、日本の労働運動は弱体化したうえに、非正規雇用を守るためにはなおさら闘わない。そのような状況では、この政策が機能するはずがないことは、はじめから明らかだった。実際に「休業手当の支払いや、助成金の申請を頼んだら、雇止めされた」という相談はあとを絶たなかった。

同様に、学校の一斉休校に伴う保護者の休業に対する手当の支給も、やはり企業側が休業を認め特別休暇を付与した場合に企業を助成するというもの（「小学校休業等助成金」）であり、雇調金の場合と同様に「企業が支払ってくれない」という相談が殺到した。たとえば、外食大手のサイゼリヤでは国の助成金を利用しない代わりに、会社独自の特別休暇制度として、一律に二〇〇〇円を支給するとした。当然、政府の支給する額よりも大幅に低く、半額以下である

（この事例では総合サポートユニオンに加入した労働者が団体交渉し、改善した）。

政府は、私をはじめ、多くの識者から批判を受けて、[8]五月二七日に閣議決定された第二次補正予算案で、解雇等を行っていない中小企業の場合、助成率が一〇〇％に引き上げられた。[9]さらにその後、企業から休業手当を支給されていない労働者が国に直接申請できる「新型コロナ対応休業支援金」を七月中に創設するということになった。これらの対応は、あまりにも遅いというほかない。

ところが、話はまだ終わらない。実際には一〇〇％に助成率が引き上げられたのちも、休業手当の支払いを拒む企業があとを絶たなかったのである。特に派遣会社は、こぞって解雇している。すでに述べたとおり、派遣会社には、派遣先との契約が打ち切られたのちも、労働者の次の就労先を探す義務がある。その期間は、中小規模の事業所であれば一〇〇％の助成金を得て雇用を継続すればよいはずだが、それさえ行おうとしない。もちろん、大手であってもかなりの割合が助成されるわけであるから、雇用を継続すべきはずなのだが。今回の危機においても、自由な市場で効率的な労働移動を実現するはずの派遣会社は、労働者から「中間搾取」をしたうえ、雇用を不安定にさせるだけの存在であった。

このように政府の対応が「企業任せ」の中で、労働者は補償なき休業状態で放置された。休業か解雇かもはっきりしない中では雇用保険も適用されない。あるいは、明確に解雇された場合でも従来の賃金の六割（実際にはおよそ四割）の休業手当しか支払われないため、もともと賃金の低い非正規雇用労働者はそれだけで生活困窮状態に置かれた。さらに、解雇されれば仕事を探すほかない。こうして、新型コロナに感染するリスクを負って仕事を探しに町に出るか、ただ貧困によって生活を破壊されるのか、という「二者択一」が迫られてしまっていた。極端にいえば、多数の日本の労働者が「コロナで死ぬか、餓死するか」を迫られていたのである。少なくとも、心理的にそのような差し迫った状態に置かれた人々は相当いたはずだ。だからこそ、企業が命じるのであれば、「三密」でも出勤するしかない状況が継続した。

さらに、緊急生活資金の貸し付けや生活保護申請の現場においても、困窮者の扱いは劣悪だった。日頃から「本当の貧困者」のみに支援を行う日本の福祉現場では、コロナ禍でも厳格な申請書類の提出や審査が行われ、申請会場自体が「三密」となったり、そもそも「相談の予約ができない」という理由で放置された。一部の自治体の生活保護窓口では虚偽の説明をして申請者を追い返す「水際作戦」も横行している。

立ち上がった「多様」な労働者たちと社会運動

コロナ危機の中で、「生きていくためには闘うしかない」という状況に置かれた多くの人たちが声をあげた。コロナ危機で感染か貧困かの「二者択一」を迫られた労働者たちは、「生存権」を賭けて闘ったのである。その主体はこれまでの社会運動にない多様性を持っていたといってよいだろう。

特に注目すべきは、苦境に立たされた女性労働者たちの労働争議である。すでに紹介したような、コナミスポーツやＫＤＤＩ、サイゼリヤでは多くの労働者が女性である。企業や市場、政府から放置されている状況下において、雇調金を使い休業手当を支払うということを、権利闘争によって要求し、実現する動きが非正規雇用、とりわけ女性労働者に広がっている。それらの労使交渉は、政府の雇調金を使わせるための闘いだった。国の制度が企業任せの中で、放置された非正規や女性の労働運動は、企業を動かし、政策を機能させる役割を果たしていったのである。

こうした中で、保育労働では象徴的なストライキ闘争も実施されている。それは、認可保育園におけるいわゆる「休園ビジネス」が告発されるケースである。認可保育園には、市町村から運営費として委託費が毎月支給されているが、そこには賃金分が含まれている。これは休園中でも登園自粛中でも変わらず支給されており、国側は普段の賃金と同じように、賃金全額の休業補償を支払えるはずなのだ。しかし、休業中の賃金を一切支払わなかったり労基法の義務づける六割（実際にはおよそ四割）しか支払わない保育園が続出した。休業手当を全額支払わず、その差額を収奪しているのだ。この状況に憤った労働者たちが組合に加入して声をあげ、複数の事業所で労使紛争になった。そして、この紛争は筆者の「Yahoo! ニュース個人」など各種メディアで報道され、大きな反響を呼んだ。その結果、厚労省からも、休業中の保育士に賃金を全額支払うように「通知」が出されるに至った。

この賃金不払い行為は違法行為ではない。したがって、賃金の支払いを求めるためには、労働組合に加盟して権利主張をするしかない。基本的な構図は雇調金が利用されない場合と同じである。

このように女性たちが立ち上がったのは、まさに「生存権」が問われていたからだ。一つだけ事例を紹介しよう。二〇代女性のAさんは、パートナーの男性とほぼ半々で生活費を支え合っている。パートナーは正社員だが、収入は手取り月二〇万円を割り込んでおり、Aさんのほうが収入はやや多い。保育士のAさんは過酷な業務などを経験して、三社目として派遣会社ウィルオブ・ワークを選んだ。派遣なら残業がなく、勤務時間に流動的なシフトの多い保育園でも、毎日同じ時間帯で働けると聞いた。また、もし派遣先がひどい職場に当たってしまっても、別の派遣先に変えられ、安定して働けると期待したのだ。彼女は、市場の制度を活用し自主的に生活の危機を乗り切ろうとしていた。

ところが、高砂福祉会の運営する足立区立の保育園では、四月からの休園・登園自粛期間中、登園児数が五分の一にまで減少したことを受け、職員たちのシフトを削減させ、それに伴い、直接雇用や派遣社員の非正規雇用は、休業手当として六割のみを支給されていた。さらに、高砂福祉会はAさんを六月末で「派遣切り」してしまった。これで、高砂福祉会はAさん分の賃金を、七月以降、丸々懐に入れるということになる。「派遣切り」によってより多額の補助金との差額を収奪できるのだ。Aさんは介護・保育ユニオンに加盟して、非正規職員に対する休業補償の全額支払いを要求し、高砂福祉会と派遣会社に団体交渉を申し入れた。労使交渉の結果、高砂福祉会と派遣会社は対応を変えた。四月から五月までの休業時の補償は、Aさんはもちろんのこと、直接雇用の非正規、派遣社員を問わず、六割ではなく賃金満額を払うという回答が得られたのである。

「生存権」を求めるさらなる新しい勢力も現れた。まず、貧困化した学生たちである。近年「学生の労働者化」が進み、いわゆる「ブラックバイト」が二〇一四年から社会問題になっている。この五年間でも家計依存度が低い学生の割合が急増しているというデータも存在する。すでに、下宿学生のおよそ二五％は親からの仕送りが五万円以下であり、今回の危機によってアルバイトができない学生の二割が退学を検討している。学生たちも、「ブラックバイトユニオン」や「首都圏学生ユニオン」をはじめとして、各地でさかんに労使交渉に打って出ている。

また、今回の新型コロナ危機においては、外国人労働者の問題も拡大している。リーマンショック期にも、主に製造業に従事するブラジル人労働者に多大な影響が出たが、外国人労働の製造業からサービス業への拡大が進んだ中で、今回の危機はそこを直撃する形となっている。外国人労働者の数は、二〇〇八年の四八万六〇〇〇人から一六六万人へ三倍程度も増加し、全国のあらゆる産業に膨大な外国人労働者が存在している。そのほとんどは非正規雇用で休業補償されず、解雇されているうえに、生活保護も受けることができない状況に置かれている。偽装留学生や一般業種に就く外国人が激増したことで、彼らも闘争の主体となっている。外国人労働者は最も周縁化された労働者として、この社会に普遍的な生存権や労働者の権利を主張する勢力に台頭していくだろう。

最後に、「生存権」を求める新しい労働・社会運動のネットワークが形成されたことに触れておこう。「生存を求めるコロナ対策ネットワーク（生存ネット）」には、学者、弁護士、ジャーナリストのほか、全国各地の労働組合が参加し、一斉相談を受けると同時にその内容を政策に反映するべき分析・提言し、同時に個々の職場の問題を各地の労働組合が労使交渉によって改善していった。同ネットワークの現場の分析を踏まえた提言は雑誌『世界』二〇二〇年六月号に掲載され、大きな反響を呼んだ。そして、ここで提言された政策の多くも実際に政府によって実現されている。

また、同ネットワークでは、五月から七月にかけて毎月一回、全国の労働組合の協力によって労働相談ホットラインを開催したが、ここで見られた連携にはこれまでにない特徴がある。それは、地域を超えた業種・職種を媒介とした連携である。各労組が得意とする業種・職種について相互に理解し合い、繋ぎ合うようになった。たとえば、飲食店の相談は首都圏青年ユニオンに、タクシー運転手の相談は日本労働評議会に繋げるという対応がなされた。

さらに、複数の労働組合が協力して、特定の業種・職種の労働者を組織する動きも見られた。四月末に総合サポートユニオンがＫＤＤＩエボルバのコールセンターの「三密職場」を改善するよう団体交渉を申し入れたことがニュースになると、同ネットワークのホットラインにはコールセンターで働く労働者からの相談が多数寄せられた。コールセンターは地方都市に多く立地するため、札幌、仙台、名古屋、福岡などの地方都市に拠点のある労働組合にも多くの相談が寄せられた。そうしたところ、さっぽろ青年ユニオンは、業界最大手のトランスコスモスのオペレーター二人を組織化し、三密環境の改善や小学校等休業助成金の適切な利用を要求して団体交渉をはじめるに至った。

同時に、各労組は、相談を受けることだけにとどまらず、コールセンターで働く当事者の緩やかな組織化を目指し、匿名のグループチャット（LINEのオープンチャットという機能）に相談者を組織している。そのチャットには、複数の労働組合の専従も参加しており、労使交渉を望む当事者がいた場合には団体交渉の案内をする。そして、KDDIエボルバやトランスコスモスの労働者の動きに触発されて、実際にこのグループの参加者たちが雇用主である派遣会社（コールセンター専門の派遣事業者）に対して、休業補償一〇〇％を要求して団体交渉をはじめている。

このような運動は、社会運動の言説・言論と現場の支援活動がさまざまな団体や立場を超えて連動することに成功した先進的な例だといってよいだろう。

（二〇二〇年七月八日）

注

1　総合サポートユニオンを母体とし、支部に介護・保育ユニオン、私学教員ユニオン、ブラックバイトユニオンなどの支部がある。

2　労働相談は六月二六日時点で二六八五件、生活相談は六月末日までに四〇二件、これらとは別に外国人からの労働・生活相談は六月末日時点で四〇六件である。

3　なお、「使用者側の事情による休業」には休校や売り上げの減少などが含まれ、「労働者側の事情による休業」には子どもの休校に伴う休業などが含まれる。

4　ただし、労基法上の休業手当については、三カ月間の賃金総額を暦日数（土、日、祭日を含めたカレンダーどおりの日数）の合計で割ることによって一日あたりの額を求めるため、一日あたりの賃金は、実際には従前の四割程度となる。この金額を支払われても、多くの労働者は生活することはできない。厚労省も、企業により高い割合の自主的な支払いを求めていた。

5　これについては、民法第五三六条二項において、「債権者の責めに帰すべき事由によって債務を履行することができなくなったときは、債務者は、反対給付を受ける権利を失わない」と規定されており、「債権者（使用者）の責めに帰すべき事由」を裁判所がどのように判断するのかが問われる。

6　厚労省の「新型コロナウイルスに関するQ＆A（企業の方向け）」によれば、改正特別措置法の緊急事態宣言に基づく協力依頼や要請を受けた場合であっても、労基法に基づく休業手当の支払い義務が一律になくなるものではないとしている。一方、特措法に基づく協力依頼や要請を受けて休業した場合で、なおかつ自宅勤務や代替業務を検討するなど、休業を回避するための具体的努力を最大限尽くしている場合には、不可抗力による休業に該当するため、支払い義務は免除されるという。これでは多くの企業が「該当する」と考えても無理はない。もちろん、この見解はあくまでも厚労省の解釈の基準であり、実際の裁判による司法判断で覆される可能性がある。

7　首都圏青年ユニオン傘下のユニオンである。筆者は共同代表を務める「生存のためのコロナ対策ネットワーク」において連携している。

8　世論では「補償なき自粛要請ではないか」との政府への批判が吹き荒れたが、これに対し厚労省は「事実ではない」と、六回の投稿に分けて異例の反論を繰り広げた。だが、その主張の中身はこの「自主的」な休業手当の支給と不十分な雇用調整助成金制度の存在があるというだけだった。安倍首相に至っては、この制度をもって世界で最も充実した休業補償だとまで喧伝した。

9　同時に、四月に遡及して適用されることとなり、一日あたりの上限額も八三三〇円から一万五〇〇〇円まで引き上げられた。手続きについても大幅に緩和され、支給されるまでの期間は二週間程度を目指すとされた。

〔文学・論壇〕

パンデミック文学のパンデミックに寄せて

斎藤美奈子

斎藤美奈子（サイトウ・ミナコ）

一九五六年、新潟市生まれ。文芸評論家。一九九四年、『妊娠小説』（ちくま文庫）でデビュー。二〇〇二年、『文章読本さん江』（ちくま文庫）で第一回小林秀雄賞受賞。他の著書に『名作うしろ読み』『吾輩はライ麦畑の青い鳥』（以上、中公文庫）、『戦下のレシピ』（岩波現代文庫）、『学校が教えないほんとうの政治の話』（ちくまプリマー新書）、『文庫解説ワンダーランド』『日本の同時代小説』（以下、岩波新書）など多数。

スローメディアは「有事」に役立つ？

新型コロナウイルスと文学？　そんなの、この段階で書くことなんかべつにないよ。と当初は思っていたのだが、記録しておくべき現象はやはりありましたね、少しは。

インターネット上に、情報の洪水が起きている今日、紙メディア、とりわけ論壇誌や文芸誌のような月刊誌の役割がどこにあるか、というのはなかなか難しい問題である。まして文学作品ともなれば、完成までに相応の時間がかかる。とても待ってはいられない。ワタシは進行中の出来事が知りたいのだ。それが一般的な感覚だろう。

しかし、じゃあ新しい情報さえあればオッケーかというと、そうでもないのだ。

私自身、二月中旬から、三月、四月、五月初旬まではテレビのニュース漬け、ネットの情報漬けで、政府の無策にいちいち怒り、専門家と称する人の発言に疑惑の目を向け、信頼に足るデータはどれかと探しまわって半ば熱狂していたが、ある日、忽然と飽きた。というか、自分のお祭り体質にあきれた。ふと気づけば、緊急事態宣言がいつ出され、いつ解除されたのかも、すでに覚えていない。たった数カ月前のことなのに、だ。

スローメディアの底力は、そんなときこそ発揮される。いま目の前で起きている現象にふりまわされていると、ぜったい視野狭窄におちいる。

と思った人は私だけではなかったのであろう。ウィリアム・H・マクニール『疫病と世界史』（佐々木昭夫訳、中公文庫）、加藤茂孝『人類と感染症の歴史』（丸善出版）、石弘之『感染症の世界史』（角川ソフィア文庫）、立川昭二『病気の社会史』（岩波現代文庫）、山本太郎『感染症と文明』(岩波新書)ほか感染症の歴史関係の書が軒並み好調な売れ行きを見せているのが、ひとつの証拠。三月の段階でこれらの本の多くは品切れ状態だった。

情報漬けの中でこれら旧著を読み、自分が感染症にどれだけ無知だったかを私も思い知らされた。スーザン・ソンタグ『隠喩としての病い』(富山太佳夫訳、みすず書房)も、ジャレド・ダイアモンド『銃・病原菌・鉄』(上・下、倉骨彰訳、草思社文庫)も読んだはずなのに。福島第一原発の事故後、原発にどれほど無知だったか思い知らされたという人がいて、そのときは「いままで何を見てたんだい」と思ったが、まあ似たようなものである。

カミュが描いた医療危機

旧著復権ムードの中でも、特筆すべきはアルベール・カミュ『ペスト』(原著一九四七年、宮崎嶺雄訳、新潮文庫)がミリオンセラーになったことだろう。二月から増刷を重ねて四月には累計一〇〇万部を突破。六月には一六〇万部に達した。聞けば日本だけでなく、世界中で大ヒットしているという。いわばパンデミック文学のパンデミックである。

何かの拍子に旧著が突然売れはじめるケースは過去にもあって、二〇〇八年には小林多喜二『蟹工船・党生活者』(原著一九二九年、新潮文庫)がこの年だけで五五万部を売るベストセラーになった。〇八年は、貧困や格差問題がにわかにクローズアップされ、年末には「年越し派遣村」が設営されたリーマンショックの年である。

二〇一一年の東日本大震災の後には、吉村昭『三陸海岸大津波』(原著一九七〇年、文春文庫)

や小松左京『日本沈没』（原著一九六四年、小学館文庫ほか）に注目が集まった。もっとバカバカしいのは、元号が「令和」に決まった二〇一九年の『万葉集』ブームである。『ペスト』のヒットもそれと同じ、流行の事象にすぐ飛びつくオッチョコチョイ現象のひとつかもしれない。しかし、はたしてそれだけなのだろうか。

かつて、つまり「平時」に私が『ペスト』を読んだときの印象は、ご多分にもれず、哲学的な小説だな、というものだった。『ペスト』におけるペストとは、人を不条理な状態に追い込む外部からの圧力、すなわち戦争とか独裁とかファシズムとかテロとかの暗喩に思われた。カミュ自身がレジスタンスの闘士だったこともあり、作中のペストは実際、ナチスドイツに象徴されるファシズムの脅威と重ねられることが多かったらしい。ところが、コロナ禍の渦中で読み直すと、『ペスト』におけるペストは感染症としてのペスト以外ではあり得ず、『ペスト』はリアリズム小説以外の何物でもないのである。

時は一九四X年。舞台はフランスの植民地だったアルジェリア第二の都市オラン。物語は医師のリウーを中心に、ペストに翻弄される人々の姿を重層的に描く。当初は自己本位だったが後にリウーの協力者となる新聞記者のランベール。この厄災は神がもたらした罰である、悔い改めよと説教するも、少年の死に接して神へ疑念が生じる神父パヌルー。リウーに共鳴し、保健隊を結成してリウーとともに医療現場で献身的に働くタルー。

ＮＨＫ「１００分 de 名著」で『ペスト』を担当した仏文学者の中条省平が『文藝春秋』六月号に的確な解説を寄せている（「カミュ『ペスト』は教えてくれる」）。

〈そもそも植民地というのは、経済的利益の搾取のために、他国による支配が行われている場所ですから、その意味では、経済優先であるのは当然のことともいえます〉。〈そんな街で疫病が発生した時、何が起こるか〉。〈医師リウーはオラン市で「謎の熱病」が流行し、死亡例が出始めていることを危惧します。そしてこの疫病が「ペスト」であると確信し、役所に、緊急の対策をとるように訴えます〉。ところが役所の反応ははかばかしくない。

リウーは思いきって知事に電話をかけた。以下は『ペスト』からの引用。

〈「いまの措置では不十分です」／「私の手もとにも数字が来てますがね」と、知事はいった。「実際憂慮すべき数字です」／「憂慮どころじゃありません。もう明瞭ですよ」〉（『ペスト』九三頁）

〈今回のコロナ禍でも、〝経済活動を制限してはいけない。経済が回らなくなったら、そもそもコロナの蔓延の前に多くの人が死んでしまう〟といった趣旨の、経済活動を何より優先すべきだとする言説が、流行の初期段階でずいぶん出てきましたが、それとまったく同じ状況が「ペスト」では描かれているのです〉（中条省平「カミュ『ペスト』は教えてくれる」）

結局、知事は植民地総督府からの命令で、ペストを宣言し、市はロックダウンされた。すべての交通は遮断され、信書の交換も禁止。日常生活は麻痺し、海水浴も禁止され、絶望した人々によって町では略奪や放火が頻発する。一方、人手も資材も不足した病院は崩壊寸前の状態におちいり、急増する死者を前に、葬儀はおろか墓場を確保することさえ困難になる。

〈「流行の勢いが予想外にひどくなってきてるんですか？」と、ランベールは尋ねた。／リウーがいうには、別にそんなわけではなく、統計の曲線は上昇度が緩慢になってきたくらいだ。

ただ、ペストと戦うための手段が、十分豊富ではなかったのである。／「資材が足りなくてね」と、彼はいった。「世界中どこの軍隊でも、一般に資材の不足は人員で補っています。ところが、われわれには人員も不足してるんです」〉（『ペスト』二二一頁）

中条省平は、他のパンデミック文学にもましてカミュに注目が集まる理由を〈カミュが疫病の蔓延する封鎖された街で何が起きるのかを描いただけでなく、「疫病という不条理」に反抗し、戦う人々を丁寧に描き出したからでしょう〉と述べている。

デフォーが描く生活破壊

カミュに次ぐ勢いで、この間、やはり話題になったのが、ダニエル・デフォー『ペストの記憶』（原著は一七二二年、武田将明訳、研究社）だ。原題は「ペストの年の記録」。『ロビンソン・クルーソー』の作者によるドキュメンタリータッチの作品で、架空の一市民を語り手に、一六六五年にロンドンで実際に起きたペスト禍を描いている（平井正穂訳の中公文庫版『ペスト』二〇〇九年版も原著は同じ本）。

医療者の目を通して描かれたカミュの『ペスト』とは異なり、こちらの語り手はロンドン市内で商店を営む一市民である。したがって彼の目は経済の影響にも注がれる。カミュほどの物語性はない代わり、市民生活の臨場感が半端ではない。冬からじわじわと広がりはじめた疫病は、六月になると避難者が増えはじめ、七月、市当局はついにペスト感染者を救済、管理する条例を発令する。特に重視されたのは、感染者が出た家の家屋の閉鎖だった。その過酷さは市民の大きな反発を買った。〈なにしろ人の住む家のドアを封鎖した上に、昼も夜も監視人に見張らせ、住人が外に出ることも誰かがなかに入ることも禁止したのだ〉

しかし、この政策は〈結局ほとんど、いやまったく役に立たなかった。それどころかあれは有害でさえあった〉と語り手はいう。〈というのも、望みを断たれた人たちがペストを抱えたまま外を徘徊する原因をつくったのだから〉

彼の視線は貧困層にも向けられる。〈時代の災いは貧乏人めがけて降りかかった。この人たちは感染しても食べ物も薬もなかった。治してくれる医者も薬屋もなく、世話をしてくれる看護師もいなかった〉と語り手は嘆く。〈あらゆる商売が停止され、雇用も取り消された。仕事が絶たれ、貧しい人々の飯の種は尽きてしまった〉〈この人たちは、ペストそのものではなく、ペストが引き起こした災いのせいで絶命したと言っていいだろう。まさに空腹と苦境に襲われ、すべてが欠乏するなかで亡くなったのだ〉

訳者の武田将明が、五月一日付の「現代ビジネス」webに解説を寄せている（「コロナウイルス時代にデフォー『ペストの記憶』が教えてくれること」）

〈本書には驚くほど既視感のある場面が頻出する。（中略）富裕層は早々に安全な場所へと避難するのに対し、貧しい人びとは生活のために商売を続け、次々と疫病の餌食になってしまう〉〈カミュの『ペスト』のような深い思索もないが、疫病が人間の身体と心に及ぼす影響についてては、ありとあらゆることが書かれている〉〈『ペストの記憶』は、正しく恐れ、事実を求めるための感性を、現代の読者に授けてくれるだろう〉

「朝日新聞」三月二二日付の「文芸時評」(「伝染病・震災・戦争　無関心や忘却もまた災厄」)で、作家の小野正嗣も右の二冊を取り上げ、〈新型コロナウイルスの世界的な感染拡大によって僕たちの日常生活にも大きな制約が生じている。どうしても伝染病や戦争など災厄を主題にした文学作品に目が行ってしまう〉と率直に述べている。

小野正嗣の文芸時評はいつもこんな感じの読書エッセイで、もともとぜんぜん「時評」ではないのだが、彼がこの二冊を取り上げたくなった気持ちは理解できる。3・11の際、たまたま同じ「朝日新聞」の文芸時評を担当していた私も、三月発売の文芸誌に載った小説やエッセイがすべて遠い世界の絵空事に見え、とても素知らぬ顔で論じる気にはなれなかった。要は平常心を失っていたわけで、いまから振り返れば「だからお祭り体質のヤツはダメなんだ」という話になるのだけれども、いまさら反省したところで後の祭りだ。

さて、それではコロナ禍渦中の論壇誌、文芸誌には何が載っていたのだろうか。以下、断片的な所感だけを記しておきたい。

3・11のときよりつまらない

月刊の論壇誌が新型コロナウイルスを大型特集で取り上げるのは、おおむね三月発売の四月号からである。横浜港に停泊するクルーズ船「ダイヤモンド・プリンセス」が耳目を集めはじめたのが二月一〇日頃からだから、二月二〇日頃までに突貫工事で原稿を上げれば、三月一〇日発売の号に辛うじて間に合うというスケジュールだろうか。

かくて、ひとまず『文藝春秋』『中央公論』『世界』三誌の四月、五月、六月号を手にしてみた。で、われながら愕然とした。何も響かないのである。

思い出すのは、またもや3・11である。震災後の最初の号にあたる、『文藝春秋』『中央公論』『世界』三誌の二〇一一年五月号（四月発売）を、かつて読み比べてみたことがある。そこに広がるのは予定調和な光景だったが、各誌の色合いは鮮明だった。

『文藝春秋』一一年五月号の「総力特集」は「東日本大震災　日本人の再出発」で、巻頭は「天皇陛下のおことば」を含む、当時の侍従長による「天皇皇后両陛下の祈り――厄災からの一週間」。次に石原慎太郎、瀬戸内寂聴の一文。その後は、文化人ら四〇名余の「緊急寄稿　われらは何をなすべきか」というメッセージ集で、印象は追悼の「儀式」である。

『世界』一一年五月号は「東日本大震災・原発災害・特別編集」。巻頭を飾るのは大江健三郎のエッセイで、その後は岩波人脈を生かした反原発系知識人による、東電批判やマスコミ批判。ノリは完全に反原発の「集会」である。

『中央公論』一一年五月号は、ぐっと復興寄りの「緊急大特集　3・11と日本の命運」。巻頭には、震災復興構想会議の議長代理・御厨貴の「『戦後』が終わり、『災後』が始まる」という大風呂敷な一文が掲載され、その後は3・11後のビジョンをエコノミストらがてんでに語っている。まるで復興後を見すえた「シンポジウム」である。

儀式、集会、シンポジウム。今度もそうだったらおもしろいのに！　と半ば期待していたのである。だが実際はちがった。先の震災では、地震と津波と原発事故がいっせいに起き、一度に大勢の死者が出て日本中が大きなショックに包まれた。他方、コロナ禍はじわじわとはじまって、だらだらと続く。緊急事態宣言で「自粛」が要請された後は、アクチュアルな取材もしにくい。その差かもしれないが、各誌各様のカラーが見えない。とりわけ『中央公論』はどこに存在価値があるのか不明である。

二〇一一年四月、新しく「朝日新聞」論壇時評の担当になった高橋源一郎は、論壇誌の惨状を前にして（だと思うが）、〈わたしが目にした「論壇」のことばは、「震災」以前のものと、ほとんど変わりがなかった〉〈人びとを繋ぐ「ことば」もまた「復興」されなければならないのである〉（「朝日新聞」二〇一一年四月二八日）とヤケッパチ気味に書いた。新型コロナを語る言葉についても同じ印象。「3・11で日本は変わる」とあのとき語った論者は大勢いたが、何か変わっただろうか。今度も「変わる変わる」と語る人は多いが、にわかには信じがたい。

体制に従うか、体制に抗うか

各誌のコロナ特集号の中で、保存価値があると思われるのは『文藝春秋』六月号と『世界』六月号である。発売日は五月一〇日。企画は進んでいたにしても、七都府県を対象に「緊急事態宣言」が出された四月七日の直後から取材がスタートしたのだろうと推察される。

二冊の注目ポイントは、具体的な提案が集められている点だ。

『文藝春秋』六月号は「ウイルスVS日本人　緊急事態を超えて」と銘打って二〇〇ページ超の大型特集を組んでいる。「オールアバウト・コロナ禍」ともいうべき特集の前半は俯瞰的なコロナ論、後半は「コロナに負けない心と身体を作る」を謳った実用記事だ。「『2分間ストレッチ講座』筋肉は裏切らない」（谷本道哉）、「『毎日入浴』で免疫力はアップする」（早坂信哉）、「昼間の光が『良質な睡眠』をもたらす」（内村直尚）、「『コロナ鬱』にならない外出自粛生活術」（岩波明）、「『オーラルケア』でウイルスを洗い流せ」（槻木恵一）、「納豆、エリンギ…『腸内細菌』を食事で鍛える」（福田真嗣）

見出しを列挙するだけでも、「至れり尽くせり」感満載ではないだろうか。ステイホームを余儀なくされた人たちが、健康的な日常を送るための生活術である。

よりシビアな局面についても怠りない。体調が不安な人には「『私もコロナ？』と思った時の7カ条」（徳田安春）。子どもが心配な親御さんには「〈麻布流〉休校を人生の糧にする方法」（平秀明）。はては「コロナ離婚を防ぐ『夫婦のトリセツ』」（黒川伊保子）まで。

ぼんやり思い出したのは、戦時中の婦人雑誌だ。体制を疑わず、与えられた条件の中で、賢くしっかり暮らす方法を説く。要は「自助努力のすすめ」である。

〈本誌は戦時中も昭和二十年三月まで発行を続け、終戦二カ月後には復刊を果たしています。苦しい時にこそ、読者の皆さまの「力」となれるような雑誌をお届けしたい――コロナウイルスの影響によって取材はなかなか通常通りにはいきませんでしたが、部員一同、最善を尽くして編集作業に臨みました〉（編集後記）

右の言葉にうそ偽りはないと思うが、われわれはこうやって、いつのまにか「非常時」に慣れ、批判精神をなくし、人の指示を待つ側になるのだなという感慨は禁じ得ない。

一方、『世界』六月号の特集は「生存のために　コロナ禍のもとの生活と生命」。前半は苦境に直面した世界からの声、後半は「生存保障を徹底せよ」と題された提言集だ。「生存のためのコロナ対策ネットワーク」の署名で、長めの総論が付されている。

〈新型コロナウイルスの感染拡大が、社会に危機をもたらしている。だが、その「危機」は、単純な感染症の危機ではない。より根本的な「社会の危機」である〉

おおー、いいねえ、初手からアジテーションである。

〈政府は「医療資源」を守るための検査の自粛を要請すると同時に、経済活動にも一定の自粛を要請してきた。しかし、そこに決定的に欠けているのは、「生存資源」の欠乏に対する視点である。（中略）生存権の保障を国家が明確に示さなければ、感染拡大を防ぐことは不可能である。／資源を持たない労働者は、生活を破綻させるのか、生きるために仕事を探すのかの二者択一を迫られるからである〉

以下、示されるのは、七分野、計三一の「緊急提案」だ。「休業・失業」（今野晴貴、後藤道夫）、「住まい」（稲葉剛、渡辺寛人）、「生活保護」（渡辺寛人、布川日佐史）「女性」（竹信三恵子）、「学生」（大内裕和）、「外国人」（指宿昭一、岩橋誠）、「債務問題」（新里宏二）。

両誌の特集記事は、この国の階層社会のありようを如実に映す。

〈「入浴こそ、一般の方が実践できる、最も優れた健康法だ」ということです。手軽で安価、毎日無理なく実践できて、しかも効果は抜群。このような「最高の健康増進ツール」が、全国各地のほとんどの家に備えつけられている国は、世界のどこを見ても日本だけでしょう〉（早

坂信哉明『毎日入浴』で免疫力はアップする」『文藝春秋』二〇二〇年六月号）

〈東京都内だけですでに約四〇〇〇人いると推計されるネットカフェ生活者は、緊急事態宣言によりネットカフェに休業要請がなされたことで居場所を奪われつつある〉〈住まいは、貧困から身を守るだけでなく、ウイルスから命を守るためにも必要不可欠の砦である。住まいをめぐる危機的状況を打開するためには「住まいを失わないための支援策」と「住まいを失った人へのハウジングファースト型の支援策」を大幅に拡充する必要がある〉（稲葉剛、渡辺寛人「安定した住居確保に向けて」『世界』二〇二〇年六月号）

『文藝春秋』が見ている世界と『世界』があぶり出す世界とでは、ここまでちがうのだ。

中国の作家の出番が来た

論壇誌について、もう一点だけ、付記しておきたい。

為政者はコロナ禍をしばしば戦争の比喩で語りたがる。危険な徴候だといわれている。しかしながら、論壇誌、特に右派論壇誌では、コロナ禍との戦いは完全に戦争と認識されている。戦う相手はウイルスではない。中国である。

『文藝春秋』も四月号の特集は「『新型肺炎』と中国と日本の大罪」であった。『正論』の特集は「武漢ウイルスに打ち克つ」（五月号）、「国難を乗り切る—激動の時代に備えよ」（六月号）。『月刊W・iLL』の特集は「世界の敵・習近平」（五月号）、「武漢ウイルス戦争 中国は21世紀最大の戦犯」（六月号）、「ポスト・コロナ 世界は脱・中国！」（七月号）。『月刊H anada』の特集は、「武漢ウイルス　緊急事態列島　日本人の底力」(六月号)、「人類共通の敵　習近平と武漢ウイルス」(七月号)。

毎号毎号、よくも飽きずにと思うほど、習近平体制の中国叩きに精を出す。新型コロナウイルスの襲来で、反中の大義名分を見つけたり、といわんばかりだ。

戦時体制に突入したかのような論壇誌に比べると、文芸誌ははるかに平和だ。ウイルスの影はちらちら見えるが、論壇誌のようなパンデミック状態には至っていない。

コロナの感染が早めに及んだ文芸誌があるとしたら『新潮』六月号だろう。ここには、金原ひとみ「アンソーシャル・ディスタンス」と、鴻池留衣「最後の自粛」という、コロナを取り入れた作品が二編。また綿矢りさの日記(「あの頃何してた?」)、中原昌也の日記(「戒厳令の昼のフランス・ツアー日誌」)でコロナ禍が描かれている。

読むべきなのはしかし『文藝』夏号(四月七日発売)の「緊急特集　アジアの作家は新型コロナ禍にどう向き合うのか」である。六人の作家が短い所感を寄稿しているが、その中で、ノーベル賞の有力候補といわれる中国の作家・閻連科《えんれんか》が書いている。

〈新型肺炎がやってきた。/果たして、あってはならない戦争のごとく、突然銃声が四方に鳴り響き、武漢、湖北、中国だけでなく、全世界までも、一歩一歩その災難の中に引きずり込んでいる〉。〈戦争の中でもし真実を命とする戦場記者がいなかったら、それは本当に愚かで恐ろしいことだ。/人類が災難に直面したとき異なる音が存在しないことが最大の災難なのだ。/戦争や厄災が訪れたとき、作家は「戦士」や「戦場記者」になることができる。彼らの声は銃声よりも更に遠くまで響くはずだ。その音は多くの場合、相手のナイフを引っ込めさせ、相手の銃声を止めさせた〉。そして彼はこのようにいう。〈今日の状況は、では次に何を書くべきなのかという順番が中国の作家に回ってきたということなのだ〉（谷川毅訳）

「厄災に向き合って――文学の無力、頼りなさとやるせなさ」と題されたこの一文の日付は二〇二〇年三月四日。「隔離中」と添えられている。

閻連科はいつか『ペスト』や『ペストの記憶』と並ぶパンデミック文学を書くかもしれない。だがそれはもうすこし、あるいはずっと先のことだろう。しかし、パンデミックを戦争になぞらえることの愚かしさと危険性を鋭く指摘する言葉が、世界中が「新型コロナウイルスの発生源」とみなしている中国人作家から出て来たことは注目に値する。

「戦時」を救うデカメロン現象

数々のパンデミック文学の中でも、もっとも古い部類に属するのはボッカチオ『デカメロン』（一三五三年）である。一四世紀のフィレンツェで、ペストが蔓延する市中から郊外に逃れた一〇人の男女が、一人一〇話ずつ全一〇〇話の物語を順に語っていくという、これは希代のステイホーム文学で、巻頭にはフィレンツェのようすも描かれている。

しかしながら、この本が興味深いのは、パンデミックから逃れて郊外の家に隔離した人々が作り話をし続けるという、そのありようにある。コロナ禍においても、ステイホーム下で多くの人がそれぞれの創作活動に励んだ。オンラインでのオーケストラや吹奏楽の演奏から、さまざまな意匠の手作りマスクに至るまで、である。これをデカメロン現象といわず、何といおう。人はどんな状況でも、なんらかの創作をしてしまうのだ。

デカメロン現象の中でも、特筆すべきは「アマビエ・パンデミック」である。

アマビエとは幕末の肥後（熊本）に出現したとされる半人半魚の妖怪で、三本の足と、鳥のようなくちばしが特徴だ。出典は弘化三年（一八四六年）四月中旬と記された一枚の絵。「私は海中に住むアマビエと申すものなり」「諸国で豊作が続くが、疾病も流行する。その時には私の写絵を人々に見せよ」と言い置いて海中に姿を消したという。

このアマビエが、二月中旬頃からネットを中心に広がりはじめた。三月六日には原画を所蔵する京都大学附属図書館が「貴重資料デジタルアーカイブで公開されているのでご活用ください」の一言を添えて原画を公式Twitterに投稿。三月一七日には、水木プロダクションが水木しげるの描いた色つきのアマビエを、やはり公式Twitterで公開した。

四月に厚生労働省が「STOP感染症」のステッカーに採用したのだけは余計だったが、この後アマビエ・ブームは爆発的に広がり、各地で「疫病退散」を祈願する商品に生まれ変わった。Tシャツ、布バッグ、キーホルダー、マスクにつける豆バッジ、アマビエ柄のポーチ。高崎ではアマビエだるま、東北ではアマビエこけしが誕生し、南部鉄器、江戸風鈴、京うちわ、博多人形……。和洋スイーツ方面への進出も著しく、上生菓子、饅頭、煎餅、飴、クッキー、ケーキ、ドーナツ、マカロン。大人向けにはアマビエラベルの酒やワイン。

くだらないって思います？　私はこれもゆるやかな抵抗の一種と思うのだ。非常時だ、緊急事態だ、戦争だ、と騒ぐ世間を、アマビエは確実に相対化する。もしも将来、だれかが『コロナの記憶』を書く日が来たら、アマビエの件はぜひ入れていただきたい。

日記が映す緊急事態宣言下の日々

最後にもう一冊。将来『コロナの記憶』の役に立ちそうな本がもう一冊あった。『仕事本 わたしたちの緊急事態日記』（左右社、二〇二〇年六月一七日）。緊急事態宣言下における六〇職種七七人による四月の日記である。五月三一日までという本書の区切りから若干はみ出すが、今日までに「緊急出版」された、どんな論考集よりおもしろい。

〈「納豆はないのかしら?」／売り場を見れば1つもなかった。／納豆は毎日入荷しているはずだが、ここ最近は入荷後、日にちを跨がずに売り切れてしまうのが現状だった。／これも不思議なのだが、日本人はこの様な事態に対峙すると、やたらと「納豆」に頼りたがる〉。〈お婆さんに「駅前の〇〇に行けば多分売ってると思うんですけどね」と伝えると、／「あそこは人が多いから行きたくない。感染したら嫌だもの」と返される〉〈うちの店でも、お年寄りの生活圏に近い分、少しだけでも役に立っているんだなと思うと、ちょっと救われた気がした。／お婆さん、今日も納豆、入荷しますからね〉（四月二〇日／ミニスーパー店員）

〈「父がコロナウイルスで亡くなったかもしれないのですが」〉〈「この度はご愁傷様でございます」という決まり文句までうわずってしまったのは今回が初めてだ。／朝礼で受け取ったばかりの「コロナウイルス対応マニュアル」と表紙に書かれた書類を慌ててめくる。（略）「もしコロナウイルスだった場合……」すこし間を開けて書類の文章を読み上げた。／「お通夜お葬式はできません。場合によっては今日、火葬することになるかもしれません。病院で消毒した後、専用のビニール製の袋に、お父様のお体を収める必要があります。その後、面会はできません。火葬にも立ち会えません」／予想通り、電話の向こうでしばらく沈黙があった。／「家族であっても……ですか」／「はい。残念ですが」〉（四月八日／葬儀社スタッフ）

永井荷風『断腸亭日乗』や、山田風太郎『戦中派不戦日記』の意味をあらためて考える。厄災の前で文学は何ができるのか、なんて大仰な話ではない。右のような市井の職業人の日記こそ、将来の一次資料候補、文学のタネなんじゃあるまいか。

しかし、いまの段階で「アフターコロナ」を語るのは早すぎる。カミュ『ペスト』では、疫病の発生に主人公が気づいてから市の封鎖が解かれるまでに一〇カ月。デフォー『ペストの記憶』では、疫病の発生が疑われてから収束までに約一年かかっている。いずれもひとつの都市だけで、の話である。フィクションと比べても仕方がない、ペストとコロナじゃ話がちがうといわれれば、その通り。だがわれわれが、だらだらと続くであろうコロナ禍の、まだ入口付近にいることだけは間違いないように思われる。

（二〇二〇年七月七日）

［ネット社会］

緊急事態の夜空に

CDB

ＣＤＢと申します。

Twitterを中心に好きな映画や人物について書いています。

映画ブログ　https://www.cinema2d.net
note　https://note.com/774notes
Twitter　https://twitter.com/c4dbeginner

長い長い春休み

さすがに「誰だよ?」と思われても仕方がないほど場違いなので最初に自己紹介をすると、僕はTwitterで映画の感想などを書いているただの一般人だ。特に学歴はなく、ジャーナリストでもフリーライターでもない。なんだよそれと思われるかもしれないが、少々ネットの話におつきあいいただきたい。

Twitterには「アナリティクス」という項目がある。解析、分析、といった程度の意味で、まあブログでいうアクセス解析みたいなものだ。その中の「インプレッション」という項目がブログやホームページにおけるPV、ページビューに当たる。この一カ月で何人があなたのツイートを見たか、という数値だ。広告付きブログやユーチューバーならいざ知らず、残念ながらTwitterではいくらこの数値が上がってもビタ一文入ってくるわけではないので、特に気にしていない人も多い。

僕の経験上、普通、このインプレッションという数値は七月と八月、そして年末年始に上がる。理由は言うまでもなく、夏休みと冬休みだ。夏休みでゴロゴロしたり、冬休みでコタツの中でスマホをいじる学生たちによってネット人口は一時的に増大する。生活のかかっているユーチューバーにとってこの時期のアクセスは「かき入れ時」だし、古くは2ちゃんねる時代から「夏休みに現れる中坊＝夏厨」なんて言葉があったくらいだ。

二〇二〇年三月、僕のTwitterの月間インプレッションは突然、二月の三倍以上、八五〇〇万になった。あまりにも異常な動きだったので、しょっちゅうメンテナンスに失敗してはおかしなことになるアメリカの「Twitter本社が、また何かやらかしたのかと思ったくらいだ。何しろ毎年の夏休みだって四〇〇〇万がいいところなのに、その二倍以上だ。

もちろんこれには理由がある。二月二七日、安倍晋三総理は新型コロナウイルス感染症（以下、新型コロナ）についての記者会見を開き、三月二日から春休みまで日本全国の小中高校に休校を要請した。木曜日の会見で、来週の月曜からもう学校がなくなることを数百万人の子どもと教師が初めて知ったのだから、いま思い出しても無茶苦茶な話だが、これによって日本全国の学校が、夏休みさえ上回る「史上最大の春休み」にいきなり突入したわけである。

しかもこの「長い春休み」が毎年の夏休みと違うのは、そこには宿題もなければ部活もなく、塾の講習も予定していない完全な空白期間だったことだ。おまけに国家レベルで「外を出歩いてはならない」と厳重に申しつけられているのだから、友だちと遊びに行くこともできず、家でスマホをいじるくらいしかやることがない。これは一〇代の子どもたちだけではなく、おとなたちも同様だった。

安倍総理の休校要請は、猛烈な自粛効果を社会に生み出し、繁華街は閑古鳥が鳴いた。サラリーマンは家に帰り、店員は客のいない店内でスマホを見ながら、いったいこの事態がいつまで続くのか、新型コロナ関連の情報を検索した。結果として「Twitterには（そしておそらく、ブログやユーチューブという他のネット媒体でも）空前のネット人口が流入したわけだ。

新型コロナについての僕の取り止めのないツイート、「補助金出せよ」とか「これ全員で丸ごと一年留年ＯＫにした方がよくね？」みたいな呟きに対しては、以前からよく知るハンドルネームの面々ではなく、普段まったく関わりのない実名アカウントの高校生や社会人たちからのリツイート通知が急増した。

エンジン、イカれちまった

この傾向は、緊急事態が宣言された四月、五月も同様に続いた。休校が新年度も継続され、子どもだけではなく、おとなも在宅テレワークが推奨され、映画館もカラオケもレストランも閉鎖して旅行もできず、おまけに収録のできなくなったテレビは再放送ばかりなのだから、ネット人口が増大するのも無理はないだろう。これは僕の印象だけではない。たとえば主にテキストを投稿し購入し合う人気のサービス「note」の利用者は、緊急事態下の四月と五月に爆発的な増加を見せ、全利用者は六〇〇〇万人を突破したというデータがある(「noteが月間アクティブユーザー6300万人突破　1年半で6倍以上の急成長に」ねとらぼ、二〇二〇年六月二四日)。

五月に大きなニュースとして報じられた「#検察庁法改正案に抗議します」のハッシュタグが法案を廃案に追い込み、内閣支持率を暴落させる大きなうねりとなった一因には、このネット人口の一時的な流入という「分母の増大」があったのは間違いないと思う。確かに問題のある改正だったし、最後には検察OBが会見を開いて、改正への反対意見を表明するまでに至った。でも、あえて言うなら、あの程度の無理押しは現在の長期政権でザラにあった。集団的自衛権だって、多くの学者や文化人が連名で懸念を表明したにもかかわらず、力づくで可決してきたのだ。

学者や新聞記者は、世の中の人に政治的な関心がないと嘆いてきた。自分たちがどれほど訴えても世の中の人は無関心だと。でも本当は、関心ではなく時間が、あるいは体力がないのだ。仕事に追われ、新聞やニュースを読む暇もなく倒れ込むように眠る人の多さを、教養とゆとりのあるリベラルな人たちは知らない。

緊急事態宣言は経済活動を止め、一般の人々の生活に深刻な影響をもたらした。だが、同時に、仕事に追われてきた人たちにネットで情報を検索する時間をもたらした。それは Twitter で検察制度改正法案に懸念の声をあげた、少なくない数の俳優やミュージシャンたちも同じだったはずだ。ライヴや演劇が中止となり、ドラマや映画の撮影が停止した状況下で、彼らには情報を検索し、現場の制約や束縛から離れて意見を表明する猶予ができたのではないか。

一一年も前に死んでしまった忌野清志郎、その代表曲であるRCサクセションの「雨上がりの夜空に」は、雨に降られてエンジンが停止した車の中で、何をすることもできない男が、ただ呆然と夜空を見上げる歌だ。あの歌詞で歌われるポンコツ、エンジンがイカれてしまった車のように、僕たちの社会も急停止せざるを得なくなり、多くの人が家の中で、スマホやパソコンの情報の窓から、やまない雨の降り続く夜空を見上げていた。それがあの緊急事態宣言下に高まった政治的関心の下地だったと思う。

緊急事態宣言は五月末に解除され、止まった車はガタガタと軋みながら再び動き出そうとしている。あるいは政治によって無理にでも動かされつつある。休校は徐々に解除され、人々は再び仕事に時間と体力を振り分け始めた。六月には僕の Twitter のインプレッションも通常の数値に戻りつつある。長い長い春休みは、ひとまずは終わったのだ。

「生かさず殺さず」のバランスを崩す新型コロナ

だが、社会が完全に元に戻ったわけではない。町では二カ月の緊急事態の間に潰れてしまった飲食店が、客足が戻ればごった返すはずの土日のかき入れ時にも、まるで死体のように明かりを消して閉店している。いまはもういなくなってしまったが、Twitter には昔、「資本主義は屍を晒さない」という名言を吐いた irr（@irrTenko）というアカウントが存在した。共産主義の失敗による貧困は人為的な失政として人々に記憶されるのに、資本主義によるそれは自然淘汰のように人々に意識されず消えてしまうという意味だったと思う。ネトウヨ、というよりは強固な反グローバリストだったたが、そういう人間だってたまには事実を言い当てるのがインターネットというものだ。

新型コロナは、現在も東京を中心にくすぶり続けている。これを書いている七月五日の時点では、四日連続で東京都の新規感染者が一〇〇人を超えたと大騒ぎになり、映画館はカップルさえもひとつ開けて席に座らざるを得ない。真夏のロックフェスはすべて中止になり、演劇も再開の足取りは重く、あいみょんが日比谷野外音楽堂で無観客ライブを配信したように、デジタル配信サービスが比重を増している。今回の新型コロナがアナログからデジタルへと、社会の比重を移していくきっかけになることは避けられないのだろう。

僕は Twitter で文章を書き始めたド素人の一般人だし、ライター教育どころか大学に行ったこともないのに、いまこうしてまったく分不相応なところで文章を書かせてもらえているのもネット経由だ。Twitter さまさまである。ただそういう僕から見ても、社会が急激にリアルからネットへと比重を移していくのは、正直言ってあまり心地いい状態ではない。

ひとつの例を挙げれば、アメリカがロックダウンの最中にある四月一五日、米 Amazon はアフィリエイトの紹介料を大幅に引き下げた。「なんだそれ?」という人に説明すると、アフィリエイトというのはブログなどで本やレコードを紹介し、読者がそれを買ってくれると、ブロガーなどにいくらかの分け前が入るというシステムである。

ただでさえデジタルへの移行が速いアメリカで、ロックダウンによってアメリカの人々のネット通販利用率はさらに跳ね上がった。にもかかわらず、というかだからこそ、Amazon はいままで売り上げに貢献してきたアフィリエイターたちへの報酬をバッサリと切り下げたわけだ。誰もが Amazon を利用するようになれば、Amazon を紹介するブロガーたちの重要性は下がる。身もふたもない冷酷な判断だ(これは米 Amazon の判断であり、日本 Amazon がこれに追随するかはまだ不明)。

これは広告に依存する多くのネットビジネス、たとえば YouTube などにおいても同じである。YouTube の広告収益は毎年爆発的に増大しているにもかかわらず、ユーチューバーが収入を得るための条件には新たなハードルが設けられ(チャンネル登録者が一〇〇〇人いないと一円も入らない)、広告単価は引き下げられていると噂される。個人がネットでスターになれるという幻想で、小学生の夢の職業に挙げられるようになったとしても、それは最終的に Google や

Amazonという巨大企業が「言い値」で報酬を決めている状態であり、労働運動や組合活動の存在する余地のない圧倒的に企業が有利な構造を持っている。

新型コロナでアナログビジネスモデルが潰れるほど、デジタルの覇権を握るGAFAと呼ばれるGoogle・Amazon・Facebook・Apple ら巨大企業の占有率は増し、個人は圧倒的に不利な条件で過酷な競争を強いられるわけだ。その構造をあまりにも露骨に見せてしまうと「人気」に関わり、過酷な条件の前提になる流入人口を確保できなくなるから、適度に「生かさず殺さず」の状態を維持してきたというのは誰もが知っていることだが、新型コロナがそのバランスを崩しつつある。

「下から上へ」の幻想

収益だけに限らない。ネット、とりわけSNSは、管理や監視との親和性が高いというのは昔から言われているが、たぶん今後この傾向は加速する。検察制度改正問題に関しては、確かに珍しく「Twitter が政府に一矢報いた。ハッシュタグを用いた海外の市民運動も盛んで、ネットに希望を見出すリベラルも少なくない。確かにいまの時点で見れば、世論調査などにおける「自民一強、他野党多弱」の構造に比べて、ネットはまだしも右と左が「いい勝負」をできている範囲に入る。

でも、実を言うと僕は、結局のところSNSというものは、人が思うほど自由でも民主的でも平等でもないと日々感じている。Twitter の情報の流れひとつをとっても、実は一般に言われるほどボトムアップ（下から上へ）ではなく、政府公式→報道メディア→大手アカウント→フォロワーという形でトップダウンに拡散していく情報の方が多い。本来的ならば「下から上へ」というように、名もないアカウントの小さな声を拾い上げて押し上げていくことがネットには可能なはずであり、またそうあるべきなのだ。しかし、無数の小さな声の中から何を拾い上げるべきかという選択は、実はその都度、より大きな拡散力を持つ「上」の気分次第であり、現実にはそういう理想から遠い状態だ。

川が上流から下流に流れていくようには、なかなか遡りにくいこの構造の中で、利用者からは見えにくい形で最上流に位置する存在がＳＮＳの運営・管理者である。Twitter ジャパンは二月一〇日に日本青年会議所とのパートナーシップを締結し、四月二八日には代表取締役の笹本裕氏と大阪府の吉村洋文知事との対談を動画で配信した。Twitter ジャパンはあくまで私企業であり、どこの団体とコラボし、どこの政治家をプッシュしようがまったく制約は受けない。その見返りとして、どれだけ広告費を受け取るのももちろん自由である。だが、その私企業の運営が、どのアカウントを規約違反で凍結するかを判断し決定する。

Twitter では、多くのアカウントが片言隻句を通報され凍結される一方、政治力を持つ大物小説家や大富豪の有名院長の差別発言はお咎めなしで続いている。むろん、これも私企業の裁量の範囲内というわけだ。Amazon や Google がブロガーやユーチューバーの収入の生殺与奪を最終的には握っているように、Twitter や Instagram でアカウントがどれだけフォロワーを伸ばし、拡散力を高めようと、最終的にはサジ加減ひとつでアカウントを凍結し、フォロワーへの拡散力とコミュニケーションを切断し、「振り出しに戻す」権力を運営者に握られている。

「新世紀エヴァンゲリオン」で有名な株式会社カラーの取締役をつとめ、スタジオジブリで鈴木敏夫氏の後継と目される川上量生氏は、「東洋経済オンライン」のインタビューで、GAFAら国際企業に対抗するために自国のネット媒体を持つ中国の戦略は合理的だ、と評価し、海賊版対策としての海外と日本のアクセス遮断、ブロッキングにも積極的だ（東洋経済オンライン、「川上量生の『中国のネット管理政策は正しい』」、二〇一七年八月二二日）。IT経営者としての視線で見れば、国家と一体化した「国策SNS」の管理者となることは、ゼネコンや電通といった旧メディアの権力と肩を並べ、抜き去るための見果てぬ夢と言える。国家の側から見ても、それは国民の情報と人間関係を一目瞭然に把握し、必要とあれば非公開の連絡にもアクセスできる巨大な情報権力になる。SNSは国民を束ねるために極めて使いやすいツールで、その「管理人」になること、少なくとも管理する側に回ることこそが大きな権力になる。「アルファアカウント」（猿山のボスのことを「アルファオス」と呼ぶことから、ネットのリーダー的存在を揶揄気味に呼ぶ）やインフルエンサー、人気ユーチューバーは生まれては消える水面の泡に過ぎない。

言葉が消滅していくインターネット空間で

今回の新型コロナについての情報などがまさに典型だが、まるで端の見えない巨大なボードの上でオセロゲームをしているかのように、SNSの情報は二転三転する。文字の上では一見整合性のある情報が並んでいるかのように見えても、その外部に新しい情報が打たれれば、並んだ情報の意味はたちまち白から黒に書き換えられる。そしてその情報の白黒もまた覆される。オセロゲームのボードの角に当たる場所、つまり覆されることのない確かな根拠は、インターネットの中には存在しない。根拠となる世界の片隅は、それぞれがどこかで見つけ、そこからひとつずつ中心に向けて駒を並べていくしかないのだ。

本来的には、インターネットやSNSはそうした無数の世界の片隅、ジグソーパズルの断片のようなリアリティの破片をいくつも試行錯誤しながら並べ替え、少しでも整合する世界像を集合的に組み上げるべき媒体なのだろう。だが、現実にはSNSで大きなバズを起こすのはいつもわかりやすい物語であり、自分のいる場所を大きく書き、周辺を小さく粗雑に書いた古代の地図のような、自己中心的なストーリーだ。「日本人は清潔で規則正しい国民性だから、今回の感染症を最小限に防げたが、夜の街のせいで再び広がりつつある」というような。

SNSは医療従事者をヒーローと呼び、防衛大臣の指示で彼らへの感謝を示して東京の上空をマッハで飛び去るブルーインパルスをトレンドに乗せることはできても、緊急事態宣言中に感染のリスクの中で駅の公衆便所を掃除し続けていた半袖の高齢清掃員たちについて語らない。あるいは語っても気づかれることがない。休校中にも駅前のビルに親の車で送迎されていた大手有名進学塾の子どもたちと、僕の家の前で一日中キャッチボールで暇を潰していた子どもたちの間で開いていく格差についても。

大島弓子の漫画に『毎日が夏休み』という名作がある。一九八〇年代末のバブル絶頂期、登校拒否児童の少女を主人公にした作品だ。いまではそういうフィクション作品は珍しくもないので、当時における価値はいまでは少し見えにくくなってきている。だが、同作品のような形でフィクションは色々な「非日常」を描いてきた。

今回の緊急事態がそんな牧歌的な「非日常」じゃないことは、その中で働いていた人間として僕もよく知っている。感染の恐怖の中で、医療者、清掃作業員、コールセンター従業員、運送業者は補償もなく働き続けた。悪役に仕立てられた「夜の街」の人々だって、好きで働いてたわけじゃない。それはわかっているが、しかしそれでも、この感染症は人類史上かつてないほど、戦争以上に社会を止めた。圧倒的に強いので、他国を戦争でグチャグチャにしている時も本国はけっこう普通に日常生活を送ってきたアメリカでさえも生活が激変した。

全世界の生徒・学生の約九割に当たる一六億人が学校へ通えなくなったとの国際連合教育科学文化機関（UNESCO）の四月の報告を引用し、「人類史上初めて、世界中の子どもが丸ごとひと世代、教育を中断された」とNGOのセーブ・ザ・チルドレンが指摘したように、それはもちろん悲劇だ。でもその悲劇の中で何もできない、あるいはその中でもいつも通り働かされて、緊急事態の中で止まってしまった社会の夜空を見上げた多くの人々の心の中に変化は起きるだろうか。

「社会が止まる」フィクションの多くがそうであるように、止まった社会は動いていた社会を見つめなおす視点をもたらす。それは機械を止めなければ機械のメンテナンスができないという状況にも似ている。これを書いている七月初旬、政府は旅行キャンペーンという形で、まだ多くの人が巻き込まれて命を落とすかもしれない、資本主義社会という巨大な機械を動かそうとし始めているのだが。

紙の書籍はデジタルに押されて消えていく、とよく言われる。だが、アナログレコードがいまだに再生されている一方、音質の未劣化を掲げて八〇年代に登場したCDが現在、経年劣化で読み込み不能が続出している状況にも似て、インターネット上の情報の寿命は人々が思っているよりもずっと短い。

Yahoo!ジオシティーズの消滅によって無数のホームページが消滅し、ほんの一握りのアーカイブを除いて二度と復元できなくなったように。古本であれば、どこかの家に一冊だけ残っていたりするが、デジタルサービスの終了は一瞬ですべての情報を完全に消し去ってしまう。新聞のオンライン記事ですら、日本では数年も経つとサーバーから消去され、図書館の縮刷版というアナログなメディアで確認を取るしかなくなる（ついでに言えば、「産経新聞」にはその縮刷版すら存在しない）。

僕がこうしてここに書いたTwitterのあれやこれやも、本人がアカウントを消したり、運営によってよって凍結されたり、あるいはTwitter自体のサービスが終了すれば丸ごと消滅し、誰にも読めなくなる。すでにいまの時点で、一〇年も経っていない二〇一一年の3・11の時に語られたインターネット上の言葉の多くが消滅し、誰が何を言っていたかの検証はできなくなりつつあるのだ。

だから、こうしてすべての情報があっという間に流れて消えていくTwitterのことを書いておける場所を、分不相応にも紙の書籍に書かせてもらえたことはとても嬉しい。

ここに書いたことは、あの二カ月に起きたことについて、ネットの片隅から見た僕のジグソーパズルの破片である。

あなたがこれを読んでいるのが刊行された直後の書店なのか、それとも何年も後の図書館や古本屋（まだあれば）なのかはわからない。でも、未来のあなたが（それがどれくらいの未来であるにせよ）、このジグソーパズルの破片をあなたの歴史と世界地図の正しく、そしてリアルで適切な片隅に並べてくれたら嬉しい。

これを読んでいる未来のあなたの日常はどう変わっただろうか。政府が「新しい生活様式」と打ち出すあの貧しい校則のようなルールのほかに、僕たちと僕たちの世界は変わっただろうか。この雨は上がり、雲の切れ間にちりばめたダイヤモンドのような星は見えているだろうか。


（二〇二〇年七月六日）

〔日本社会〕

アベノマスク論

武田砂鉄

武田砂鉄（タケダ・サテツ）

一九八二年、東京都生まれ。ライター。出版社勤務を経て、二〇一四年よりフリー。著書に『紋切型社会』（朝日出版社、第二五回Ｂｕｎｋａｍｕｒａドゥマゴ文学賞受賞）、『芸能人寛容論』（青弓社）、『コンプレックス文化論』（文藝春秋）、『日本の気配』（晶文社）、『わかりやすさの罪』（朝日新聞出版）などがある。

をとりたい。

安倍のマスク

映画やドラマの冒頭で、この二人はめでたく結婚しただとか、残念なことに命を絶ってしまっただとか、物語の帰結を明かしてから始まる作品がある。ひとまず結末を知らせた後で「〇年前……」と本編に入っていくのだが、今回の「アベノマスク物語」も、それと同じ手法をとりたい。

「新型コロナウイルス対策で全世帯に配布され『アベノマスク』とも呼ばれた布マスクの性能に関する野党議員の質問主意書に対し、政府は『感染拡大の防止に一定の効果を有する』とした答弁書を閣議決定しました」（TBS NEWS・六月三〇日）

これが、物語の行き着いた先だ。この原稿は、このゴールに向かっていく。政府は、アベノマスクは感染拡大の防止にある程度の効果があった、と考えている。しかし、それを伝えるニュース映像を見ると、横並びに座っている閣僚のうち、当該のマスクをしているのは、真ん中で不安そうに座っている安倍晋三首相だけである。

アベノマスクは、より具体的な意味で「安倍のマスク」になった。つまり、「安倍しかしていないマスク」になった。でも、一定の効果があったと言う。では、その効果とは何か。検証した後で効果があったと言われれば聞く耳を持つ必要があるが、どれほどの効果があったのかについて、「特段の検証を行っていない」という。「具体的に検証したわけではないのですが、時速八〇キロで壁にぶつかってもおそらく命に別状はない気がする新車なんですが、いかがでしょうか」というセールストークで、車は売れるだろうか。そもそも販売が許されないだろう。

新型コロナウイルス感染拡大によって、私たちは自分や周りの大切な人が「死ぬ」可能性と向き合うことになった。程度はそれぞれだ。極端に怖がる人も、極端に軽視する人もいた。マスクとの付き合い方も異なる。マスクさえしていれば助かると考えた人もいたし、マスクなんて何の意味もないと考えた人もいた。入荷しているかもわからないドラッグストアの前には、開店前から長蛇の列ができた。その様子を見て、「その行列のほうが危ないよ」と言う。でも、その長蛇の列に並んでいる人たちは、マスクがないと危ないと思っている。店にマスクが売れていないのに店員がマスクをしているのはけしからん、と怒鳴った人もいたという。「すみません、では、これ、使いますか?」と店員がその場でマスクを外したら、お使いになられたのだろうか。

国民の不安を解消

日本で初めての感染者が確認されたのが一月一六日。クルーズ船「ダイヤモンド・プリンセス号」における集団感染が判明したのが二月五日。このあたりから、対岸の火事との認識だった新型コロナが、いよいよ自国に延焼してきたとの自覚を個々人が持ち始める。マスクを買い求め、品薄状態が続いた。マスク不足が不安視されるなか、経済産業省は、二月一二日に「マスクを慌てて買い置きしなくても大丈夫です。厚労省や企業の皆様と連携し、毎週一億枚以上、お届けできるようになりました」とツイートした。

同日の会見で菅義偉官房長官がなんと言ったか。「マスクは中国からの輸入停滞などにより品薄状態でありますが、厚生労働省、経済産業省が強く増産要請をし、二四時間生産の体制強化により、早ければ来週以降、例年以上の毎週一億枚以上が供給できる見通しであります」である。来週からは徐々に解消されるので安心してください、と力強く言い切った。でも、一向に品不足が解消されない。だから、朝からドラッグストアに並び、高額で転売された商品に手を出す人も出てきた。そうか、来週から潤沢に供給されるのであれば、家に残っている五枚を今週のうちに使い切ってしまっても大丈夫だなと、これまで通りのペースで使った人もいたはずである。だが、いつになっても店にマスクは並ばない。パニックになる。

マスクを求めて彷徨《さまよ》う光景はバカにされがちだが、彼らを嗤《わら》う前に、「彼らをそこに並ばせたのは誰か」と考える必要がある。指を差す相手は彼らではない。心配しなくても大丈夫ですよ、と誤報をバラ撒いた政府である。情報弱者が店に並んだのではなく、情報に惑わされた上で並んでいた。問われるべきは、惑わすような情報を流した側にある。政府対応に向けられた「後手後手」「やってる感」との声に対し、政府が「先手先手」「やってる」と返し続けてくる日々が続いた。二月半ばの時点で、来週からマスク不足は解消されていくと宣言したくせに、いつまでも解消されていない事実は、先手ではなく後手、「やってる」ではなく「やってる感」だったことの証左にもなるだろう。

そして、ついに、例の日がやってくる。安倍首相による、布マスク全戸配布宣言だ。四月一日、新型コロナウイルス感染症対策本部の場で、布マスクをつけ、このように述べた（ちなみに、首相官邸のウェブサイトで当日の模様を確認すると、布マスクをしているのは安倍首相だけ。彼は、この時からずっと、一人で下顎を晒し続けてきたのだ）。気になる箇所について、あらかじめ傍点をふっておく。

「新型コロナウイルス感染症に伴う急激な需要の増加によって、依然として店頭では品薄の状態が続いており、国民の皆様には大変御不便をお掛けしております。全国の医療機関に対しては、先月中に一五〇〇万枚のサージカルマスクを配布いたしました。さらに、来週には追加で一五〇〇万枚を配布する予定です。加えて、高齢者施設、障害者施設、全国の小学校・中学校向けには布マスクを確保し、順次必要な枚数を配布してまいります。

本日は私も着けておりますが、この布マスクは使い捨てではなく、洗剤を使って洗うことで再利用可能であることから、急激に拡大しているマスク需要に対応する上で極めて有効であると考えております。

そして来月にかけて、更に一億枚を確保するめどが立ったことから、来週決定する緊急経済対策に、この布マスクの買上げを盛り込むこととし、全国で五〇〇〇万余りの世帯全てを対象に、日本郵政の全住所配布のシステムを活用し、一住所あたり二枚ずつ配布することといたします。

補正予算成立前にあっても、予備費の活用などにより、再来週以降、感染者数が多い都道府県から、順次、配布を開始する予定です。

世帯においては必ずしも十分な量ではなく、また、洗濯などの御不便をお掛けしますが、店頭でのマスク品薄が続く現状を踏まえ、国民の皆様の不安解消に少しでも資するよう、速やかに取り組んでまいりたいと考えております」

先述した、六月末に出された答弁書には「感染拡大の防止に一定の効果を有する」とあった。この時点では、「需要に対応する上で極めて有効である」とのことだった。サージカルマスクと布マスクによる効果の差異は語られることなく、繰り返し使える布マスクの魅力が語られる。「御不便をお掛け」するのは、下顎が出てしまうマスクの小ささに対してではなく、洗濯をする手間のことだった。これによって、「国民の皆様の不安解消」が達成される。そうか、私たちの不安って、こんなにも小さく見積もられていたのか。そして、その小さな不安は一向に解消されることはなかった。配布されるまでに異様な時間がかかったし、そもそも隅々にまで行き渡らなかった。

「全住所配布のシステム」による配布で問題はないのか、との問いかけに対し、菅官房長官は「このシステムは北海道ですでに実施されており、その経験を活かして、速やかに配布ができる」と答えている。三月一日、感染が拡大していた北海道北見市と中富良野町に布マスクが配布された。厚生労働省のプレスリリースに頼ると、「人口に占める患者数の割合が特に大きい地域として中富良野町、クラスター発生等による今後の潜在的患者数増加に留意が必要な地域として北見市」に配布するとのこと。この二つの地区の世帯数は、合わせて六万数千世帯。この規模での経験を五〇〇〇万余りの世帯への配布の自信にするのは危ういと感じたが、そもそもこの北海道での配布自体が成功したとは言い難いものだった。配布するマスクは当初、各世帯四〇枚の予定だったが、七枚に変更された。その後、不足分が再送付された。二世帯住宅に一世帯分しか配布されていないことが指摘されると、追加配布すると決め、郵便受けが一つしかない高齢者施設などに一袋しか配られなかったなどのトラブルも起きていた。そしてこの問題は、全国配布になっても解消されることはなかった。

どう考えても大失敗

『週刊文春』（四月一六日号）によれば、布マスク配布を策謀したのは、佐伯耕三首相秘書官だという。記事に、官邸関係者の声として「『全国民に布マスクを配れば不安はパッと消えますよ』と発案したのです」とある。

その後、不安がパッと消えたという声は聞こえない。不安は堆積していく一方だ。どこかでそんな声が聞こえたとしても、残念ながら、それは思い違いである。だって、政府は布マスクについて最終的に「一定の効果」としたのだから。抜群の効果ではなく、一定の効果にすぎなかったとなれば、どうしたって不安はパッとは消えない。

コロナ禍の中で、個人が抱えた不安って、「不安がたくさんあるという不安」だった。ウイルスに罹患するのではないかという不安。自分たちの仕事・商売が立ち行かなくなるのではないかという不安。世界全体で感染が拡大し、これまでの生活形態や価値観などが激変していくのではないかという不安。これまでに体験したことのない不安を、国を動かす人たちが「布マスクを配る程度でパッと消える不安」と見込んでいたのならば、その読みが更に不安にさせる。事実、あらゆる自粛が要請された後も補償しようとしなかったり、数カ月にわたって日頃の営みが制限されているにもかかわらず、物足りない補償をいくつも並べてみるだけだったりと、国民の不安はいつまでも伝わらなかった。パッと消えるというか、パッと消したかっただけなのだと思う。

国際政治学者・三浦瑠麗は、「Twitter で「布マスクうちはありがたいですよ」とした上で、続くツイートで「中高年男性中心の政権が、がんばって各家庭に対する想像力や蟻の視点を持とうとしているのだから、叩くんじゃなくて、こんなことがしてほしい、あんなことがしてほしいっていうチャンスだと思うな」（四月一日）と記した。オジさん達が各家庭のことをわかろうとしてくれたんだから、大目に見ませんかというアクロバティックな擁護をしてみせた。政治家の、各家庭に対する想像力が世帯ごと二枚の布マスク配布であるならば、その視点は蟻ではなく、「蟻を避けようと思ったけど、歩幅的にそのまま蟻を踏んじゃう感じだったから、まあいいかとそのまま思いっきり踏んじゃった」という、権力者特有の傲慢な視線である。

アベノマスクの配布が始まると、たちまち不良品の存在が明らかになった。四月一六日までの間に全戸向けにパッキング作業をおこなった二〇〇万枚のうち、カビや虫の混入などが約二〇〇件、その他、妊婦向けマスクにも不良品が見つかった。直接、口につける衛星用品に、相当な頻度で不良品が見つかった。私企業だったら、その銘柄は即座に回収するだろうし、場合によっては企業の土台を揺るがす事態にもなる。

以前、あるカップラーメンを販売している食品メーカーを取材したことがある。彼らは当然ながら、異物混入を異常なまでに警戒してきた。万が一、そんなことが起きれば、企業イメージはガタ落ちする。実際に混入していなかったとしても、「混入しているのでは？」や「何か入ってたぞ！」との声にうまいこと付き合わなければ、とりわけこのネット社会、築き上げた信頼が崩れ去るのは早い。コールセンターには、定期的にその手の電話がかかってくる。最も多いのは「鉄くずやプラスチック片みたいのが入っていた」というもの。その企業が、そう言われた時のためにどう対処しているか。国内で販売されている主要なヤカンやポットを手に入れ、定期的に使用することによって劣化させ、劣化した時に、そのヤカンやポットから、どういった鉄くずやプラスチックが落ちる可能性があるかを調べ上げておく。問い合わせに対し、「お使いのヤカンはどちらので、どれくらい使っていますか」と尋ねていく。それですべて解決するわけではないが、電話先の企業が圧倒的に情報を持っていると知れば、雑なクレームは引き下がる。これくらい慎重になるものなのだ。

不良品の検品に八億円を投じ、調達と配送を合わせて二六〇億円を使ったアベノマスク配布は、どこからどう考えても、大失敗に終わった。文句もたくさん出ているけれど、でも、ほら、「布マスクうちはありがたいですよ」と言っている人もいますよ、と比較して済まされる取り組みではない。街を歩いていても、アベノマスクをしている人を見かけない。国民に一律給付されることになった一〇万円は、多くの人が申請した。でも、強制的に送られてきた布マスクは使わない。一〇万円と布マスクを比べることが野暮だとは思わない。国民は、こうして、必要なものは使い、必要ではないものは使わない。必要ではないもの＝布マスクに二六〇億円を使ってバラ撒いたのだ。アベノマスクは半ば面白ネタと化したが、そんなこともあったよねと笑い飛ばすには、あまりに重い額ではなかったか。その金で何ができただろう。

愛情をカタチにしたもの

政府は、布マスクを「感染拡大の防止に一定の効果を有する」ものだと意味付けた。届かないし、届いても誰もつけないのだから、感染拡大防止にはならない。すると、意味を変えた。安倍政権お得意の「解釈変更」である。五月二〇日の会見で、菅官房長官は「布マスクの配布などにより需要が抑制された結果、店頭の品薄状況が徐々に改善をされて、また上昇してきたマスク価格にも反転の兆しがみられる」と述べた。この時点ではまだ、関東圏を中心に一部の世帯に配られただけだった。配布されても実際に使用している人は少ない。「需要」とは「必要として、求めること」との意味だが、アベノマスクが需要の抑制に一役買ったのならば、アベノマスクは各方面から求められなければならない。記者から「反転の兆し」とは具体的に何かと問われた菅は、「東京などに届き始めてから、店頭でマスクが売られはじめたんじゃないんでしょうか。非常に効果があると思う」と続けた。なんかもう適当だ。政権のスポークスマンが、数百億円をかけた取り組みの効果について「〜じゃないんでしょうか」「〜あると思う」などと推測に逃げてしまっている時点で呆れるのだが、八割を輸入に頼ってきたマスクの量が、二月に激減し、三月から徐々に回復していった、ただそれだけの話である。やがてユニクロの

「エアリズムマスク」やシャープやミズノなどによるマスクの開発・販売の効果もあり、マスクの不足感は薄らいでいった。

失敗を失敗と認めない政権の姿勢は、いつまでも安倍首相がアベノマスクを装着し続けている光景が象徴している。麻生太郎財務大臣は、四月二九日の参院予算委員会で、なぜ布マスクをつけていないのかと問われ、「私のところにはまだ届いていないと思います」と答えている。これって、届き次第つける、と受け取ることもできたのだから、その後、ずっとそのマスクをつけていない理由を聞きたい。もしかして、まだ届いていないのだろうか。

緊急事態宣言が解除され、安倍首相が三カ月ぶりに夜の会食を再開したとのニュース映像を見ていたら、同席した菅官房長官も麻生財務大臣も甘利明税制調査会長もアベノマスクをしていない。安倍首相はもちろんアベノマスクをしていた。こちらから先方にお伝えする手段を持たないので、告げることはできなかったが、安倍首相がアベノマスクを外すタイミングはこの日だったと思う。その後、感染者数が再び上昇することになる。このタイミングしかなかった。なぜか。もう一段階、マスクの意味合いを変えたからだ。「次なる流行にも十分反応することができるよう、国民が保有することに意義がある」(菅官房長官・五月二八日会見)と、第二波への備えに意味が変わった。「使用」ではなく「保有」を促したのは、安倍首相への援護射撃というか、「外すなら今ですよ。『使用』から『保有』なんですから」というメッセージだったのではないかと勘ぐるのだが、安倍首相が察知することはなかった。

厚生労働省のウェブサイト「布製マスクの都道府県別全戸配布状況」には、「都道府県別の

配布状況 全国で概ね配布完了」と示されている。概ね配布完了、ってなんだ。宿題は大体終わったとか、片付けはほとんどできたとか、浮気心はそんなにないとか、それらと同じようなもの。宿題も片付けも浮気も配布も、終わっていないのだ。

北村誠吾地方創生大臣といえば、主な仕事はしどろもどろな答弁だが、もう一つの仕事が、閣僚のほとんど誰も装着しないアベノマスクを装着することだった。ある日、そんな北村大臣がマスクをしてこなかった。その理由は前日の夕方に配布されたマスクを二枚とも洗ってしまったのだという。「絞り方が甘かったんで、乾かなくて、今朝、つけてこようと思ったら、まだ湿っていて。あんまりでしたので、つけてきませんでした」「せっかく頂いたみんなのマスクということで、あれを使うことを心掛けておるところでございます。大事にしたいと思っております」(朝日新聞デジタル・五月二〇日)と述べている。アベノマスクは安倍への忠誠心。アベヘノチュウセイシン。

安倍首相とも親しい伊集院静が『週刊現代』(二〇二〇年七月四日・一一日号)で、アベノマスクについて、こんなことを書いている。

「総理は母親が子供の自分にしてくれたものを国民に与えたかったのだと私は思うよ。それを少し小さいとかデザインが、とか横着を言うんじゃない」

「あのマスクは自分の母親から与えられた愛情をカタチにしたかった思いのあらわれだ」

なんだそれ。政権の熱烈な支持者の中に、一律一〇万円が振り込まれたと報告するSNSから、政権に批判的でいる人を抽出し、「なんで、アベノマスクは断ったくせに、アベノジュウマンエンは受け取る?」と憤慨している人がいた。繰り返すが、私がアベノマスクを糾弾するのは、国民の税金を使って要らないものを大量生産したから、という極めてシンプルな理由である。アベノマスクは安倍によるマスクではない。つまり、安倍がしているアベノマスクは、私たちの税金から作られたマスクである。

この国の主権者は政治家ではなく私たちであるのだから、収めた税金を再分配しなければならない。国民がおしなべて経済活動を止められ窮地に立たされている時に、お金で補償するのなんて当たり前のこと(というか、ちっとも足りていない)。マスクは、今こそこれが必要ではないかと政府から配布されたもの。その政策が失敗したのならば、なぜ失敗したのか問われなければならない。

しかし、この伊集院のように、マスクにまで安倍(というか母)の物語を投入してしまう。なかなか陳腐な物語だ。民主主義国家がどういう国家かといえば、「母親が子供の自分にしてくれた」というような権力者個人の経験や価値観を国民に強制するようなことはあってはならない、とする国家だ。この未知のウイルスに恐怖心を覚えているなかで、なぜ、母親からの愛をマスクに感じなければならないのか。それどころではない。アベノキモチを理解している余裕はない。政治家は国民の窮状に向き合わなければいけない職業である。使い勝手の悪いマスクに、政治家の思いが乗っかっているのだと解説している場合ではない。あれが本当に母から子への愛情だとするならば、みんな、もっと、街中でしているはず。母との関係は人それぞれだが、そんなにみんな薄情ではない。

実力不足の象徴

配布完了が発表されてもなお、我が家には、アベノマスクはやってこなかった。やってこなくても構わないものがやってこなかったのだから、やってこなかったことを肯定的に受け止めてもいいのだが、でも、あっちは、もう大体配りましたので、これで第二波に備えてくださいね、と主張し、政府発表として、「感染拡大の防止に一定の効果を有する」としているのだ。失敗を失敗と認めなければ、目の前にある失敗も、これから起きる失敗も、その傷口は大きくなる。でも、とにかく、今の政府は失敗を認めない。布マスクの意味が二転（感染拡大防止→需要を抑える→第二波への備え）したことからもわかる。自分の目の前にやってくるまでに、その意味が何回も変わったものってあるだろうか。自分は、ちょっと他に例示することができない。

送られてきたマスクを受け取り拒否して送り返す人、施設などに寄付する人、物と交換してくれるサービスを使った人、仏壇に供えた人（つのだ☆ひろ・ブログで確認）、色々な対応が見受けられたが、どの反応にも言えるのは、一定期間のうちに十分なマスクが配られ、そのマスクがしっかりしたものであれば出てくるはずのなかった反応である。

このコロナ禍の政府対応について、賛否を問う世論調査の結果を何件か見たが、正直、賛否なんてレベルではなく、「実力が不足している」との結果に行き着いてしまう。賛否を問うなんてのが似合わない体たらくであった。アベノマスクについて長々と書いたこの原稿は、本書の中でも、ちょっと滑稽な部類の原稿に入るはずである。「アハハ、アベノマスクについて、こんなに長々と書いたのかー」と。でも、どうだろう。笑い事だろうか。アベノマスクって、政府の実力不足そのものではないか。

この書籍が刊行される頃、政治体制がどうなっているかはわからない。相変わらず、体制が維持されているとするならば、そこにいる首相は、まだアベノマスクをつけているだろうか。つけているとすれば、それは、感染拡大防止→需要を抑える→第二波への備えに続く第四形態、「失敗を認めることのできない姿を国民に知らせ続けるもの」と言えるだろう。アベノマスクを外せない安倍首相によって、アベノマスクが配られた。全員には届かず、届いた人もほとんど使っておらず、配った意味はあったのだとなんとかして認めたい人が、これは母からの気持ちのようなものだと言う。で、その気持ちを伝えるのに二六〇億円かかったのだ。

新型コロナができるだけ早く歴史の遺物になることを願っているが、この歴史を振り返る時、このアベノマスクを持ち出すと話が早いはず。すさまじい失政だった。

（二〇二〇年七月五日）

［哲学］

コロナ禍と哲学

緊急事態宣言、特措法、そして「新しい生活様式」

仲正昌樹

仲正昌樹（ナカマサ・マサキ）

一九六三年、広島県呉市生まれ。東京大学大学院総合文化研究科地域文化研究専攻修了（学術博士）。現在、金沢大学法学類教授。専攻は、政治思想史、ドイツ文学。主な著作に『危機の詩学』『増補新版 モデルネの葛藤』『カール・シュミット入門講義』『ハンナ・アーレント「人間の条件」入門講義』（以上、作品社）、『今こそアーレントを読み直す』『マックス・ウェーバーを読む』『ハイデガー哲学入門』（以上、講談社）、『集中講義！日本の現代思想』『集中講義！アメリカ現代思想』『悪と全体主義』『現代哲学の最前線』（以上、NHK出版）など。

一　「緊急事態」と決断主義

二月二七日に安倍晋三首相は、全国の学校に対して一斉休校の「要請」をした。この要請に法的根拠はなく、あくまでただのお願いにすぎないはずだったが、それが文部科学省を通じて通達されたことにより、大多数の学校がそれに従わざるを得ない状況になった。現代の政治・社会思想を専門的に研究する知識人であれば、ワイマール時代のドイツの憲法学者カール・シュミット（一八八八－一九八五）の「主権者－例外事態」論を思い浮かべたはずである。

『政治神学』（一九二二）でシュミットは、「主権者とは例外状態について＝を越えて決定する者である Souverän ist, wer über den Ausnahmezustand entscheidet」と定義した。この場合の「主権者」とは、形式的な主権者ではなくて、その国家が何によってその一体性を保ち、何を目的に行動し、どのような法秩序を共有するかを最終的に決定する者だ。ただし、議会制民主主義など多元的で複雑な手続きによって様々な審級（レベル）での意志決定がなされる近代的な法治国家では、誰が本当にそうした力を持っているかはっきりしない。そこで、戦争や内乱、大災害などの非常事態で通常の法体系や慣習が事実上機能停止し、どのように物事が決まっていくのか見通せない「例外状態」が「主権者」をはっきりさせるというのがシュミットの主張だ。誰も法律や政府の権威によって決定することができない「例外状態」で、既存の法規範・慣習に縛られず、国家の在り方を定め、それに人民の大多数を従わせ、新秩序を生み出すことができる者が現れるとすれば、それこそが「主権者」だというわけだ。法的諸規範が効力を停止する「例外状態」を支配することが、「国家」の基本構造（constitution）を新たに創造することに直結する。ある意味、神の奇蹟に似た行為だ。そうした神のごとき主権的行為を分析するのが、「政治神学」である。

安倍首相の法的裏付けのない〝要請〟は、彼が法治国家の限度を超え、新しい秩序を作り出す、神のごとき企てに着手しているかにも見えた。『政治神学』等で示されたシュミット的な政治観は、「決断主義」と呼ばれることがある。考えや利害関係が異なる人たちの間で延々と続く話し合いではなく、主権者的な決断こそが「政治」を動かしているのであり、「決断」を回避することは政治を停滞させるだけ、という発想だ。民主党政権が誕生する前後、二〇〇八～〇九年にかけて「決められない政治」に対する不満が高まっていた時期、現代思想関係で決断主義とシュミットの名が言及されるようになった。宇野常寛の『ゼロ年代の想像力』（二〇〇八）は、日本のサブカルシーンにおける決断主義的な風潮を指摘していた。

シュミットの決断主義は、民主主義を否定するように見えるのでリベラル左派の間では当然、評判が悪いが、ラディカルな左派にはむしろ、シュミットを反面教師として評価する人たちもいる。シュミットは、『政治的なものの概念』（一九三二）では、「本来的な政治的区別は、友と敵の区別」だと述べ、政治の本質としての「決断」が「友／敵」の選別を不可避的に含意していることを明らかにしている。これは、少数派の抑圧を正当化しかねない、なおさら危険な発想である。しかし、西欧の議会制民主主義が実際には文化的・政治的ヘゲモニーを握る多数派による支配であることを告発し、それに対抗するヘゲモニーをいかに形成すべきかという問題に取り組むエルネスト・ラクラウ（一九三五－二〇一四）とシャンタル・ムフ（一九四三－）は、

「政治」は何らかの形で「友／敵」を選別する決定を含意しており、全ての立場を平等に代表することが可能であるとする「自由民主主義」や、時間をかけた理性的討議によって問題を解決することができるとする「討議的民主主義 deliberative democracy」は幻想であることを明らかにした点でシュミットの議論を評価している。そのうえで、政治のアリーナは、互いに相容れない利害や生き方を有する様々な党派間の闘争によって絶えず変更されねばならないとする「闘技的民主主義 agonistic democracy」を提唱する。ジャック・デリダ（一九三〇－二〇〇四）は、『友愛のポリティックス』（一九九四）で、古代ギリシア以来、「友愛 amitié」の名において追求されてきた理想の「政治」が、その裏面として「友」ならざる者＝他者＝「敵」の排除を含意していたかもしれないことを、シュミットのテクストの注意深い読解を通して示唆したうえで、「友／敵」の二項対立に陥らない「来たるべき民主主義」の可能性を探究している。

シュミットの「友／敵」理論は、ドイツのユダヤ人問題を背景としており、ラクラウ＝ムフの闘技的民主主義論は、人種、民族、宗教、ジェンダー・セクシュアリティの違いによる闘争を念頭においている。全国民の命が危険に晒され、敵／味方の区別がなくなる新型コロナウイルス（以下、新型コロナ）問題とはあまり関係ない、と感じる読者は少なくないだろう。しかし、単純に関係ないと思えるとしたら、それは構築されつつある「友／敵」の境界線を自明視しているためではないか。

現に、新型コロナに対する防疫問題は、国民と非国民の区別を強化している。各国は、国境を閉鎖し、他国民を入れないことで、新型コロナを侵入させないことに力を入れている。日本では二月に入ってから、ウイルスの発祥地とされる中国からやって来る人を危険物と見なす傾向が強まり、それがネットを中心に、右派の排外主義的言説と融合し始めた。ＥＵ諸国でも、中国人や西欧人から見てほとんど区別がつかない東アジア系一般に対する差別が広まっているとされる。しかし、日本国内では、「同じアジア人」として差別に反対するという世論は盛り上がっていない。こうした問題に敏感な国際派の知識人は、日本にはそんなことを言う資格はないと感じているのではないか。

政府や自治体の掛け声で自粛の雰囲気が高まるにつれ、それに積極的に協力しない人を非国民と見なして、攻撃する自粛警察的な動きが出てきている。自粛反対派の方は反対派の方で、過剰あるいは不必要な自粛によって日本経済をダメにしている政治家や医師会を応援している自粛派こそ、非国民だという言説を広めている。これは今のところ、小競り合い程度に終始しているように見えるが、新型コロナ問題を機に医療・福祉や産業構造が大きく変われば、「健康」観が新たな「友／敵」ラインを生み出すかもしれない。

さらに言えば、東京都などによる「ステイホーム」という呼びかけは、「ホーム」があること、しかも、清潔で、同居者同士の間のパーソナル・スペースを保てる「ホーム」があることを前提にしている。固有の「ホーム」がない人、ネットカフェなどを転々としている人、あまり清潔とは言えない住居に大人数で生活している人はどうなるのか。こうした人々のことを忘れた「ステイホーム」は、究極の「友／敵」状況かもしれない。

二　「決断」への待望と左派のジレンマ

さらにシュミットに即して考えると、ワイマール憲法の四八条には、「例外状態」を何とか立憲体制の限界内に留めるための規定があった。「例外状態」を立憲体制の枠内に留めるというのは自己矛盾しているように思えるが、シュミットが、独裁制の歴史を研究した『独裁』（一九二一）などの著作で論じているところによると、古代ローマ以来、西欧諸国は、非常事態が起こった際、一定の期間、通常の法的手続きを無視して強い権力を行使できる「独裁官 dictator」の制度を発達させてきた。「独裁」の期間と権限の及ぶ範囲を予め想定することで、独裁官が無制限の暴力を行使できる〝独裁者〟になることを防ぐわけである。ニッコロ・マキャベリ（一四六九－一五二七）の『「ローマ史」論』（一五一七）やジャン＝ジャック・ルソー（一七一二－七八）の『社会契約論』（一七六二）でも、「独裁官」制度の必要が説かれているし、フランス革命時の公安委員会制度やマルクス主義のプロレタリアート独裁も、この思想を継承したものだという。

ワイマール共和制の場合、ナチス政権誕生以前にも、大統領が四八条二項に基づいて一定期間、人身の自由や意見表明の自由など、自由権的基本権のいくつかを停止・制限することが何度か行われている。首相に就任したヒトラーはこの条項をフルに活用して野党勢力の活動を弾圧し、総選挙で圧勝し、議会の同意なしに、内閣の判断で法律を制定できる「全権委任法」を制定した。自民党の憲法改正草案の「緊急事態条項」は、そうしたいわくつきの四八条をモデルにしたとされる。リベラル系の憲法学者や歴史学者等は、これが憲法に挿入されれば、ナチス的な全体主義政権が生まれる危険があることや、ワイマール憲法の規定に比べても自民党案はあまりに粗雑であり、恣意的に運用される可能性がさらに高いなどと批判していた。

この条項との関連を連想させたのが、新型コロナに対する「緊急事態宣言」だ。「新型インフルエンザ等対策特別措置法」（以下、特措法）は三月一三日に改正され、この法律に基づく「緊急事態宣言」を、新型コロナに関連して出すことが可能になった。この法律の改正をめぐる国会の論議では、立憲民主党に代表される、リベラル系の〝物わかりの良さ〟が目立った。普段であれば、政府や官僚の恣意的な解釈の余地を残さないよう細かいことに徹底的にこだわり、審議に時間をかけさせようとする野党が、法案の早期成立に〝自発的〟に協力した。

元になった法律は、民主党政権時代に成立したものだから、後継政党である立憲民主党や国民民主党が反対しにくかったことや、有権者の間に新型コロナに対する不安の声が高まったことが原因だろうが、運用の仕方次第では、所有権だけではなく、意見表明の自由や集会の自由の制限に繋がる恐れがあることが指摘されていた法律であるだけに、慎重な審議を求めてもよかったはずである。審議の間に本当に緊急の必要が生じれば、従来の特措法を新型コロナに適用することを暫定的に認めたうえで、審議を続けることもできたのではないか？

平和安全法制をめぐる二〇一五年の審議では、集団的自衛権は憲法第九条に違反しており、国民の生命・財産と国の安全をかえって危険に晒すことになるとして、四カ月以上にもわたって大々的な反対運動が繰り広げられた。今回の特措法はわずか三日で成立した。緊急事態宣言の危険を指摘して反対したのは、共産党とれいわ新選組だけで、立憲民主党や社民党が賛成に回った。立憲民主党の山尾志桜里・衆議院議員が、国会での事前承認を宣言の条件にするよう改正すべきであると主張して反対票を投じ、その後、党内の意志決定が非民主的だったとして離党したことが話題になったくらいだ。

緊急事態宣言の全面的な解除が視野に入り、「新しい日常」が説かれるようになった五月下旬以降、「緊急事態宣言」とはそもそも何だったのか、そもそも立憲民主主義と整合性があるのか、「緊急事態条項」と同じ論理によるものではないか、といった法哲学的な議論が国会やジャーナリズムで盛り上がってもよかったように思えるが、なかなかそういう雰囲気にならない。

政府が警察権力の行使を伴うような強権的な措置を取らなかった、というより、法律の制約と世論への配慮のため、取ることができなかったので、現行の特措法による「宣言」の危険性を今さら指摘しても、政権批判としてインパクトがないということかもしれない。しかし、あまり実害が出ていなければ議論する価値がないというのであれば、自衛隊や安保体制の憲法第九条との整合性を問う議論も、大した価値はないということになろう。

新型コロナの場合、国民の生命が直接危険に晒される切迫した状況だったので、致し方なかったと考える人も少なくないだろう。ただ、その場合、何をもって「切迫」というのか、緊急事態宣言で取られた、あるいは、取り得る措置がそれにきちんと対応していたのか。感染者数や死者数を基準にするにしても、それが他の疾病、特にインフルエンザ等の他の感染症と比べても、「切迫度」が高かったと言えるのか。

近年、「クリティカル・シンキング」と呼ばれるものが、哲学や教育学、経営学などの分野で注目されている。私たちがこれこそは〝客観的な考え方〟だと思っているものを、その構成ごとに分析して、本当に論理的か検証することである。緊急事態に関して言えば、「宣言」を出すことで具体的にどのような効果が期待できるのか、感染者数、重症者数、死者数がそれぞれどれだけ減少すると予測できるのかシミュレーションしたうえで、それに伴って医療資源が新型コロナに集中することで、他の疾病の治療にどのようなマイナス効果が出るのか、経済活動が停滞することによる損失はどの程度で、それが人々の健康や生命にどういう影響を与えるのかという予測と比較考量する必要があろう。

しかし、そうした最も肝心な点での「クリティカル・シンキング」は、政府も主要なメディアも試みていない。〝世論〟が、それを許さないのか？「例外事態」について決めることができないのは、私たちがシュミット的な意味での「主権者」を持っていないからかもしれない。このまま曖昧にしておく方が日本らしくていいのかもしれないが、そのことを私たちは自覚しておくべきだろう。

その一方で、「決断者」としての「主権者」を求める声も、一時期強まった。改正特措法が成立してしばらくして、オリンピック延期が取り沙汰されるようになった三月下旬から、首都圏のロックダウン（都市封鎖）が話題になった。三月二三日の記者会見で小池百合子・東京都知事が、東京もロックダウンする可能性があると示唆したことがきっかけだ。もともと非常事態を想定した法体系を持ち、罰則付きの外出禁止令を出すことが可能な欧米諸国や、個人情報を当局が徹底的に管理した韓国に比べて、日本ではそれほど厳しい措置は取れないことは明らかだった。にもかかわらず、「ロックダウン」という言葉が独り歩きし、それを唯一の救いとして待望するかのように発言する知識人・文化人は少なくなかった。

四月七日に実際に「宣言」が出されるまでの二十数日の間、マスコミでは、「宣言」を出すべきか、首相にその意志と覚悟はあるのか、もはや遅すぎるのではないか、それは欧米のロックダウンと同じ効果を持ち得るのか、さほどの効果がないのならさらに法改正すべきではないか、という〝論議〟が続いた――〝論議〟というより、〝決断しない政府〟への苛立ちの表出だったのかもしれない。

小林よしのりや三浦瑠麗など一部の保守系の論客が経済へのダメージを懸念して「宣言」に対して否定的だったのに対し、これまでリベラル系と見られていた言論人の多くが、維新の会などと協調して、「ロックダウン」待望‐強化論を盛り上げた。〝非常時に遊び歩く不埒な輩〟を罰するには、緊急事態宣言による強権の発動が不可欠だという主旨の発言をする〝リベラル〟もいた。

三　「新型コロナ」がもたらしたフーコー的状況

新型コロナ問題は、「経済より生命」という標語の下で、左右が一致して〝ロックダウン〟を支持するという状況を生み出したかに見えた。それまで安倍首相による決断主義の危険を訴えていた人たちまで、決断できない首相に代わる〝真に決断できる指導者〟を求め始めた。一九八九年末のベルリンの壁崩壊以来、何度となく言われてきた左右の二項対立構造の真の崩壊が、新型コロナのおかげで実現しつつあるかのようだった。それは本当に喜ばしい兆候なのだろうか？

「生」をキーワードにして政治と社会が根本から変わりつつある事態は、フランスの哲学者ミシェル・フーコー（一九二六－八四）の「生政治 biopolitique」を連想させる。前近代の権力が、軍隊や警察のような暴力による「死」の恐怖を見せつけることで支配していたのに対し、近代の権力は、人々の「生」を総合的に管理することを目指す。そのため、その社会に生きる市民の日常的な振る舞いにおける「普通さ＝正常性 normalité」の基準を定め、それに適合した生き方をするよう、各人の日常的な振る舞い方を監視し、矯正する「規律権力 pouvoir disciplinaire」の網の目を張り廻らす。それが集約的に現れるのが、監獄、学校、工場、病院など、収容される人々の動きを監視しやすい建築上の構造を備えた施設である。これらの施設で監視し、指導を受けながら生活することを通して、各人は、（社会を代表して）監視する者の視線を内面化し、「規範 norme」に合わせて生きることが「普通」になる。また、各種の調査を通して人口動態を細かく把握し、農業、公衆衛生、雇用、流通の諸政策によって適正な水準になるよう調整する「生権力 biopouvoir」のメカニズムを構築する。「生政治」が行われる社会では、人々の「生」が高度に画一化され、管理されやすくなる。

フーコーは、後期の主著『監獄の誕生』（一九七五）と、コレージュ・ド・フランスでの『異常者たち』（一九七四－七五）、『安全・領土・人口』（一九七七－七八）の二つの講義で、ヨーロッパにおける「生政治」の始まりを、典型的な感染症への対応と関連付けて論じている。中世の公衆衛生政策を象徴するのは、ハンセン病患者への対応であった。彼らは穢れたものとして共同体の境界線の外へと排除された。近代の生政治を象徴するのは、ペストへの対応だ。ペストを封じ込めるための対策は、中世末からあったが、公衆衛生政策の中心的なモデルになったのは、一八世紀に入る前後からである。

ペストも穢れのように見られる面もあったが、感染力の強いペストに罹患した人、その疑いがある人を全て排除することはできない。都市空間を、感染の度合いに従って区分けしたうえで、感染者およびその疑いが強い人を厳重な監視下に置き、各人の状態、症状、日々の変化、そして当該地域や家屋への出入りを細かく記録する――これは、私たちが内外の新型コロナ関連ニュースでよく耳にした話とよく似ている。フーコーは、これが近代的監獄における囚人管理のモデルになったと指摘する。

一九世紀初頭において新たなモデルになったのが、天然痘である。「接種」という技術が獲得されたことにより、予防措置を全人口に対して施すことが可能になった。統計学による確率計算は、「接種」を効果的に行うことを可能にした。「接種」は、同じく統計学に基づいて運用される、食糧生産など他の安全装置と相性が良く、リスク管理を目指す官僚たちにとって使い勝手がよかった。「接種」に代表される新しい医療技術は、各患者が示す症状を、「症例」としてデータ化して活用し、年齢、地方、都市、職業ごとの罹病率・死亡率を計算したうえで、あるグループにおける罹患率が他のグループよりも高ければ、当該グループに集中的な対策を施し、標準的分布に近付けることを可能にした――これも、緊急事態宣言が解除される少し前からよく耳にするようになった話である。

オーストリア出身の社会学者イヴァン・イリイチ（一九二六－二〇〇二）は、医学が現代社会の法や政治の中枢部に浸透し、社会全体を「医療化 medicalize」していると主張する。進学や入社に際しての健康診断の義務化、「生／死」の境界線や延命治療に関する決定の医師による独占、医療行政による「健康的生活」の定義とそれに合わせた指導など、社会生活の重要な局面で、私たちの生き方は医学的な知によってコントロールされている。多くの人が、医学的に定義された「健康」維持のため、かなりの費用をかけている。感染病への緊急対策は、そうした「医療化」の過剰に対する批判的な声を上げにくくし、現状を正当化する方向に作用する。

宣言の段階的解除の過程で聞かれるようになった「新しい日常（ノーマル）」や「新しい生活様式」といった言葉は、「普通である normal」ことという「規範」に人々を順応させて、統治されやすくする「生政治」的なものを連想させる。不自由な状態が〝日常〟になれば、それに逆らう理由はない。むしろ、それは社会の中で「主体 subject」として認められるために、積極的に「従うべき be subject to ～」規範なのである。

コレージュ・ド・フランスでの講義『生政治の誕生』（一九七八－七九）でフーコーは、生政治による生の画一化によって、政府が強権行使の脅しをかけなくても、社会的に通用している「普通さ＝規範」に人々が自発的に適合しようとするので、統治のコストが低下することを指摘する。生政治は、人々が〝より自由〟に振る舞うよう促し、市場メカニズムに参入させることで、合理的秩序を作り出そうとする（新）自由主義と親和性がある。

マスクを常時着用し、ソーシャル・ディスタンスを常に意識的にキープし、歓楽地での遊びを一定の範囲に抑制するという、「新しい生活様式」に「合わせる」のが人間として当たり前になれば、私たちはその延長で、国や医師会が示す、「健康な生き方」を疑うことなく受け入れるようになるかもしれない。

テレワークや遠隔授業の導入が進めば、「働き方」や「学び方」の〝自由度〟は増えるだろう。その反面、金銭的な面でネット環境を十分に整えられない企業や家庭は、置いていかれ、その面での格差が広がる可能性がある。遠隔授業をやってみると分かることだが、スマホさえあれば、Zoom や Webbox 等を媒体にした会議形式の遠隔授業に問題なく参加できるわけではない。

また先に述べたように、同居する人間の距離を十分に保てる清潔な「ホーム」を持っていない人や、運送業などに従事して不特定多数の人と接触せざるを得ない人は、「普通さ」から外れることになる。また、一部のエリートを除いて、海外からの労働者や研修生、留学生などの多くが「感染」と結び付けてイメージされるようになるかもしれない。

「新しい生活様式」が従来から社会的弱者とされている人たちの生活をさらに圧迫する可能性があるのは当然予想されることだが、〝リベラル〟な言論人たちの多くが、「新しい生活様式」を、私たちをより自由にし、新しい幸福をもたらすライフスタイルであるかのように肯定的に評価している。スローライフとかノマドのようなノリで。

四　「コロナ」による社会的封じ込め

現在の日本では、反政府的なものであれ保守的なものであれ、リアルなデモや集会を大規模に行って、盛り上げるのは困難だろう。それに対して、「いや、Twitter などSNSによる新たな連帯の可能性が広がっている」、と答える人は少なくないだろう。そう楽観的になっていいのだろうか？

SNS上の言論が、意見の偏りをさらに強めるサイバー・カスケード現象（キャス・サンスティン）を引き起こしやすいことは言わずもがなだが、ここでは「ステイホーム」状態における、「ネット」と私たちの現実感覚について考えてみよう。私たちの日常は既にかなりの部分ネットに依存しており、ネットでのやりとりや検索情報が、私たちが認識する社会的現実のかなりの部分を占めている。ネット上での自分に対する評価や、やりとりする相手のリアクションに一喜一憂する。ネットでの一部の人たちの目立つ言動が、全てであるかのように思い込みがちだ。それでも、普通の日常では、リアルに人に接すると、誇張されていた部分がある程度補正される。「自分の〇〇についていちいち気にしている人なんて、そんなにいないんだ」、と思って安心したり、ちょっとがっかりしたりする。

しかし、「ステイホーム」が続くと、補正の機会がなくなり、ネット情報が〝外の世界のほぼ全て〟になる。宣言が前面解除される直前の五月下旬、フジテレビの番組「テラスハウス」に出演していたプロレスラーの木村花さんが、ネット上の誹謗中傷が原因で自殺したことが報じられた。これについて爆笑問題の太田光は、TBSの「サンデー・ジャポン」で、若者にはネットを中心とする身近な世界が世界そのものであるかのように思い込む傾向があるが、この状況で余計に世界が狭くなり、逃げ場がないと感じたのではないかと分析し、「『これが全部自分の世界だ』って思うのは錯覚なんですよ！」と訴えていた（二〇二〇年五月三一日の放送より）。この間の日本の知識人たちの様々な発言の内で、私にとって最も印象的だった。

『ロビンソン・クルーソー』で知られるダニエル・デフォー（一六六〇－一七三一）は、一六六五年にロンドンを襲ったペストを題材とした小説『ペスト』（一七二二）で、家屋封鎖などで外の世界と遮断された人たちが絶望的な心理状態に追い込まれることを指摘している。二一世紀の私たちは、閉じこめられても、テレビやネットで〝外の世界〟と繋がることができる。

しかし、〝外〟からやって来るのは、希望だけではない。凝縮された他者の悪意を吸い込んでしまうかもしれない。かといって、平時と違って、簡単にネットを遮断するわけにはいかない。新型コロナ問題は、ＩＴ系企業のベタな宣伝文句になっている「生き残りのためのＩＴリテラシー」について、本気で考えねばならないことを教えてくれた。

（二〇二〇年六月三〇日）

［教育］

「全国一斉休校」という人災

前川喜平

前川喜平（マエカワ・キヘイ）

一九五五年、奈良県生まれ。現代教育行政研究会代表。東京大学法学部卒業後、一九七九年に文部省入省。二〇一六年に文部科学事務次官。二〇一七年一月に退官後、加計学園問題で岡山理科大学獣医学部新設の不当性を公にする。福島市と厚木市で自主夜間中学の講師も務める。著書に『面従腹背』（毎日新聞出版）、共著に『同調圧力』（角川新書）、『生きづらさに立ち向かう』（岩波書店）など多数。

安倍首相の「全国一斉休校要請」

新型コロナウイルス(以下、新型コロナ)に起因する日本の子どもたちの不幸は、二月二七日夕刻に安倍晋三首相が突然行った「全国一斉休校要請」から始まった。「全国すべての小学校、中学校、高等学校、特別支援学校について三月二日から春休みまで臨時休業を行うよう要請する」と言ったのだ。

それは文部科学省(以下、文科省)にとっても予期せぬことだった。文科省が二月二五日に発出した事務連絡では、①感染して発熱や咳などの症状のある児童生徒が登校していた場合は、学校の一部又は全部を休校にする、②感染しても症状が出ていない児童生徒が登校していた場合は、個別事案ごとに都道府県等と相談して判断する、③児童生徒が濃厚接触者だった場合は、その児童生徒に対し出席停止の措置をとるという方針を示し、④感染者のいない学校の休校は、地域での感染防止を目的に流行早期の段階で行う場合が考えられるとしていた。つまりこの時点で文科省は、休校は児童生徒に感染者が出た場合に行うのが原則であって、感染者も濃厚接触者もいないのに休校にするのは、各地域の流行早期の段階でとり得る例外的な措置だと考えていた。それを安倍首相は二日後にひっくり返したのだ。

安倍首相の「全国一斉休校要請」は、「官邸官僚」の筆頭である今井尚哉・首席秘書官の献策だと言われているが、そこには予兆と言うべき出来事があった。それは北海道の鈴木直道知事が二月二六日に行った「全道一斉休校要請」だ。鈴木知事は「この一~二週間が勝負」と言って、二月二七日から三月四日までの一斉休校を要請し「結果責任は知事が負う」と大見得を切った。鈴木知事の動きはもともと官邸と通じていたと思われる。北海道は「一斉休校」の実験場だったのだ。これが道民にもメディアにも評判が良かったので、官邸は意を強くして「全国一斉休校要請」に踏み切ったのだろう。

安倍首相の全国一斉休校要請は、科学的根拠に基づくものではなく、政府専門家会議に諮ったものでもなく、文科省と擦り合わせたものでもなかった。しかし文科省は即座に追随し、翌日二八日には事務次官名で「一斉臨時休業」を求める通知を発出。ほぼ安倍首相が要請したとおりのことを全国の学校関係者に要請した。ただしその際に留意事項として、①児童生徒には基本的に自宅で過ごすよう指導すること、②学習の遅れが生じないよう家庭学習を課すなどの措置をとることを求めた。これらは子どもたちを苦しめるもとになった。

首相の休校要請には、ほとんどの自治体が従った。三月四日時点で文科省が調べた休校実施状況は、公立学校の場合、小学校で九八・六%、中学校で九九・〇%、高等学校で九九・〇%だった。離島や僻地を含め日本中のほとんどの学校が一斉に休校になった。これは前代未聞の異様な出来事であった。ただし、この時点で休校措置をとらなかった自治体もある。都道府県では島根県と埼玉県、市町村では岡山県の美作市、島根県の松江市、出雲市、安来市、大田市、栃木県の大田原市、沖縄県の石垣市、竹富町などだ。「感染者がいないのだから休校にはしない」という当たり前の判断をする自治体は極めて少なかった。一方、三月一六日には学校を再開する自治体が出てきた。安倍首相が「この一〜二週間が瀬戸際」と言っていた「二週間」が経過したからだ。沖縄県、佐賀県、富山市、静岡市、浜松市、佐賀市などである。文科省の調べでは、三月一六日時点で開校している公立学校は四・五％あった。

根拠なき休校の根拠なき延長

安倍首相が要請した一斉休校は「春休みまで」だったので、学校関係者は四月には入学式も始業式も授業もできると思っていた。文科省も新年度の学校再開に向けた通知を三月二四日に発出した。この通知では、「学校再開ガイドライン」で教室の換気、検温の徹底、会話時のマスク着用などの留意点を示すとともに、「臨時休業の実施に関するガイドライン」で「児童生徒等又は教職員の感染が判明した場合」には、「症状の有無、学校内における活動の態様、接触者の多寡、地域における感染拡大の状況、感染経路の明否等」を「総合的に考慮」し「衛生主管部局と十分相談」の上「実施の有無、規模及び期間について判断する」ものとし、「感染した児童生徒等及び濃厚接触者の出席停止のみ」で対応すべき場合もあるとしていた。文科省は休校の考え方を、学校保健安全法が想定する正常な形に戻そうとしたのである。

ところが春休みが明けても、日本中の多くの学校は再開しなかった。その原因はいくつかあるが、一つ目は四月一日、政府の専門家会議が「感染拡大警戒地域」では一斉休校も選択肢として検討すべきとしたことだ。これに沿って文科省もガイドラインを改訂した。二つ目は四月七日、政府が七都府県に「緊急事態宣言」を発令したことだ。三つ目は四月一六日、緊急事態宣言の対象地域が全都道府県に拡大されたことだ。これらのいずれかの段階で、いったん再開した学校を再び休校にした自治体も多かった。四月二二日時点の休校状況は、公立学校で小学校九五％、中学校九五％、高等学校九七％と、依然として極めて高い率だった。

東京都の休校延長には、もう一つの要因があると思われる。小池百合子知事の姿勢の急変だ。東京都教育委員会（以下、都教委）は三月二六日までは新学期に学校を再開する方針だった。二三日には新学期の授業再開を目指すよう都立学校に通知し、二六日の教育委員会定例会では、分散登校や時差通学の実施、部活動の平日への限定などを定めた学校再開のガイドラインも決めた。ところがここで都教委と都知事の姿勢が交錯することになる。三月二三日に突然、小池知事が「ロックダウン」の可能性に言及。二五日には「感染爆発重大局面」と書いた札を掲げ、都民に外出自粛を強く求めた。小池知事が新型コロナ対策で積極姿勢に転じたのを受けて都教委は急遽方針を変え、四月一日に臨時会を開いて六日に予定していた都立学校の再開を中止し、大型連休の五月六日まで休校にすると決めた。緊急事態宣言後の九日には、休校を島嶼部にも広げ、登校日を設定しない方針も決めた。科学的根拠などどこにもない休校延長だった。

根拠なき休校の根拠なき再延長

緊急事態宣言は大型連休の五月六日までとされていたが、四月三〇日に安倍首相は宣言を延長する意向を表明した。一斉休校がさらに延びることを懸念した文科省は、五月一日に学校関係者や感染症専門家による懇談会を開き「学校教育活動に関する提言」をまとめた。この「提言」の次のようなくだりには、長引く休校に対する焦燥感がにじみ出ている。

「新型コロナウイルス感染症の学校における集団発生報告は国内外においても稀であり、小児年齢の発生割合、重症割合も少ない」「現在のように、学校における感染リスクをゼロにするという前提に立つ限り、学校に子供が通うことは困難であり、このような状態が長期間続けば、子供の学びの保障や心身の健康などに関して深刻な問題が生じることとなる」。その上で「提言」は「段階的に実施可能な教育活動を開始」することを求め、その際「一律ではなく地域の状況を踏まえて、段階的に学校教育活動を開始」することや「進学を控える中学校第3学年、小学校第6学年、また、学校生活を開始することができていない小学校第1学年等から優先的に（中略）任意の分散登校」を行う方法を示唆した。この時点では、文科省も学校の早期再開を諦めたと見え、この通知では「学校の再開」ではなく「学校教育活動の再開」という言葉を使っている。分散登校は学校の再開ではなく、休校中の「学校教育活動」なのである。

五月四日、政府は緊急事態宣言を五月三一日まで延長すると決定した。このころまでに全国の教育委員会の頭の中は「緊急事態宣言＝休校」となっていたから、多くの教育委員会がほとんど考えることも悩むこともなく学校の一斉休校を五月三一日まで延長した。五月一一日時点の休校状況は、公立学校で小学校八八％、中学校八八％、高等学校九〇％となっており、依然として九割程度の学校が休校を続けていた。この時点で公立学校の休校がゼロになっていたのは秋田県と鳥取県の二県、極めて低い割合になっていたのは青森県、岩手県、長崎県、鹿児島県などだ。多くの自治体では、学校を再開する理由もきっかけも見つからないまま、漫然と休校を続けていたのである。

緊急事態宣言は五月一四日に三九県で解除され、二一日には関西の三府県で、二五日には残りの首都圏四都県と北海道で解除された。これに伴い、学校の休校を解除し全面再開する地域も増えていった。しかし、六月一日時点で全面再開した学校は、全国の公立学校で小学校五四%、中学校五六%、高等学校五七%にとどまっていた。公立学校の四割以上は全面再開を六月に持ち越したのである。学校再開が遅れたのは、東京都及び関東各県（栃木県を除く）、大阪府及び近畿各県（三重県を除く）、岐阜県などである。東京都では六月一日から都立高校の分散登校を開始し、段階的に拡大。全面再開したのは二九日だった。

一斉休校は必要だったのか

三〜四カ月の長期に及んだ一斉休校は、本当に必要だったのだろうか。一般に今回の一斉休校の目的は「新型コロナウイルスの蔓延防止」だと思われているが、二月二七日に要請を行った際、安倍首相が強調したのは「子どもたちの健康と安全」だった。

安倍首相が「瀬戸際」と言った二週間が過ぎた三月一九日、政府の専門家会議がまとめた「状況分析・提言」には、「学校の一斉休校だけを取り出し『まん延防止』に向けた定量的な効果を測定することは困難」「この感染症は、子どもは重症化する可能性が低い」「『感染状況が拡大傾向にある地域』では、一定期間、学校を休校にすることも一つの選択肢」などと記述されており、決して全国一斉休校が必要とは考えていなかったことが分かる。

専門家会議は四月一日の提言においても「現時点の知見では、子どもは地域において感染拡大の役割をほとんど果たしてはいないと考えられる」と述べ、一斉休校は「感染拡大警戒地域」において検討すべき「選択肢」とした。こうした専門家会議の姿勢をつぶさに見てみると、安倍首相が独断で行った「全国一斉休校要請」を否定しないよう配慮しつつも、決してそれを支持する姿勢は示していなかった。

五月二〇日に日本小児科学会の予防接種・感染症対策委員会が発表した「小児の新型コロナウイルス感染症に関する医学的知見の現状」と題する文書は、次のように指摘して、より明確に休校の有効性を否定した。「COVID－19患者の中で小児が占める割合は少なく、その殆どは家族内感染である」「殆どの小児COVID－19症例は経過観察または対症療法で十分とされている」「現時点では、学校や保育所におけるクラスターはないか、あるとしても極めて稀と考えられる」「海外のシステマティック・レビューでは、学校や保育施設の閉鎖は流行阻止効果に乏しく、逆に医療従事者が仕事を休まざるを得なくなるためにCOVID－19死亡率を高める可能性が推定されている」（筆者注…「小児」とは〇～一八歳の者）。安倍首相による「全国一斉休校要請」に科学的根拠がないことは明らかだ。

五月二二日に文科省が発表した「学校の新しい生活様式」と題するマニュアルには、次のような記述がある。「感染者が確認された場合には、ただちに地域一律に一斉の臨時休業を行うのではなく、感染者及び濃厚接触者を出席停止としたり、分散登校を取り入れたりしつつ、学校内で感染が広がっている可能性についての疫学的な評価を踏まえた臨時休業についての判断を行います」「臨時休業は、緊急事態措置の際でも『一つの選択肢』であり、生活圏において感染者が発生していない場合や、生活圏内において感染がまん延している可能性が低い場合などについては、必ずしも実施する必要はありません」「新型コロナウイルス感染症とともに生きていく社会を作るためには、感染リスクはゼロにならないということを受け入れつつ、感染レベルを可能な限り低減させながら学校教育活動を継続していくことが重要です」。

もう二度と全国一斉休校にはしたくないという思いが込められている。

「家庭学習」の負担と学習格差

三～四カ月にも及ぶ長期休校は、子どもや保護者に計り知れない被害をもたらした。最初に顕在化した被害は、保護者が子どもの世話をするため休業を余儀なくされたことだった。

三月三日、政府は子どもの世話で仕事を休む保護者の収入を補償する支援策を創設し、保護者を休ませた企業に日額上限八三三〇円を支給することとした。フリーランスの個人事業主や自営業者が対象外となることが批判されると、一〇日にはフリーランスのうち企業から業務委託を受けて働く人に日額四一〇〇円の休業補償を行うこととしたが、「なぜ会社員の半分なのか」との声は残った。風俗業で働く保護者が補償から除外されていることに批判が集まると、四月七日、風俗業従事者も対象に加えると表明した。当初は三月末までの休みを対象としていたが、休校の長期化を受け、六月末まで延長した。

子どもたちの学習については、文科省は授業の不足を「家庭学習」で補う方針をとった。四月一〇日、文科省は「学校に登校できない児童生徒の学習指導について」の通知を発出、学校に対して「家庭学習を課す」ことを求めた。そのために「一日の学習のタイムスケジュールや一週間の学習の見通し」を示すことを促すとともに、家庭学習の状況や成果を確認して学習評価に反映する（＝成績をつける）ことができ、家庭学習で十分と判断されれば学校再開後に授業をしなくてもよいことにした。

家庭学習は学校の指導計画の中に位置づけられることとされたが、これは家庭が「学校の下請け仕事」をさせられる「家庭の学校化」とも言うべき事態であった。「朝日新聞」デジタル版「＃ニュース4U」が五月二一～二二日、「特定警戒地域」の生徒や保護者に行ったアンケートでは、休校中の宿題について三六％が「多すぎる」と回答。三八％が学校から「時間割」を渡されていた。宿題をみているのは、「母親」四六％、「父親」四％、「誰もみていない」三四％となっており、母親の負担が大きい一方、三人に一人の子どもは独力で学習していた。これでは家庭環境によって学習格差が生じるのは当然である。

一斉休校は、塾業界にとってはビジネス・チャンスだった。東進ハイスクールや東進衛星予備校はもともと動画による学習が中心だったが、自宅などでの受講に一本化した。早稲田アカデミーはZoomを使って双方向型のオンライン授業を行った。こうした塾を利用できる子どもとできない子どもの間にも、当然のことながら学習格差が生じた。

地域による学習格差も大きい。全国一斉休校の中でも、岩手県や鳥取県ではほとんど休校が行われなかった。そういう地域と東京のように四カ月近くも休校が続いた地域とでは大きな差ができるのは当然である。

子どもの心身と生活の変調

先に紹介した日本小児科学会の文書（五月二〇日）は、休校中の子どもの状況について、「学校閉鎖は、単に子ども達の教育の機会を奪うだけではなく、屋外活動や社会的交流が減少することとも相まって、子どもを抑うつ傾向に陥らせている」「就業や外出の制限のために親子とも自宅に引き籠もるようになって、ストレスが高まることから家庭内暴力や子ども虐待のリスクが増す事が危惧されている」と指摘し、「こと子どもに関する限り、COVID－19が直接もたらす影響よりもCOVID－19関連健康被害の方が遥かに大きくなることが予想される」と結論づけている。

休校が子どもに与えた被害が数字に表れた例としては、子どもの悩み相談に応じる「チャイルドライン」への四月の発信数が前年同月比で二・四倍に増えた。また、放課後NPO「アフタースクール」が四月二七〜三〇日に休校中の小学生の保護者に対して行った調査では、休校でストレスを感じている保護者が八二％、児童が六四％だった。保護者のストレスの理由では「仕事と子どもの世話の両立」が最も多く、「子どもの勉強が心配」「家事の負担増」が続いた。児童に多かった理由は「友達や先生と会いたい」「友達と遊ぶ時間が減って寂しい」だった。

子どもの「ネット漬け」や「ゲーム依存」の問題も広がった。アプリ開発会社「テスティー」が三月二七日〜四月六日、中高生らに「利用や視聴が増えた媒体」を尋ねた結果、高校生の七一％、中学生の七二％が「スマートフォン」と答えた。そのうち利用が増えたサービスを聞くと八割以上が「ユーチューブ」を挙げた。「自宅内で増えた行動」としてゲーム（スマホ以外）

を挙げた中学生は四三％、高校生三三％だった。

認定NPO法人「フローレンス」が三月六～九日にかけて行った緊急アンケートでは、「臨時休校・休園で困っていること」の第一は「子どもが運動不足になること」(六九・九％)だった。次いで「子どものストレス、心のケア」(五六・八％)、「学習の遅れ」(五六・六％)などが挙げられた。自由回答には子どもたちが社会の不寛容に晒された様子が記されていた。

「子どもを連れてスーパーへ行ったら『子どもは出歩くなって言われてるでしょ！』と怒鳴られた」「子どもだけで出歩いたら教育委員会に通報され、子どもがまるで病原菌のように扱われる」「子どもがゴミ出しをしただけ、バットの素振りをしただけで、知らないおじさんに『なんで外にいるんだ』と怒鳴られた」「近所からの苦情を学校が鵜呑みにし、教員が近所を見回って帰宅を促している」などだ。

もう一つの問題は、中高生の望まぬ妊娠の増加だ。「赤ちゃんポスト」を運営する慈恵病院(熊本市)に四月に寄せられた中高生からの相談は、過去最多の七五件(前年同月比＋一七件)だった。広島県の無料相談機関「にんしんSOS広島」の三月・四月の相談件数は三一〇件で、一月・二月の二・八倍に増えた。相談者の四割が二〇歳未満だった。

学校給食が食べられない

休校によって学校給食が食べられなくなり、低所得世帯では食事を満足に与えられない子どもが増えた。「子ども食堂」の活動にも新型コロナの影響が出た。NPO法人「全国こども食堂支援センター・むすびえ」が四月一三～一七日に行った調査によると、子ども食堂の約九割が活動休止を余儀なくされたが、うち約半数はその活動を弁当や食材の配布・宅配に切り替えた。市民団体『なくそう！子どもの貧困』全国ネットワーク」は四月一四日、経済的な困難を抱える子育て世帯への支援強化を求める要望書を政府に提出し、休校中の昼食代の補助や、希望する家庭への給食提供や弁当配布、無償で食料品の提供を行う民間の取り組みへの財政支援などを求めた。

こうした声に応えて、厚生労働省（以下、厚労省）は二〇二〇年度第二次補正予算に「子ども食堂や子どもに対する宅食等の支援を行う民間団体等の取組への支援」の経費を計上した。また、「朝日新聞」が五月二五～二七日に七四の市区教育委員会に行った調査によると、約三割にあたる二四の自治体が、給食が食べられなくなった子どもたちのため、就学援助受給世帯に「昼食代」を支給すると回答した。学校給食費は就学援助の対象経費であるが、学校給食がないため余ることになった財源を「昼食代」支援に流用したわけである。

児童虐待の増加と潜在化

全国一斉休校により親子が長い時間家庭の中で一緒にいれば、当然児童虐待のリスクが高まるはずだ。では、それは数字に表れたのだろうか。

厚労省が発表した児童相談所の「児童虐待相談対応件数」（速報値）によると、二〇二〇年一月、二月、三月、四月の件数の対前年同月比は、それぞれ＋二二％、＋一一％、＋一二％、＋

四％となっている。どの月も前年より増えているが、一斉休校によって増えたとは言いがたい。なぜなら休校が行われていなかった一月・二月の対前年増加率よりも、休校が長期化した四月の対前年増加率の方が低いからだ。

これらの数字はむしろ、休校に起因する虐待の増加が潜在化していることを示していると思われる。休校・休園で学校や幼稚園からの通告が減り、虐待が見つかりにくくなった可能性が高い。全国ベースの数字はないが、都道府県ごとに公表された数字からある程度読み取れる。例えば神奈川県では、二〇二〇年三月から五月までの県内の相談件数は、前年同時期より三五六件減った。経路別に見ると、最も減少したのは「学校」で二三八件減って前年の三割ほどになり、「幼稚園」も二六件減って前年の一割になった。千葉市児童相談所でも学校からの通告件数が、二月は前年同月より九件多い三四件だったのに、三月は前年同月より一八件少ない一件だった。

一方で休校期間中に警察から児童相談所への通告は増えた。東京では警察からの通告件数が三月は前年比＋二五八件の八一一件、四月は前年比＋二六一件の八二五件に上った。静岡県では県警の児童虐待認知件数が四月は約九〇件で、前年同月比で四〇件以上増加した。三重県でも三〜五月の警察からの通告件数が二〇九人で前年比＋五三人だった。

新型コロナの影響により、学校や幼稚園だけでなく病院からの通告件数も減っている。深刻な事案が見落とされている可能性があり憂慮される。

一斉休校のコスト・パフォーマンス

安倍首相が要請した「全国一斉休校」の開始日は三月二日だったが、この時点で民間事業者への休業要請をしていた知事は一人もいなかった。小池都知事が休業要請を開始したのは緊急事態宣言後の四月一一日。鈴木北海道知事は二月二八日に独自の「緊急事態宣言」を発表したが、休業要請を開始したのは、国の緊急事態宣言が出た後の四月二〇日である。

五月一四日から二五日にかけて、緊急事態宣言は順次解除され、それに伴い各都道府県知事が行っていた休業要請も順次解除されたが、学校の休校は依然解除されないという現象が各地で生じた。例えば宮城県の村井嘉浩知事は、国の緊急事態宣言の解除を待たず五月七日、休業要請を全業種で全面的に解除したが、学校については五月一四日の緊急事態宣言解除後も休校を続けた。六月一日時点でも、宮城県で全面再開した公立高校は五四％にとどまった。

感染拡大の危険性が高いと疑われる飲食店や遊興施設への休業要請よりも、感染拡大防止効果が低いと思われる学校の休校の方が、広く長く行われたのはなぜか。それは、学校を休校にしても「経済への影響」が少なく「休業補償の問題」が生じない一方、「やってる感」と「危機意識」を人々に植え付ける効果は大きいからである。しかも、最も被害を受ける子どもたちには選挙権がない。政治的な意味でのコスト・パフォーマンスが高いのだ。

長期の一斉休校で子どもや保護者が受けた被害はコロナ禍ではない。安倍首相や知事たちが引き起こした人災だ。五月四日の記者会見で安倍首相は「子どもたちは長期にわたって学校が休みとなり、友だちとも会えない、外で遊べない」と同情して見せたが、安倍首相こそ子どもたちにこの不幸をもたらした張本人なのだ。

降って湧いて消えた「九月入学」

政治家の無責任さが際立ったのが「九月入学論」だ。きっかけは、休校が続く事態に失望や不安の念を抱いた高校生の発信だった。四月一日、東京都立高校の三年男子生徒がTwitterで「始まりはどんどん遅くなるのに、終点は変わってくれません」と書いて、九月始業を提案した。大阪では二人の高校三年の女子生徒が「Spring Once Again～日本全ての学校の入学時期を4月から9月へ!～」と題して日本のすべての学校での九月入学・九月始業を求めるネット署名を始めた。東京では公立小学校の保護者有志が署名活動を始めた。

こうした動きに呼応して四月末、大阪の吉村洋文知事、東京の小池知事、宮城の村井知事など一部の知事が九月入学制への移行を主張し始めた。小池知事は「九月入学が以前から持論だった」「混乱は生じると思うが、そういう時にしか社会は変わらない」などと発言した。彼らは長期化した休校の弊害を、九月入学で帳消しにできると思ったのだろう。

四月二九日には衆議院予算委員会で玉木雄一郎・国民民主党代表が、九月入学に移行すべきとの質問を行い、安倍首相は「前広《まえびろ》に選択肢を検討したい」と答弁した。四月三〇日には杉田和博・官房副長官が関係府省の事務次官を首相官邸に呼び、来年秋からの制度化を想定して論点整理を急ぐよう指示した。

この間に様々な世論調査が行われたが、興味深かったのは四月二九日に「日刊スポーツ」が実施した緊急アンケートの結果だ。反対五五％、賛成四一％と反対が多かったが、年代によって回答が鮮明に分かれていた。当事者である一〇代・二〇代では圧倒的に反対が多く、五〇代以上で賛成が上回った。具体的な数字は、一〇代以下は賛成二〇％・反対七七％、二〇代は賛成二四％・反対七三％。一方、六〇代は賛成七五％・反対一九％、七〇代以上は賛成七〇％・反対二五％だった。若年層に反対論が多いことは、「日本若者協議会」が五月一～一〇日に小学生～大学生に行った調査で、賛成が三七％、反対が四七％だったことからも分かる。

一般的な世論調査では結果が分かれた。「読売新聞」が五月八～一〇日に行った世論調査では、賛成五四％、反対三四％と賛成が多かったが、「朝日新聞」が五月二三日・二四日に行った世論調査では、賛成三八％、反対四三％と反対が多かった。読売と朝日の調査の時点には二週間の開きがあるので、その間に世論が動いたと見ることもできる。五月中旬以降、関係各方面から反対論や慎重論、具体的なコストの推計が相次いで発表されたからだ。

五月一一日、日本教育学会が「拙速な決定を避け、慎重な社会的論議を求める」とする声明を発表した。同学会の広田照幸会長（日本大学教授）は「教育制度の実態をあまり知らない方が、メリットだけ注目して議論している。財政的にも制度的にも大きな問題を生む」と訴えた。五月一四日には、全国連合小学校長会が文科省に意見書を提出した。この意見書は「九月入学・始業が導入されれば、あたかもこれまでの全ての課題が全て解決されるという短絡的な考え方には違和感をもちます」と一部政治家の姿勢を批判。拙速な変更には課題が多すぎるとし、新型コロナの収束後に時間をかけて検討するよう求めた。

五月一七日に「朝日新聞」が紹介した苅谷剛彦・オックスフォード大学教授の研究チームの推計では、九月入学移行初年度は教員が二万八〇〇〇人不足し、保育所の待機児童が二六万人超に上り、地方財政で三〇〇〇億円近くの支出増が見込まれると試算した。五月一五日に文科省が明らかにした試算では、九月入学への移行期の家庭の負担額が、小中高校段階で約二・五兆円、大学など高等教育段階で約一・四兆円に上るとされた。

五月一二日には自民党に「ワーキングチーム」、五月一四日には公明党に「プロジェクトチーム」が設けられた。五月一八日に行われた自民党の会合では、田中愛治・早稲田大学総長が「教育システムの破壊になりかねない」と慎重論を述べ、二〇日の会合でもPTAや保育関係団体から慎重な検討を求める意見が表明された。一九日の公明党の会合では、全国市長会の代表が九月入学の議論自体の「封印」を求めた。二二日には自民党の若手議員ら六一名が「拙速な議論に反対する」という提言を党幹部に提出した。二六日にはNPO法人「キッズドア」の渡辺由美子理事長らが「子どもが飢えている時に、九月入学を議論する余裕はない」と訴えた。

安倍首相は、五月一四日の記者会見では「子どもの学びの場を確保していく。九月入学は有力な選択肢の一つだ」と前向きの姿勢を示したが、その後反対論、慎重論が広がる中で、二五日には「慎重に検討していきたい。拙速は避けなければならない」と発言、一転して慎重姿勢をとった。二七日には菅義偉官房長官も「拙速な議論は避けるべきだ」と述べた。

自民党の中には、下村博文元文科相のような積極論者が残っていたが、ワーキングチームは二九日の会合で「本年度、来年度のような直近の導入は困難」とする提言を大筋で了承。提言は六月二日に安倍首相に渡された。
こうして、突然降って湧いた「九月入学論」は淡雪のように消えていったのである。一カ月間の議論に費やしたエネルギーは全く無駄だった。かわいそうだったのは、一カ月も振り回された、生徒、保護者、教職員そして文科省を始めとする関係府省の公務員たちだ。

人災の責任者たち

安倍首相は「子どもたちの健康と安全が第一」と言ったが、それなら全国一斉休校で子どもたちを苦しめるのではなく、教職員のPCR検査を徹底したり、学級を少人数化したりして、学校を最大限安全な場所にするべきだった。この人災の最大の責任者は安倍首相だ。文科省と知事たちの責任も重い。そして各自治体の教育委員会も責任を免れない。彼らの多くは、子どもたちの最善の利益を自ら判断することを放棄し、上意下達を唯々諾々と受け入れ、他の自治体との横並びを気にして、責任回避の行動をとった。ただ、ごく少数ではあるが、自ら判断して休校を行わない自治体があったことは救いだ。彼らには「天晴《あっぱ》れ」の声を送りたい。

（二〇二〇年七月七日）

［アメリカ］

新型コロナ日記　イン　アメリカ

町山智浩

町山智浩（マチヤマ・トモヒロ）

一九六二年、東京都生まれ。映画評論家、コラムニスト。早稲田大学法学部卒業。「宝島」「別冊宝島」等の編集を経て、一九九五年に雑誌「映画秘宝」を創刊した後、渡米。現在はカリフォルニア州バークレーに在住。近著に『映画には「動機」がある』（集英社インターナショナル）、『最も危険なアメリカ映画』（集英社文庫）、『町山智浩のシネマトーク』（スモール出版）などがある。

一月二一日
　ワシントン州で、アメリカで初めての新型コロナウイルス（以下、新型コロナ）感染者が確認された。

一月二二日
　ドナルド・トランプ大統領がホワイトハウスで記者会見。「中国から来た一人がコロナに感染してただけだ。政府は完全にコントロールしている。大丈夫だ。パンデミックは恐れていない」

一月二四日
　トランプのツイート。
「中国はコロナを抑えるために頑張っている。アメリカ政府は中国の努力と可視性に感謝したい」

一月三〇日
　トランプ大統領は、中国からの渡航者の入国を禁止すると発表した。同日、アイオワの支援者集会で「コロナはうまくコントロールしている。よい結果になると思う」と演説した。

二月一二日

ダウ、NASDAQおよびS&B平均株価が史上最高の二万九五五一ドルを記録した。二〇〇八年にサブプライムローンの破綻で金融危機が起こり、そこから回復してから強気市場が一〇年も続いている。

二月二〇日

ついに株価が下がり始めた。世界の経済、産業の中心である中国の各都市が新型コロナのためにロックダウンされて、生産も消費もスローダウンしたため。原料となる石油価格も下がり始めた。

二月二四日

ダウ平均株価が一〇〇〇ポイント下落した。

二月二八日

一週間、株価が落ち続け、一二%以上も下落した。

二月二九日

ワシントン州でアメリカ最初の新型コロナによる死者が確認された。

三月三日

スーパー・チューズデー。カリフォルニア、テキサス、ノースカロライナなど人口の多い一五の州で一斉に民主党の大統領候補予備選がおこなわれた。勝ったのはジョー・バイデン前副大統領。ロサンジェルスでおこなわれた演説に行ったが、聴衆は一〇〇人足らず。バイデンは改革を語らず、「ノーマルに戻る」を繰り返すばかり。そこにはトランプの集会のような熱狂はかけらもなかった。

三月一一日

WHO（世界保健機関）、パンデミックを宣言。米国内の感染者数二六九。トランプ大統領は、ヨーロッパからの入国を三〇日間禁止すると宣言した。輸入品もだ。

カリフォルニア州知事キャビン・ニューサムは二五〇人以上のイベントの中止を勧告。NBA（全米プロ・バスケットボール・リーグ）は、選手に感染者が出たため、すでに始まっていたシーズンを今日で中断した。

トム・ハンクスと妻のリタ・ウィルソンは、オーストラリアで映画撮影中に新型コロナに感染。隔離された。これを受けてアメリカでも俳優やスタッフの感染を防ぐため、すべての映画とドラマの撮影が中止された。

筆者の妻はサンフランシスコの会社に務めているが、自宅勤務になった。IT系だから自宅で作業できるが、そうでない業種はこれから大変だ。

三月一二日

株価は三〇年前のブラックマンデー以来最悪の下げ幅でダウン。

連邦議会でCDC（疾病予防管理センター）の医師たちによる新型コロナ対策の説明がおこなわれた。民主党のケイティ・ポーター議員（カリフォルニア州）が質問した。

「保険がないとコロナの検査にいくらかかるかご存知ですか？」

なんとCDCの医師たちは、人々が払うであろう医療費の額を知らなかった。

「一三三一ドルです。陽性で隔離入院になると四〇〇〇ドルかかります。アメリカでは国民の四割が四〇〇ドルの医療費を払えず、三割が治療を延ばしています。CDCには、検査や治療を無料で国民に提供すると決定する権限が法律で定められています」

ポーター議員は、そのことをCDCの主任に確認した。

「その権限を行使しますか？」

これでCDCは、新型コロナ治療費を無料にすると約束させられた。

三月一三日

トランプ大統領がついに新型コロナによる「国家非常事態」を宣言した。感染を防ぐマナーとしてソーシャル・ディスタンシング（社交距離の拡大）が提唱された。キスや握手、ハグというアメリカ的挨拶もこれからははばかられる。

この記者会見で、新型コロナ検査キットの不足について質問されたトランプ大統領は、「そんなのは私の責任ではない」と言ってのけた。「責任を痛感している」と言うだけで何もしない総理大臣とどちらがいいか。

ニューヨーク州知事アンドリュー・クオモがこの週末から五〇〇人以上集まるイベントを禁止すると発表。ブロードウェイの劇場も全面的に閉鎖になった。全米でコンサートが中止、クラブは休業。

全米で多くの会社が自宅勤務になり、学校は休校、大学はオンライン授業になった。スーパーは長蛇の列で、トイレットペーパーやハンド・サニタイザー、缶詰、冷凍食品、乾麺類が売り切れ。

三月一四日
MLB（全米プロ野球メジャーリーグ）は二七日から開幕予定だったが、延期を決定。ただ、いつスタートになるかは決まっていない。

三月一七日
カリフォルニア州のギャビン・ニューサム知事は、外出禁止の州知事令を出した。これは全米の州で初めてになる。

「このままだと八週間でカリフォルニア州民の五六％、二五五〇万人がこのウイルスに感染すると推測されます。重症者の数が州の入院施設の収容限界を突破しないよう、感染拡大のスピードを遅らせる必要があります」

おこなわれるのはロックダウンではなく、シェルター・イン・スペース（自宅避難）。散歩やジョギング、食料品の買い物以外のすべての外出を控えるべしという州知事令だ。レストランはテイクアウト（持ち帰り）のみになる。営業を許されるのはエッセンシャル（必要不可欠）な業務のみ。食料品店、薬屋、それに酒屋。なぜ酒屋？

三月一八日

ホワイトハウスの記者会見で、トランプ大統領はABCテレビのセシリア・ヴェガ記者の質問を受けた。

「なぜ、大統領は繰り返し、コロナウイルスをチャイニーズウイルスと呼ぶんですか？」

「だって中国から来たからさ」

トランプは口を尖らせた。

「差別じゃないよ。中国から来たことを明確にしたくてね」

その後、トランプの手元にあったスピーチの原稿の写真が発見された。トランプは原稿に「コロナウイルス」と書かれている部分をわざわざサインペンで消して「チャイニーズウイルス」と書き直していた。

三月二四日

トランプ大統領は保守系ケーブルTVのFOXニュースで「イースターまでにアメリカのビジネスを正常化させる」と言った。つまり四月一二日までに閉鎖しているビジネスを再開させるというのだ。感染者、死者数共に増加している現在、それは無理すぎる。

三月二五日

アメリカの新型コロナによる死者が一〇〇〇人を突破し、感染者数では三万二〇〇〇人と中国を抜いて世界一になった。感染者数の上昇曲線は、四〇〇〇人が死んだイタリアよりも急勾配になっている。

カリフォルニアよりも外出禁止が六日間遅れたニューヨーク州は、全米でも最も悲惨な状態になり、感染者数四万、死者は累計四〇〇人を超えつつある。一日あたりの死者が一〇〇人を超え、遺体安置所からあふれそうだという。

アジアからの入国制限は早く始まったので、西海岸の感染は抑えられたが、ヨーロッパからの入国制限が一カ月ほど遅れたので、ニューヨークなど東海岸に新型コロナ感染者が入国したかららしい。

三月二七日
トランプ、二兆二〇〇〇億円の救済策にサイン。上位一〇%の富裕層を除く全国民に一人一二〇〇ドル（約一三万円）ずつ給付する。子どもは一人六〇〇ドル。給付は、税務局を通じて納税時に登録した銀行口座に直接、または小切手で送られる。

三月三一日
ニューヨーク州の死者数が一〇〇〇人を突破した。クオモ州知事は毎朝テレビに出演して状況を説明している。

「人工呼吸器が足りません。FEMA（連邦緊急事態管理庁）は四〇〇台送るというんですが三万台必要なんです！」

トランプは連邦政府からニューヨーク州に三八億ドルの助成金を与えると言ったが、これに対してもクオモ州知事は「こんなものバケツの中のひとしずくだ」と不満を示し、こう言った。

「コロナとの戦いで一五〇億ドルは必要なんだよ！」

四月三日
CDCが米国民にマスク着用を勧告した。しかし、その日の記者会見でトランプは「これは義務じゃないよな」と嫌がった。さらに「自分はマスクすることはないと思う」と。

その理由を問われて、トランプはこう答えた。「私が執務室で各国の大統領や首相や独裁者や王様や女王様と会う時に、マスクをしている自分はなぜか知らんが想像できないね」

四月四日

全国紙「USAトゥデイ」によると、新型コロナによる外出自粛のため、全米の暴力犯罪の発生件数は急激に減少したという。逮捕者も四二%減少。だが、家庭内暴力は三割増えている。またアルコール消費量も三割増えている。

この日、自動車で往復七時間走って、娘を迎えに行った。娘は大学の寮にいたが、大学の授業が全部リモートになったから寮にいる意味がなくなった。若者は感染しても重症化しにくいが、中高年の教授が危険だからだ。

大学のある街への行きも帰りもフリーウェイはガラガラで快適だったが、途中、サービスエリアが全部閉鎖されていて、トイレが使えなくて困った。ガソリンスタンドも閉まっているところが多いし。ただ、ガソリンはどんどん安くなっている。

四月九日

ニューヨーク州の新型コロナ感染による死者は七〇〇〇人を超えた。遺体安置所の収容限界を超え、冷凍車にも入りきれなくなったので、近くのハート島に一時的に埋めることになった。

いっぽう、カリフォルニア州では五〇〇人を超えたばかり。ニューヨーク州の人口二〇〇〇万人に対してカリフォルニアは倍の四〇〇〇万人もいるが、死者数は一四分の一に抑えられている。

四月一一日

ニューヨークでは新型コロナで一万六〇〇〇人が亡くなった。医師や看護師の死者もわかっているだけで三〇人を超えた。また、エッセンシャルな仕事（医療、清掃、食料品店、交通機関など）の従事者に感染者が多く、ニューヨークの交通機関の職員だけで四〇人以上が亡くなっている。その多くは黒人、プエルトリカン、移民などの労働者だ。彼らは休むわけにいかず、安い賃金で命を危険にさらし続けている。

四月一五日

新型コロナのシャットダウンで収入を失った人は全米で二二〇〇万人。景気の落ち込みを憂うトランプ大統領は、ビジネスの再開を訴え続けてきたが、四月一二日にあきらめた。厳しい外出禁止を実施している州の知事たちが「ビジネスより人命が大事」と激しく反発したからだ。カリフォルニア、ワシントン、ミネソタ、ペンシルヴェニア、ウィスコンシン、ヴァージニア、それにミシガンなどである。実はこの州知事たちは、みんな民主党なのだ。トランプはミシガンのグレッチェン・ウィトマー州知事（四八歳）をターゲットにして、

「ハーフ・ウィットマー（Half wit ＝ 頭が鈍い）は何もわかってない」とツイートした。
これにけしかけられたトランプ信者は四月一五日、トランプの旗を掲げ、銃で武装しミシガン州政府ビルに殺到し、外出禁止の中止とビジネス再開を求めた。さらにトランプは彼らをけしかけるように「ミシガンを解放せよ！」とツイートした。
なぜ、そんなことを？
トランプにはコロナ禍の責任を押し付ける敵が必要だから。経済が四割縮小している現状では、一一月の大統領選挙が危ない。

四月二〇日
アメリカの原油価格が四二％暴落。

四月二三日
ホワイトハウスの記者会見でトランプ大統領、「新型コロナは太陽に弱いっていうから人間の体に入れられないか？」「漂白剤を注射したらどう？」などと発言。

四月二七日
ニューヨーク州で新型コロナ死者数が一万八〇〇〇人を超えようとしている。そのマンハッタンで新型コロナ患者の治療にあたっていたローラ・B・ブリーン医師（四九歳）が自殺したと報じられた。彼女が勤務していた救命病院では、これまでに一七〇人あまりの新型コロナ患者を収容したが、五九人が死亡。ブリーン医師は一カ月間、昼夜休みなしで治療にあたったが、ついに感染し、自宅で自己隔離している間に命を絶った。父親によれば心労が限界に達していたのだろうとのこと。

四月二八日

ギャラップ調査によるトランプ大統領の支持率が四九％と、就任以来最高を記録した。一人一二〇〇ドルの給付金が届く頃だからだと言われている。

テキサスとフロリダでは五月から外出禁止が一部解除され、小売店やレストランが再開される。どちらの州も州議会の多数派を共和党が占め、州知事も共和党で、トランプの求めるビジネス再開に合意する形だ。

五月一日

メーデー。各都市の州政府ビルに、外出禁止に抗議する人々が押し寄せた。筆者の地元サンフランシスコの市庁舎前でも一五〇人がマスクもしないで「コロナなんか怖くない！」「ビジネスを再開せよ！」と叫んでいた。彼らの多くがトランプ支持の帽子やシャツを身につけていた。

いっぽうで「キャンセル・レント（家賃免除）」を求めるデモもあった。三月以降、収入がないのに家賃は待ってくれない。カリフォルニアなど各州では、家賃の支払いが延滞しても立ち退きを命じられない州法を施行したが、それでも借金が増えるだけで、いつかは払わなきゃならない。収入がないのに払えるわけがない。家賃をチャラにしてもらう以外に方法がないのだ。

五月四日

J.Crew（Jクルー）破綻。オバマ一家が愛用していたカジュアルなファッション・ブランドだった。三月以降、全米のデパートやショッピングモールが閉鎖し、アパレルはネット販売しかなくなったが、誰も外出しないので、新しい服を買う必要がない。これからもアパレル関係の倒産は続くだろう。

五月五日

トランプは、アリゾナのマスク工場を視察した。もちろんマスクをしないで。政府の発注でマスクを作ってる現場なのに！

さらに驚いたことに、トランプ大統領は、政府の新型コロナ対策本部を縮小すると発表した。成果を上げているから、という理由だが、死者が七万人、つまりベトナム戦争を超えて増加しているというのに！

五月六日

トランプ大統領は、昨日言ったばかりの対策本部縮小を撤回した。

記者会見でトランプは「新型コロナによって、我が国史上最悪の攻撃を経験した。これは真珠湾攻撃よりも9・11テロよりもひどい」と、新型コロナが何者かの「攻撃」であるかのように表現した。

トランプは以前から新型コロナウイルスを「中国ウイルス」と呼んできた。最近では「ウイルスは武漢の研究所から流出した。その証拠を見た」と発言した。もちろん、トランプが言う証拠とやらは提出されず、新型コロナが人工である説も否定されたのだが、トランプの支持者たちは依然として中国の仕業だと信じている。

五月八日

全米の失業率一四・七％。大恐慌中の一九三二年に二五・五％を記録して以来のレベル。

五月一二日

ホワイトハウスにもついに感染者が出た。トランプの配車係とペンス副大統領の広報官だ。

五月一五日

全米に八四六の支店を持つアメリカのデパート・チェーンのＪＣペニーが破綻。二四二店舗を閉店する。サックス5アヴェニュー、ニーマン・マーカスなどの高級デパートも破綻した。

五月二一日

トランプ大統領がミシガン州デトロイトのフォード自動車工場を訪れ、新型コロナ治療用の人工呼吸器が作られるのを視察した。第二次大戦時にフォードが戦車や戦闘機を作ったように、戦時緊急法が実施されたのだ。

この時もトランプはマスクをしていなかった。

五月二三日

アメリカの各都市には日本語新聞があって、日系ビジネスの情報が載っているが、最近の広告は、アメリカからの業務撤退についてのコンサルタントが多い。日本食レストランは、ここ数年のラーメン・ブームで荒稼ぎしてきたが、テイクアウトしにくいラーメンはかなり不利なのだろう。

五月二四日

メモリアル・デー（戦没者追悼の日）の連休。トランプ大統領はバージニアにゴルフに出かけた。

アメリカの新型コロナによる死者は一〇万人を超える。その数は朝鮮戦争とベトナム戦争の戦死者の合計を上回る。

「国が疫病に直面してるのに大統領がゴルフなんて信じられない！」

そうツイートしたのはトランプ本人だ。二〇一四年、エボラウイルス感染者がアメリカで発見された時、当時のバラク・オバマ大統領がゴルフに行ったことを責めた。トランプがオバマのゴルフを批判した数は二七回に及ぶ。

その日、トランプは相変わらずマスクなしでゴルフを楽しんだ。

五月二八日

三日前、ミネソタ州ミネアポリスで四七歳の黒人男性ジョージ・フロイド氏が、警察官に首を膝で圧迫されて窒息死した。その現場がスマホで撮影されたことから、ミネアポリスでは暴動に発展し、この日からBlack Lives Matter（黒人の命も大事だ）運動が全米に広がっている。

五月二九日

筆者の住むオークランドでも、警官の暴力に対する大きなデモがあったので取材しに行った。オークランド警察前で一万人近くが警察ともみ合ったが、トランプ支持者と違って、誰もがきっちりマスクしていた。デモは警官の催涙ガスで蹴散らされた。そうしている間、商店街のほうでは破壊や略奪があったらしい。サイレンの音は深夜まで鳴りやまなかった。

［経済］

コロナ下で進む日本経済の「転換」

松尾 匡

松尾　匡（マツオ・タダス）

一九六四年、石川県生まれ。立命館大学経済学部教授。専門は理論経済学。神戸大学大学院経済学研究科博士課程修了。論文「商人道！」で第三回河上肇賞奨励賞を受賞。著書『この経済政策が民主主義を救う』（大月書店）、『ケインズの逆襲、ハイエクの慧眼』（ＰＨＰ新書）、『新しい左翼入門』（講談社現代新書）、編著に『「反緊縮！」宣言』、共著に『そろそろ左派は〈経済〉を語ろう』（以上、亜紀書房）など多数。

日本の支配層の将来ビジョン

もともと日本の大資本側が今日めざす大枠の方向は、人口減少する日本市場に見切りをつけて、海外、特にアジア新興市場に生産拠点を移していくというものである。

その結果、海外からの利潤送金が年々増えてきたが、その傾向は一層進行する。二〇一九年の直接投資収益は一〇・六兆円。経常収支二〇・一兆円の半分以上に達している。送金されてきた外貨は円に交換しようとされる。貿易収支は正負入れ替わり短期的に変動するが、海外からの利潤送金は今後も確実に増え続けていく。したがって日本経済には通奏低音的に円高圧力がかかり続ける。このため、輸出がしにくくなったり、海外から安い競合品が輸入されたりして、長期的には国内生産はますます困難になる。

これを受けて、大衆向け生産物やそのための生産手段は、「比較優位喪失」の口実のもと国内生産をあきらめ、海外進出企業が生産したものを、円高を利用して輸入する体制に移行することになる。

こうした条件を前提とした支配階級の大戦略は、生産性が停滞したとされる旧来の産業を淘汰し、一方では円高でも国際競争力を持つような「生産性が高い」とされる「高付加価値部門」に、他方では高齢化によってニーズの増す介護部門をはじめとするサービス産業（貿易されない）に国内の生産資源を移動させることである。彼らはこれを称して「産業構造の転換」と言う。

「高付加価値部門」とは、格差社会に適応した富裕層向けの財やサービスだったり、新技術の開発や管理や「創造的」仕事の部門だったりする。こちらは、「高プロ」で残業代を出さずにこき使って、国際競争力を維持する作戦である。

他方、サービス部門は低賃金の非正規労働になる。低賃金でも、スケールメリットのある全国チェーン店で、低賃金非正規労働を使って、円高による激安輸入品を売れば、生計費を安く抑えて、生かしていくことはできる。

だから、コストのかかる個人商店は、大衆向けのものとしては淘汰の対象である。零細な個人農家も淘汰の対象である。

さて、そうすると、消費税一〇％への引き上げは、彼らにとって「生産性が低い」とされる個人事業者や中小零細企業の淘汰を進める効果がある。実際、これによってコロナ禍となる以前から景気が落ち込み、倒産件数は消費税増税前月の九月からずっと、前年同月比で増加を続けた。

それと同時に、前述の体制は円高を不可欠の条件とするので、財政赤字で出した国債を結局は、日銀が換金してゼロ金利にしている現行の体制が続くことは、円の価値を抑えることになって望ましくない。なので政府債務の伸びを抑え、なおかつ資本側の負担にならないようにするために、消費税を引き上げ続け、庶民のための政府支出は抑制することになる。

コロナ禍はこのビジョンの実現チャンス

さて、そのような中でのコロナ禍である。

以上のような大戦略をふまえると、支配階級にとって望ましい対策は次のようなものになるだろう。

コロナ禍で個人事業者や中小零細企業が打撃を受けていることは、産業構造の転換とそれに必要な淘汰を進めるための絶好のチャンスである。

たしかに、失業や倒産や、仕事がないフリーランスが増えて社会不安が高まる事態は避けたいだろう。だから、そうならないような最低限の手当てはする。しかし、公の財政をつぎ込んだ結果、元どおりの産業構造が復活したり、逆にそれを強化するようなことがあったりしては元も子もない。

支出がかさんで国債発行が増えて、それを日銀が換金して、円高実現の障害になるのも避けたいところだろう。むしろこの状況で円高になれば、「生産性が低い」とされる中小零細企業や第一次産業の業者は、ただでさえ海外市場が冷え込んでいるときにもっと輸出ができなくなったり、安い輸入品に圧迫されたりして、首尾よく淘汰を進めることができるので好都合である。

アメリカは目下のところ、GDPの一四%にあたる三兆ドルを経済対策につぎ込むことを決め、さらに追加対策が検討されている。そしてそれを中央銀行であるFRBが四兆ドルの追加緩和で支えようとしている。世界中でこの調子でジャブジャブお金が作られているのだ。この風潮に乗らず、政府支出をほどほどに抑えておけば、確実に円高が実現できるチャンスである。

なので、「社会政策と経済政策を切り分ける」ことが彼らの新型コロナウイルス（以下、新型コロナ）対策の鍵となる。公的支援は需要喚起策とならないよう、対象を厳密に絞り込み、事業支援は融資に力点をおいて返せそうにない者にはあきらめてもらう。

一律の給付金や消費税減税のように、大衆消費に直結した部門に全般的に需要を作り出すメニューは避ける。旧来の商店街などの淘汰されるべき部門に需要が発生してしまうからだ。だから、産業構造転換に資する部門に絞って政府支出を行う。

そして、淘汰される事業者がスムーズに廃業を進められるよう、廃業支援事業という名の安楽死策を行う。

支配層の大戦略にそった東京財団提言

人々が新型コロナ不況の到来におびえる中の三月一七日に発表された東京財団政策研究所の緊急対策提言（発起人：小林慶一郎氏、佐藤主光氏）は、まさしくこのような提言だった。そこでは八つの提言がなされているが、そのうち経済政策に関するものは次のとおり。

▽財政出動は、需要不足を補うだけのものでは持続的成長につながらない。経済の生産性を高める分野に重点投資する。特に、オンライン化、デジタル化の分野があげられている（提言2）。ちなみに提言1では、その具体例としてオンライン診療が提唱されている。

▽ファンダメンタルズで説明がつかない株価の急落は止める必要がある。日本銀行が一〇〇兆円程度、ＥＴＦ（上場投資信託）や生株を購入し株式の買い支えをするのは合理的（提言5）。

▽家計への生活支援は所得が急減した本当に困っている人への選択的な現金給付が望ましい。

つまり消費税減税を否定（提言6）。
▽生活維持に必要な額を超える支援は給付ではなく貸し付けで行い、返済は三年間猶予して二〇二四年から始める。金利は二四年度まではゼロとし、その後は借入残高に年率一％程度とする（提言7）。
▽産業構造変化を考えると、企業の退出（廃業、倒産）と新規参入による新陳代謝が不可欠。度重なる天災・自然災害ごとに中小企業へ支援するのはややもすれば過度な保護になり、新陳代謝を損ないかねない。適正なスピードでの企業の新陳代謝を促す政策を組み合わせることが必要。廃業の障害を緩和する措置を講じることが求められる（提言8）。

見事に、先に考察したとおりに、支配階級の大戦略にそった提言となっている。

しかも、提言の発起人は、もともとアベノミクスには批判的だった。日銀が通貨をたくさん作る金融緩和にどちらかというと反対の立場で、財政政策でも財政健全化を重視してきた。それなのに、ETFや生株に限定して日銀が買っていいとするのはどういうことなのだろうか。それ以外の、例えば政府の新型コロナ対策のために出された新規国債を日銀が買い支えることについては、従来どおり否定的と読める。

新規国債を日銀が買い取れば、人々の生活を支えたり中小零細企業を助けたりする財政支出ができる上に、金利低下が進み円安になりやすくなるので、国内製造業には有利となる。

それを避けて、ETFや生株だけを大量に買えというのは、うがった見方をすれば、株の買い支えで大企業を直接、優遇することに加えて、日本株が上がって首尾よくいけば円高要因になり、中小零細企業の淘汰にもつながってちょうどよい、とすら思っているとも受け取れる。

その後、四月二〇日には、この提言の「フォローアップ」として、これを作成した発起人の二人によるウェブ対談の動画が発表されている。

ここでは、「社会政策と経済政策を切り分ける」「産業構造の転換」など、意図がはっきりする発言がなされているほか、政府の経済対策が需要喚起策となっていることを批判し、放っておいてもV字回復するのであり、自分たちの提言では需要喚起策は言っていないと明言している。

また、新型コロナ後、経済がある程度回復したら、特別の増税で新型コロナ対策で増えた債務を減らすことを主張している。

政府の対策に貫かれる支配層の戦略

東京財団の提言が出された後の三月二六日に、自民党の「経済成長戦略本部・新型コロナウイルス関連肺炎対策本部」の合同会議で、大和総研チーフエコノミストの熊谷亮丸氏が経済対策の提言をしている。

その内容は、「『雇用を守る』『中小企業を倒産させない』といったメッセージを発信して、国民の生活保障に力点を置かねばならない」など、中小事業者らへの配慮はしているが、全体としては東京財団の提言と同じ精神にそったものだと筆者には感じられる。

ただしこの提言は、感染収束までの生活保障の「第一ステージ」と収束後の需要喚起策の

「第二ステージ」に分けている。「第一ステージ」に流れる発想は東京財団提言のそれと同じで、あくまで本当に困った人に対する社会政策と位置づけ、経済的な需要喚起策とならないよう的《まと》を絞り込むことを志向する。

他方、感染拡大に一定程度の歯止めがかかった段階での「第二ステージ」では、新型コロナで打撃を受けた観光、外食、レジャー産業などへの消費喚起策に続いて、次のステップで「攻めの政策に取り組むべき」として、産業構造の激変を視野に入れた「企業の新陳代謝促進」を提言している。その重点はやはり「リモートな社会」「オンライン化」である。

筆者の見るところ、四月七日に発表された政府の経済対策は、ほぼこの大和総研の提言を下敷きにしている。

規模も、総事業費一〇八兆円（四月二〇日に修正されて一一七兆円）と、事業規模は一見、大きく膨らませて見せたが、今回の新型コロナ対策への新たな政府支出部分（真水）は一八・六兆円（修正後は二七・六兆円）、うち一般会計だけでは一六・七兆円余り（同二五・七兆円）にすぎない。これは「国費投入一〇～一五兆円以上」という大和総研の提言の規模感にほぼそっていた（ちなみにその後の二次補正予算を足すと、一般会計・特別会計の支出額は、使わないかもしれない予備費や、融資や利払い費等々も含めて五七・六兆円である）。

感染収束までの生活保障の「緊急支援フェーズ」と収束後の需要喚起策の「V字回復フェーズ」の二つのステージに分けるところも大和総研の提言と同じである。

「消費税減税の拒否」「休業補償の拒否」「所得急減者に的を絞った現金給付」「融資中心の事

業者支援」などの提言は東京財団、大和総研ともに共通する。

当初の政府案で掲げられた生活支援の「三〇万円の現金給付」は、対象者が狭いことが批判され、「一〇万円の一律給付」に修正されたが、この案も、もともと大和総研の提言で「次善の譲歩オプション」に入っていた。

また第二ステージについては、「Ｇｏ Ｔｏキャンペーン」と称した観光、運輸、飲食などの需要喚起策と、「デジタル・ニューディール」と称したオンライン化推進策を二大柱としてあげたところも、大和総研の提言にしたがっている。

なお、このオンライン化推進は東京財団の提言とも同じであるが、東京財団提言は二ステージ分けはしていないし、先述のとおり、需要喚起策は提言していない。それどころか観光、外食、レジャーなどは、流行が終わったあとも、新型コロナが「非常に長期的に定着する」ので需要のレベルが恒久的に減って産業構造の変化が起こるために、「新陳代謝」が不可欠とされていて、容赦なく淘汰の対象にしている。

そこまでサプライサイダーである東京財団の発起人は、自分たちのアイデアであるオンライン化推進策に、「ニューディール」などとケインズ政策の名前がついたのを見たら、屈辱感で七転八倒したのではないか。筆者もまた、三〇年代プログレッシヴの象徴の名をこんなところで使われて七転八倒である。

こうしたシンクタンクの提言を基本に経済対策作りが進められ、そこに、各省庁がこの機に乗じて懸案である事業などを入れておこうと持ち込んできたプロジェクトが追加された構図になっている。

政府の中小企業対策では、さすがに「新陳代謝」や「退出」といった刺激的な言葉はなく、中小企業などの事業継続支援も含めている。しかし、さまざまな中小事業支援策は、給付の条件や上限が厳しい上に手続きが煩雑で、審査・入金までに時間がかかりすぎて役に立たないことが指摘されている。

資金繰り支援などの中心になっている制度融資や特別貸付は、東京財団の提言のとおり無利子は三年だけで、そのあとから利子がつく。国は融資の原資をほとんどゼロの超低利で調達できるにもかかわらずだ。

自民党若手議員による積極財政的な経済政策提言を取りまとめた安藤裕・衆議院議員が、粗利補償をしないと中小企業が潰れると訴えたところ、党幹部は「これでもたない会社は潰すから」と答えたという。また、五月三日には通産政務次官の逢沢一郎・自民党衆院議員が「ゾンビ企業は市場から退場です。新時代創造だね」とツイートした。支配階級の将来ビジョンは、今も政府自民党の上層部に貫かれているのである。

しかも東京財団の提言を書いた発起人二人のうちの一人である小林慶一郎・同研究所主幹は、五月一二日に、政府が今後の感染拡大防止と経済活動の両立を進めるために設置した「基本的対処方針等諮問委員会」に加わることが決まった。このことからも、いま述べてきたような支配階級の大戦略にそった経済対策が今後も追求されていくことは間違いない。

そのことを踏まえて、民衆の側に立ったポストコロナの経済対策をどのようにこれに対置していくかが課題となる。

不況と円高の恐怖の中で増税緊縮論

さて、六月の短観での「最近」に関する業況判断DI（全規模・全産業）は、マイナス三一％ポイントで、前回調査対比の低下幅は過去最悪となっている。五月の就業者数は前の年の同じ月と比べて七六万人の減少である。六月中旬の輸出は前の年の同じ時期と比べて二五・二％減っている。四分の三になっているのである。

公益社団法人「日本経済研究センター」が民間エコノミスト約四〇名にアンケートした「ESPフォーキャスト調査」の七月の調査結果では、二〇二〇年度の実質GDP成長率はマイナス五・四四％と見込まれている。これはリーマンショックの翌年となる二〇〇九年暦年の実質成長率と同じくらいの率で、昨年度より約三〇兆円減る計算になる。二〇〇九年暦年の就業者数は前年より九五万人減っているが、今回は減る前（二〇一九年）の就業者数が当時（二〇〇八年）よりも三一五万人多いので、減少率が同程度ならば間違いなく一〇〇万人を超える職が失われることになる。

しかもリーマンショック時よりもひどくなるという予想も多い。職を失った人をはじめ、所得が下がった人が以前よりも支出を減らすのは当然だが、そうでない人も、感染や経済的な不安から、新型コロナ前の支出になかなか戻さないことは容易に予想される。企業の設備投資についても同様である。

感染の収束がいつになるか不明だが、戦争が起こったわけではないのだから、サプライチェーンが復活すれば供給能力は基本的に元どおりになる。それに対して民間の支出は元に戻らず、戦争と違って復興需要もない。したがって、政府が何もしなければ総需要不足が続くことになる。

しかも、アメリカをはじめ多くの国の新型コロナ対策費と比べて、日本政府の支出はGDP比にして少ない（米国一四%、英国一六%、ドイツ二二%、韓国一二%に対して、日本は先述の一次・二次補正予算の五七・六兆円で一〇%）現状がある。放置すれば円高が進行し、日本経済に一層の打撃をもたらす。今でも新型コロナ前と比べると二円程度円高のレベルで推移しているが、予想される水準から比べると円が安すぎる。アメリカ景気拡大予想によるアメリカ株買いのドル需要のためだと思われるが、これが一段落つくと恐ろしい（本稿の校正段階で一段と円高が進んでいる）。

そんなところに支配階級側は、この間に一段と増えた政府債務をどうするのかと言って、復興増税や歳出抑制が必要なのではないかという、傷口に塩を擦り込むようなことを議論の俎《そ》上《じょう》に載せてくることが想像される。

維新の会が反緊縮的見かけで躍進する危険

ここで何かの国政選挙を迎えたとき、どうなるだろうか。あり得る可能性は、この間、緊縮政党のイメージを払拭するのにしゃかりきになってきた維新の会（以下、維新）が、一層、反緊縮的な見せかけを強め、国民民主党の一部の積極財政派を巻き込んで、復興増税や歳出抑制に反対し、この間に政府がもたらした緊縮策の惨状を批判する作戦でくることである。維新は、今回の新型コロナ経済対策でも、まだ政府が真水を一六兆円余りとしか言っていない段階で、いち早く六〇兆円規模の支出をアピールしていた。大胆な積極財政で大衆の苦境を救うことをアピールしたら、大躍進は間違いない。

だから、一時の世論調査で、維新が支持率で立憲民主党を抜いて野党第一党になったことがあったが、これを大阪府知事がテレビにしょっちゅう出ているための一時的な効果と見ていたら対応を誤る。立憲民主党の支持率が他の野党よりも高いのは、単に野党第一党なので、小選挙区制のもとで自民党に反対したければ支持するほかないからという部分が含まれる。一旦支持率が拮抗すれば、その効果は消え、自民党への批判票をどちらが集めるかは、どちらが大衆の目の前の苦境を救う経済政策をアピールできるかにかかる。そして、一旦野党第一党の座が逆転すると容易に変えられないのが小選挙区制というものの怖さである。

そうでなければ、より一層極右的な勢力が躍進するかもしれない。

しかし、維新はいかに反緊縮的よそおいを凝らそうとも、その基本思想は大枠で前述の支配階級の大戦略の中に入っている。大阪府では、よく言われる教育や治水や福祉の緊縮だけでなくて、中小企業支援を大きく削減してきた一方で、カジノや万博に象徴される大規模開発事業を進めてきた。そこに流れる根本的な発想は、生産性の高いところに財源を集中させて、そこで得られた果実を不採算部門である福祉などにまわすというものである。人々の懐をあたためるために財政を使い、人々の生活に直結したところから総需要を拡大させて、豊かな雇用や生業の場を発展させていくというルートは目に入っていない。逆にそれらを「不採算部門」扱いしているのである。

このところ国政への野心を隠さなくなってきた橋下徹氏は最近、大阪では通貨発行権がないから緊縮をしてきたが、通貨発行権がある国では話は違うという発言をしている。そのとおりだが、国全体では財源の制約はなくても生産資源の制約はあることは、もちろんわかっているだろう。そうすると、維新が大阪でやってきたことを国にあてはめると、生産性の高いところに生産資源を集中し、そうでないところへの生産資源の配分を減らしていくということになる。これは本稿で確認してきた支配階級のビジョンそのものである。

支配層のビジョンは帝国主義への道

冒頭で確認したとおり、支配階級のビジョンでは、今後の日本資本は海外、特にアジア新興国に進出してもうけていくということになる。中でも、安倍政権になってから、東南アジアに対する企業の進出が急増している。日本から東南アジアへの、工場などを作るための年々の直接投資から回収分を引いたネット（正味）の直接投資は、円高が進行した二〇一一年は特別として、安倍政権成立後の二〇一三年にジャンプして増えている。二〇一九年分のネットの直接投資で見ると、中国へは約一四四億ドルだったのに対して、アセアン4（タイ、インドネシア、マレーシア、フィリピン）にはそれを上回る約一五九億ドル、シンガポール一国に対してでも約一五七億ドルである。二〇一九年末時点での直接投資残高で見ても、アセアン4（約一五一三億ドル）は、中国（約一三〇三億ドル）よりも多くなっている（この状況は二〇一六年から）。

なぜ安倍政権はアメリカが入らないTPPにこだわったのか。アメリカが入らないTPPでは日本が先進国として突出する。内閣官房のTPP政府対策本部のサイトでは、進出企業が現地政府を訴えることができるようにするISDS条項について、「海外で活躍している日系企業が、進出先国の協定に反する規制やその運用により損害を被った際に、その投資を保護するために有効な手段の一つになる」としている。つまり、日本企業の進出先のアジアの国で、政権が変わったり自治体が独自政策をとったりして、労働保護基準や環境保護基準を強化したり、開発を禁止したりして、進出企業が当初より損をする動きが起こったら、これを武器にして恫喝しようというわけである。

この上に、自衛隊を海外派兵できるようにする動きが重なると何が見えるか。低賃金で現地の人々を搾取するために企業が多く進出し、その結果、激しい労働運動やテロなどで進出企業やその駐在員が危険にさらされたり、政権が転覆して国有化されようとしたりしたとき、日本人の生命と財産を守ると称して、最終的には自衛隊を派遣して実力で守るということだろう。

しかも、東南アジアに経済進出するのは、中国や韓国も同じだから、同じことを先方も志向するに違いない。よって「ショバ争い」が起こる。日本企業を標的にしたテロや革命が起こったとき、政府・マスコミが背後に「中国の陰謀」を喧伝すれば、自衛隊の派遣に世論の同意がつくかもしれない。

そう考えれば、クリミア問題でプーチン批判を強める欧米から渋い顔をされながら、ロシアと安倍政権が、領土問題で成果がなくても結んだことは、これから東南アジアで中国帝国主義と覇を争う野望があると思えば、北方を安全にしておくという意味のある合理的な行動だったと言える。

自民党政権が継続するということは、新型コロナ後の日本がこうした「地域帝国主義」への道を本格的に進んでいくことを意味する。しかし、国内の不採算部門を海外に移転させてもうけをあげ、そこで浮いた資源を生産性の高い部門にまわしてもうけをあげて、そこからの「果実」で福祉をやるということであれば、これは維新の会の図式そのものである。だから維新政権に変わったとしてもこの路線は推進される。両者の連立政権になったらなおさら推進される。

緊縮への怒りを右派ポピュリズムに渡すな

イタリアで新型コロナに肉親を奪われたたくさんの人たちをはじめ、コロナ禍の犠牲をもたらした緊縮政策への怒りが全欧で溜まっていると思われる。

今後、新型コロナ感染が収束して、人が集まることで感染するおそれがなくなったならば、欧州中の大衆がブリュッセルのEU（欧州連合）本部に押し寄せて大変なことになるだろう。同じようなときに、やはり世界中で、新型コロナ対策で膨れ上がった政府債務をどうするかということで、緊縮や増税が議論になるだろうから、それへの反発で人々の怒りが燃え上がることだろう。このエネルギーを右派ポピュリズムに渡さずに、自分たちへの支持として獲得できるかどうかが、世界中のプログレッシヴな勢力の正念場となるだろう。

それが日本でも課題となるわけである。

この間、私が代表をしている「薔薇マークキャンペーン」では、消費税と新型コロナ問題による景気後退が始まったときから、数次にわたって、プログレッシヴな立場からの反緊縮的な経済対策の提言を行ってきた。

五月二一日に出した最新の提言「全員に確実に届く、真の『コロナ』経済政策はこれだ」では、二〇万円の現金給付二回と消費税の停止、中小企業支援策、感染リスクのある職種で働く人への危険手当など、計約一四〇兆円、うち国債発行一〇三兆円の政府支出を提言している。これによって元の雇用を回復した上、さらに一〇〇万人の雇用を増加させる計算になっている。

一連の提言を発表して以降、同キャンペーンの賛同人登録が急増し、七月一四日現在で三万一六八八人となっている。その際のコメントとして、いくつもの切実な悲鳴のような声が寄せられている。


「給料日まで、残りの手持ち現金は三万円。その中から家賃を払うと手元には三〇〇〇円程しか残りません。……金銭的にギリギリでも心を豊かにと息子と二人暮らしてきましたが、限界です。備蓄をしたくとも、食料品を買うお金がありません。今あるものが尽きたら飢えるほかありません」

「音楽教室講師です。二月末より国からの自粛要請のため、教室が休館となり仕事ができなくなりました。三月分報酬（四月受け取り分）は、〇円です」

「看護師として勤務しておりましたが、妊婦は免疫力が低く薬も使えないため勤務できなくなってしまい、生活費が激減しました」

「職場が遠くて電車に片道一時間乗っています。母がインスリン投与している糖尿病、私も軽い糖尿病です。マスクもアルコール除菌もなく、新型コロナ保菌者がいると死にます。できれば仕事をやめて待機したいところですが、働かなくては生活はできません」

「私の夫はホテルのレストラン業ですが、三月初旬に突然休業を言い渡され、収入も半分以下になりました。私もパート業務をしていましたが、ブライダル業のため同じように新型コロナの影響を受け、仕事が回ってきません。日雇いの仕事など探し回っていますが、同じような状況の方が多数いるようで、日雇いすらまともに雇われず、来月には生活ができませ ん……。今の国の支援は、貸付という形がメインであり、失業ではなく休業扱いで困窮している世帯への支援は全くと言っていいほど何もありません」

「諸事情があり、風俗で働いています。私たちは貸付を受けることもできず、外出規制の為、お金を稼ぐ事ができません。また、今月の家賃、光熱費、生活費がありません」

「学校給食関連施設に勤めています。給食が無くなることによって、契約している問屋さん、そこに品物をおろしている農家さんに打撃がいくのをこの一カ月まざまざと見てまいりました」

「中一の子がいる母子家庭です。時給一〇〇〇円の仕事で生計を営んでいますが仕事が減り、高校進学のための貯金に手を出してしまっています。子どもが家にいることで電気・

ガス・水道代、それに灯油代もかかり、子どもは自分から暖を取らずに節約して寒いので布団に入っています。動かないからお腹が空かないと昼ごはんは食べてません。出費を減らすため子どもなりにガマンしているのです。私もいつ仕事がストップ、もしくは失業してしまうのか不安と恐怖に大きなストレスを感じています」

「現在、リーマンショック以上の事態です。自動車系工場で働いていますが、イタリアの工場停止の影響で主に生産している部品が止まりました。リストラもあり得ると言われています。なんとか毎月給料が出るので低い賃金でも生きていましたが、本当にピンチです。助けてください」

「私は今年春から大学院に進む学生です。仕送りはなく、奨学金と飲食のバイトで学費と生活費を賄っています。私の住んでいるところは新型コロナ感染者が多発しており、バイトのシフトは大幅に削られました。このままでは直近の光熱費や家賃もままならず、大学院は辞めなくてはなりません。こんな状況ですぐ職が見つかるとも思えず、大変不安です。どうか現金支給を実現して欲しいです」

左派・リベラル派の政治勢力がこういった声に応えられる政策を掲げられるかどうかが、新型コロナ後の日本の進路を決める。

（二〇二〇年七月一五日）

［東アジア］

コロナ禍と東アジア（ポスト）冷戦

――歴史のインデックスと現在時

丸川哲史

丸川哲史（マルカワ・テツシ）

一九六三年、和歌山県生まれ。一橋大学大学院言語社会研究科博士号取得。現在、明治大学政治経済学部兼教養デザイン研究科教員。専攻は、日本文学評論、東アジア現代思想史。著書に、『台湾、ポストコロニアルの身体』（青土社）、『リージョナリズム』（岩波書店）、『帝国の亡霊』（青土社）、『竹内好』（河出ブックス）、『台湾ナショナリズム』（講談社選書メチエ）、『中国ナショナリズム』（法律文化社）、『魯迅出門』（インスクリプト）、『思想課題としての現代中国』（平凡社）など。

はじめに――沖縄の地に立って

新型コロナウイルスの感染者を乗せたダイヤモンド・プリンセス号が那覇に立ち寄ったのが二月一日、その日、約二六〇〇名の乗客が市中に赴いたということであった。その後、感染者が発見されたのが四日後の二月五日。筆者は三月初旬の沖縄を訪れていた。国際通りも、また自分が泊ったホテルの客も、いつもより人影は疎《まば》らであったものの、その時はまだ非常事態宣言も何も出ていない時期で、三月中旬から本格化するような深刻な雰囲気はまだなかった。

ただ東京に帰った後、沖縄においてもコロナ禍の急速な深化に伴い、またさらに鮮明な印象が湧きたつところとなった。それはもちろん、三月中旬頃からアジアを中心とした観光客の影が完全に消えたことへの衝撃である。もう一つ、大和《やまと》側には伝わっていなかったのだが、実は沖縄での集団感染に関わる話題として、辺野古《へのこ》基地建設の作業員に感染者が出ていたという事実も聞かされた。

さて、本稿が執筆されている六月の段階、辺野古の基地建設が再開された。そして沖縄全体は今現在、コロナ禍の終息とともに観光客に戻ってきてほしいという願望と、しかし安易に再開するとまた感染が広がるのではないかという懸念――このジレンマの只中にある。もちろん、インバウンドの消滅の危機は、大和側としても同じ地平にあるわけだが、基地経済とインフラ以外のさしたる産業開発が無かった沖縄にとって、それは否応なく死活問題となってくる。端的に人口の県外へのさらなる流出が起きるだろう、とも予想される。

コロナ禍以前からのこととして、沖縄は、東アジア（ポスト）冷戦の文脈において奇妙な場所となっていた。沖縄には、軍事冷戦を象徴する米軍基地が残存するものの、その基地から出撃するエリアと仮想されている朝鮮半島（韓国）や中国の膨大な観光客が毎年訪れていた――考えてみれば不思議な場所となっていたのだ。

振り返ってみれば、かつての冷戦は、政治と軍事、経済が一体となってくっきりと向こうとこちらの境界を構成していたはずである。昨年、沖縄に出かけて見かけたことであるが、嘉手《かで》納《な》基地の傍にある「安保の丘」に、米軍の戦闘機を珍しがってカメラに収めようとする多くの中国人観光客の姿もあった。実に皮肉な光景ではあったのだが、そういったことも、今次のコロナ禍により、過去のものとなってしまうのかもしれない（もちろん「回復」の可能性もある）。

さらに、ここに響くことが予想されるのが、沖縄政治の革新陣営における選挙地盤の在り様である。元々は自民党の支持層だった観光業者が近年、「基地と観光は原理として両立できない」として投票行動を大幅に変化させ、基地問題を焦点としてオール沖縄をスローガンとし、翁長《おなが》県政、玉城《たまき》県政を誕生させる原動力となったわけだが、この構図に影響が出て来ることも予想されるのである。

比較の可能性と不可能性

はじめに申し述べておくと、筆者は、現在の東アジアの（ポスト）冷戦構造はかつての冷戦構造を踏み台にしつつ、新たな形をとって残存、あるいは反復されているものと考える。六月に出版した『冷戦文化論［増補改訂版］』（論創社）の骨子でもあり、この論考の前提でもある。

かつての冷戦と今のそれが決定的に違うのは、先に軽く触れたように、世界へゲモニー構造において、軍事パワーと政治パワーと経済パワーがそれぞれ脈絡を欠きつつ共存し、時に奇妙に衝突する光景——それとは気づかれず——が演じられていることだ。

このような例は、他所にも散見される。例えば、韓国の済州島《チェジュ》である。済州島の国際空港の反対側の海岸に面した江汀《カンジョン》村において、二〇〇七年、米国艦船の就航が予定される海軍基地が建設されることとなり、結果として二〇一六年、無残にも反対運動は押さえつけられ、軍港が完成するという事態があった。しかし同時に進行したことは、金持ち中国人には土地をリースできる特別法が施行されるなど、単に観光客を呼び込むだけでなく、中国資本によって開発が進められていく島ともなっていた。江汀の軍港には米国艦船が時に航行しているわけだが、その目と鼻の先に、中国人専用のリゾート別荘が立ち並んでいる。

沖縄と済州島、この二つの場所は、いわばアジアのポスト冷戦状況を語るのに、現在時において象徴的な在り様を鮮明に知らせてくれるわけだが、これは実に日本本土にも、またそれより大きなアジア内部の経済構造についても当てはまることである。前にも述べた通り、外からのヒトと資本の流れをもう一度呼び込まねばならないわけだが、するとまたコロナ禍への恐れが当然広がるわけである。だがその一方で、このことを台湾や韓国に当てはめた場合にはどう言えるのか、少々違った地域のあり方が見えてくる。

例えば、現在の台湾は、政治の次元では大陸中国の影響を拒否している。独立志向の民進党政権となって、両岸に政治的な緊張が高まり、むしろ大陸中国政府が大陸中国人の台湾観光を既に禁止したこともあり、台湾はあらかじめコロナ禍を防ぐ条件を入れていたことになる。しかし、よく言われているように、既に経済構造において台湾は、大陸資本が多くの産業分野に入り込んでおり、まさに大陸中国の経済がなければ立ち行かない地域となっている。また韓国においては、到来したコロナ禍に対して、徹底的な検査と隔離の政策が実行され、高い国際評価を受けるところとなっていた。この間において韓国（本土）は、中国との間では順調な関係を作っているが、中国からの直接投資そのものは、済州島のようには許されているわけではない。ただ韓国に関しては、別の対外要素が大きく作用している。つまり、近年の日本との政治的対立を抱えつつ、また宿命的でもある北の共和国との「和解」戦略に苦慮し続けている状況である。

また別の角度から、日本と、他の東アジア地域（大陸中国、台湾、韓国など）の今次のコロナ禍への対応の違いを語る際の、一つの前提を考えてみたい。二〇〇三年に日本を除く東アジア全体がＳＡＲＳ（重症急性呼吸器症候群）の感染・流行に晒されていたこと、また二〇一二年に確認されたＭＥＲＳ（中東呼吸器症候群）の脅威にも対応せざるを得なかったことで、台湾と韓国の政府は既にそのための準備を進めていたことが、どうしても目に付く日本政府の準備不足との違いを浮き彫りにした、とは言える。

さて、本書は二〇二〇年九月から翌年九月まで、半年ごとの発行が見込まれている。先んじて筆者の論考の立ち位置をさらに明確化すれば、それは、コロナ禍が否応なく促進してしまう今後の東アジア（ポスト）冷戦構造の変化をトレースすることである。しかし同時にそれをトレースする際に、その土台となる東アジアの過去の冷戦構造（あるいはさらにそれよりも前の歴史的地盤）がもたらした歴史的背景を思い出すことも課題となる、と筆者は考えている。

その上で批判的に考えざるを得ないこととして、この二〇二〇年前半期段階において、それぞれの歴史的背景を無視した議論の進め方があって、東アジアの各国（各地域）における防疫活動の成功、失敗を単純な統計的観点から評価してしまうやり方があった。その中で、例えば韓国や台湾において、ビッグデータとIT技術とを組み合わせて、極めて高度な情報管理の下に防疫作業を展開したことを極端に賛美し、それらに比べて日本は遅れているという議論になってみたり、または逆に、それらの政府がやっていることは過剰管理だとして受け入れられないと言ってみたり……。しかし、そういった韓国や台湾の対策が可能となったのには明確な歴史的な淵源が、特に冷戦構造に根差す歴史的背景が存在する。

かつての台湾であれば大陸中国に対して、かつての韓国であれば北の共和国に対して、そこからの工作員の浸透を抑えるために義務化されたIDカードの存在が大きな歴史的前提であった。[1] 簡単に言えば、当時の国民の賛同が得られていたかどうかではなく、冷戦が強いた「強制」であったというのが事実である。翻って、大陸中国においても、国民全員に関して「档《とう》案《あん》」と呼ばれる（本人にはアクセスできない）個人データが存在していて、これが文化大革命の期間を含んで、人民共和国内部の国民の政治行動の管理を強烈に果たしてきた歴史がある。それがそのままストレートに現在のスマホを通じた行動管理に繋がっているわけではないが、しかしそういったシステムが存在していたことが今日の在り様の前提なのである。

いずれにせよ、それらはみなかつての激しい冷戦状況が強いた基礎的条件であり、一方、そういった冷戦の前線地域から一歩下がったところの日本においては、それに相当するものが必要なかった、ということが理解できる。つまりこれも、日本が東アジア冷戦構造において、ハード反共体制が敷かれなかった経緯によるのだ。[2] そのため日本では、マイナンバーカードなるものの普及率が低いことに象徴されるように、これまでの身分確認にしても、免許証や保険証などに頼っていたような状況であった。国家が個人の政治的・経済的生活を戦時状態のように厳格に管理することなくやってこられたのである（もちろん、今後は分からないが）。これは決して国民性の問題ではなく、冷戦構造の位置の問題であると筆者は考える。

いずれにせよ、筆者が言いたいのは、このような歴史的背景を無視して、なぜ「××」にはできて、我々にはできないのか、といった議論はできるはずもない、ということである。その最たる例としてあるのが、大陸中国において二月より本格化することになる、社会全体が強い動員体制を敷いて防疫活動を行い、急速にコロナ禍を封じ込めたことへの評価である。

周知の通り、一月中、武漢《ぶかん》市政府内部において感染状況に対して確固とした対策が進められず、また情報の提出も遅かった。だが、一月末から、また春節（日本以外の東アジアの正月）明けの二月初旬から中旬にかけて、急速に中央政府からの働きかけにより、大規模かつ極度の集中力をもった防疫体制が稼働し始め、それ以降の封じ込めが武漢だけでなく他の都市においても概ね成功している——この事例をどう評価するのか。日本でも話題になったのは、武漢において着工から僅か一〇日間で「火神山《かしんざん》医院」、及び「雷神山《らいしんざん》医院」と命名された臨時病院が完成するに至った事績である。

　もちろん、それに先立つところの一月中の中国政府（正確には地方政府）の対応の失敗についても触れないわけにはいかない。武漢市政府内部において生じた防疫体制の遅れ、情報公開が遅れたことについて、大まかに指摘しておこう。[3] 約《つづ》めて言えば、中央政府と地方政府の関係が持つところの、かつてからの問題の大規模な反復である。中国では、平時においては地方の行政や経済活動は地方の権限に委ねられ、一見して高度の独立性を有している。しかしそれとのバランスとして、中央政府は強大な人事権、監督権を地方政府に対して有している。

　そこでよく起こるのは、地方政府は自分たちの「成果」を水増しして報告したり、問題があるのにないかのような誤魔化しをしたりする事例である。これは、かつての大躍進の頃から何度となく生じていたことである。これについて、中国国内においては「官僚主義（無責任体制）」、あるいは「形式主義（主体性の欠如）」の弊害として名指しされているものであるが、今日の我々が使っている概念では、中国的な政治システムにおける「正常性バイアス」と考えてよい。以上のような分析は既に良質な報告があり、詳しくはそちらを参照されたい。[4]

　いずれにせよ、春節の直前ほどから準備され、春節明けから本格的に中央政府が乗り出し、独自の方針を「指示」して以降、感染状況は大幅に改善されるに至る。その活動半ばのひと段落がついた二月二三日には、武漢市と湖北省のトップが解任されるに至るのである。

　このように危機の際に中央が全面的に乗り出し大規模展開するやり方については、実に慎重な理解が必要となる。先ほど述べているが、歴史的背景、蓄積された経験への理解がなければ有効に分析も、また評価もできない。中国特有の言い方で、「集中力量、辦大事（エネルギーを集中して、大きな事業を為す）」という文句があって、中国国内では実にありふれた、中国的なやり方を語る際の自己認識を簡潔に表現したものである。皮肉なことに、欧米の国家主義者や日本の一部のネオリベラル知識人、例えば竹中平蔵のように、中央から「指示」された防疫体制が稼働して以降の在り様に対して、中国の政治経済力の強さが示されたとして称賛する向きもあった。

ここにおいて重要なことは、この中国における二月以降の防疫体制の急速な進展、また封じ込めの「成功」について、単に「一党独裁」という概念だけで済まされない歴史的背景が存在する、ということである。それは端的に、上からの呼びかけに反応しつつ、市民レベルでの下からの自発的な参加が立ち上がってくる事実である。そしてここから、分析してみたいのは、そこで使われる歴史的な言葉遣いで、例えば「人民戦争」である。中央政府が乗り出してきてからの中国において、SNS上においては賛否両論あるものの、中央・地方政府も含め多くのメディアにおいて「人民戦争」という、かつての（なんと日中戦争時の）言葉が頻繁に使われることになった。

中国の防疫活動――「人民戦争」？

中国市民の下からの立ち上がりに関し、その模様をうまく捉えたドキュメンタリー作品として、南京市在住のドキュメンタリー作家、竹内亮氏の作品『感染者为0的城市――南京』（感染者をゼロにしようとする都市——南京）を紹介しておきたい。これは、早い段階でYouTubeにアップされており、六月中旬現在において既に二六七万回のヒットがカウントされている。[5]この作品は、日本に来ている中国人留学生の間でも大きな話題となっていた。これは、三月一〇～一三日の四日間、竹内氏が撮影した南京市内の様子を素材にしたものである。

ここでも目につくのは、スマートフォンに集約されるところの本人のID、カード決済履歴、移動履歴、SNS（個人的発信）などのモメントが融合した行動形式が、防疫活動に参与する企業活動、店舗活動、交通機関の運行、公共施設さらに住宅地への出入りにまで適合されている在り様である。筆者の印象としても、このドキュメンタリー作品は、中国地方都市における防疫活動の一般的性格を紹介するのによくできており、日本のワイドショーでも取り上げられていた。そして、ワイドショーに出ていた自民党の国会議員、佐藤正久から出た「こんなに民度が高いものなんですか」という感想は興味深いものであった。「民度」などという言葉遣いがそもそも、佐藤の「民度？」を物語っているわけだが……。

確かに目を引くのは、経済活動を続けながらの市民の行動の規律正しさであり、また様々なところで垣間見える自主的な防疫の工夫である。マクドナルドの店舗やタクシーでも透明の防護シートが自発的に使われ、エレベーターにはボタンを押す際に利用し、すぐに捨てられるティッシュと小型のごみ箱が用意されていた。それ以外でも興味深いことに、温かい食事を好む中国人がこれまでなかったお弁当の習慣を身に着けている在り様である（もちろん、職場に置かれた電子レンジで温め直すようにしているのだが）。

そういった自主的な市民の行動の在り様とともに振り返ってみたいのは、先ほど述べたように、地方政府と中央政府が連動して動き始めた春節直前から春節明けにかけての動きである。今年の春節は一月二五〜三〇日であり、その後の三一日（金）、二月一日（土）、二月二日（日）が「延長された休日」となっていた。したがって政府機関も企業も、二月三日（月）が日本で言うところの「仕事はじめ」となる。ちなみに、前節で紹介した武漢の「火神山医院」、「雷神山医院」の建設期間は、一月二四日〜二月二日であり、ちょうどまるまる春節の期間であったことになる。つまり、その春節の間、全国ニュースでリアルタイムに大陸中国人はこの建設の模様を見ていたことになる。[6]

ところで、武漢市における対策が本格化したことが表面化するのは、『人民日報』一月二一日付の記事からである。それに先立つWHO（世界保健機関）への報告がなされたのが一二月三〇日であったとすれば、この間の約二十数日間において、先に述べたように対策の決定的な遅れがあり、感染状況が一挙に深刻化、続けて一月二三日から武漢の都市封鎖が始まることになる。しかして、春節期間が終わった二月四日の『人民日報』のトップ記事として、習近平《シーチンピン》が開いた中共中央政治局常務委員会での報告「新型コロナウイルス感染肺炎の蔓延状況を封じ込める工作を強めることの研究（研究加强新型冠状病毒感染的肺炎疫情防控工作）」が大々的に載る。主要な部分を抜き出すと、以下である。

習近平は談話の中で以下のように指摘した。…この度、疫病の蔓延状況が出てきた時から、党中央は、ずっと人民大衆の生命と健康を第一にしてきた。中央政治局常務委員会は二度の会議を経て、このテーマに関する研究を深めており、『党の指導性と疫病に打ち勝つための、強固な政治的保証を提示する通知』というパンフレットを作成している。……（中略）……関係する部署と職場、また軍隊は積極的に地方が疫病の蔓延を防ぐための支援を行っている。また各地区においても、党と行政府が主要となって、同志たちの先頭に立つべき責任を負う指導グループを成立させている。そこで党、行政府、軍、大衆組織、また企業の機関などが緊急の行動を起こすところとなった。全力で闘う多くの医務関係者が、無私の貢献を為し、英雄的な奮闘を重ねている。そしてまた多くの人民大衆が意志を固めて団結奮闘し、疫病の蔓延状況を封じ込める人民戦争と総力戦を開始している。それらはみな全国的また全面的なものとしてあって、人々や職場を動員し、疫病防止活動を展開する局面を作り出した。党中央の統一した指導の下において、また各方面の共同の努力の下において、疫病の防止工作がまさに今、力強く展開している。

今次のコロナ禍に際して、「人民戦争」なる概念がここで公的に用いられ、またこの記事に付随する同日の社説において、その表題にも「疫病蔓延を封じ込める人民戦争を始めよう（打響疫情防控的人民戦争）」とあるように、これ以後様々なメディアで「人民戦争」という文字が大きく踊ることとなった。では、そもそも「人民戦争」とはどういうものなのか？

次に挙げるのは、抗日戦争時に毛沢東が書いた文章「人民戦争」だが、実にこの頃害虫対策などを含む衛生活動が「人民戦争」に含まれている。つまり、単に敵として日本だけが問題なのではなく、民生に関わる領域が中国人にとっての闘いの現場、しかも長期にわたる闘いの現場となっていた——このような中国人の過去の記憶が蘇ったことになる。以下、毛沢東《マオツァトン》の「人民戦争」の一節を見てみたい。

中国解放区では、民主政府の指導のもとに、すべての抗日の人民にたいし、労働者、農民、青年、婦人、文化の各団体、およびその他の職業団体、大衆団体に参加して、軍隊を援助するさまざまな活動を熱心に行うよう呼びかけている。……（中略）……同時に、全解放区の人民はまた、政治、経済、文化、衛生などのさまざまな建設の仕事に熱心に従事している。この面でもっとも重要なことは、長期の抗日戦争を支えるために、全人民を食糧と日用品の生産に動員するとともに、すべての機関、学校でも特殊な事情のあるもののほかは一律に、仕事または学習の余暇に生産自給にたずさわらせ、それによって、人民と軍隊の生産自給に協力させ、偉大な生産の高まりをもりあげることである。中国解放区では、敵による破壊がきわめてひどく、水害、干害、虫害もつねに発生している。しかし、解放区の民主政府は、抗日戦争を長期にわたって堅持できるよう、全人民を指導してさまざまな困難を組織的に克服してきたし、また克服するのであって、イナゴの撲滅、治水、災害救済の偉大な大衆運動で史上に前例のない効果をあげている。

もちろんかつての「人民戦争」においては、「根拠地」「赤色地方政府」など、新たな政治形態の形成というものがセットとなっていたわけであり、今次の場合に、このコロナ禍への市民の反応というものが、中国社会内部での新たな政治的志向や社会形成を孕《はら》むものであるかどうかは、現時点で定かではない。

だが一つだけ確実に言えるのは、ある国や社会が危機的状況となった際に、過去の歴史的経験のインデックスが呼び覚まされ、目下の困難に対処せんとしてしまうということである。日本において、そのようなものが存在するのかどうか……。あるとすれば、戦時中の「隣組」組織のようなものであるのだろうか。だいたい五月前後の、日本のマスメディアでは、「自粛」を求める私的「警察」的な行動に対して、やや批判的な見解などが紹介されていた。紙幅の都合もある、今回このテーマの掘り下げは別の機会のために保留としたい。

結びに代えて——米中新冷戦の現在と今後

最後に触れておきたいのは、初めに大規模なコロナ禍に見舞われた中国と、そして暫くたってから、幾ばくかのタイムラグをおいてコロナ禍状況が極大化した米国との関係の変化である。振り返ってみると、以前から米中新冷戦と言われる状況が存在していたわけであるが、明らかにドナルド・トランプ大統領の対中言論はコロナ禍を経て劇的に変化することとなった。自国の状態が深刻化し、米国が最も多く被害者を出すに至る流れが明確になる三月の段階から「感染源としての中国」を激しく批判し始め、次々に対中強硬策が提示されることになる。

タイムラインで確認すると明らかなのは、むしろ二月の段階までは、米中貿易戦争の流れはやや緩和される希望的観測があった。例えば一月二四日、トランプはTwitterで「中国はコロナウイルスを封じ込めるために懸命に取り組んでいる。米国は彼らの努力と透明性にとても感謝している。すべてうまくいくだろう。特に、米国民を代表し、習国家主席に感謝したい」などと述べていたし、また二月四日の一般教書演説の中でも「国民を脅威から守るため、必要なすべての措置を講じる」と訴えていたが、また同時に習近平主席を含む中国との関係は「恐らくこれまでで最も良い」とも述べていた。

ところが、三月一一日の「ニューヨーク・タイムズ」が「独自集計で米国内の感染者が一一五人となった」と報じると、俄かに政権の態度・表現に変化が出て来る。それ以前の三月五日においてマイク・ポンペオ国務長官が「武漢ウイルス」と呼ぶようにはなっていたのだが、三月一五日に「非常事態宣言」が出されるに至ると、その二日後の三月一七日のトランプのTwitterに「中国ウイルス」という単語が出て来る。この後、既に周知の在り様として、米国政権は、コロナ禍の責任を負うべき対象として中国を強く批難し続けることになる。端的に、米国における被害の政治的責任を中国へと転嫁した行為、ということになる。ここにはもちろん、一一月の大統領選挙というモメントが絡んで来る。皮肉にも、選挙民主主義こそがトランプのこのようなハチャメチャな態度転換の起因となっている。さらに皮肉を加えて言えば、国政選挙のない中国においては、こういったパターンでの政策転換はあり得ないということである。

現在を生きる中国人にとって、まさに闘いの場として今次のコロナ禍があったわけだが、実にそれをも上回る困難を中国社会は抱えている。それは先にも述べたが、トランプ政権の成立以後からジリジリとまた劇的に展開している、米国との間の貿易、国際政治、サプライチェーン、軍事へゲモニー、その他が複雑に絡んだ激しい対立の惹起である。これをもって新冷戦と名付ける向きも、国際ジャーナリズムにおいて既に始まっている。

この「戦争」については、前節で述べた「人民戦争」には当たらないわけだが、今後とも長期にわたる「持久戦」となることは避けられない。振り返ってみれば、かつて毛沢東が「人民戦争」を掲げた時に、また同時に「持久戦」が論じられていた。米中、この大きな二大国の闘いはまさに「持久戦」となるだろう。しかし中国側の視点からすれば、現時点での軍事力の対比は、全く話にならないくらい米国が上である。また、元よりの中国政府の意向として、米国と軍事的な対立を引き起こす事態は（領土問題など主権をめぐる核心的利害を除いて）全く想定されていない。

だが厄介なことに、これまでの冷戦構造の変化のケースと同様に、この米中の激烈な対立がまた、今後の東アジアのこれまでの冷戦状況をさらに別のところに向かって引っ張っていくこと――これは間違いないところである。まさにこの米中対立は、朝鮮半島情勢にも、台湾問題にも、また香港問題にも強い影響を与えずにはおかないものである。特に香港問題に関して言えば、これに強く関わる内的動機が乏しいにもかかわらず、トランプ政権は中国を牽制する口実としてなのか、香港問題にさらに関与して来る可能性もあるだろう。

ただ、ある程度の確率で、トランプの次期大統領選挙の勝算は望めないものとなって来た。

筆者自身は、そうなったとして、しかしそれがそのまま東アジア（ポスト）冷戦状況が脱構築されていく契機になるとは思っていない。すなわち、必要なことは、ここに重ね描きされるコロナ禍の長期的影響をじっくりと見ていくことである。今次のコロナ禍（第二波、第三波も予想される）はもっと深いところで、東アジア人全体の従来の生活体系を変え、またそれと連動する国際体系（ポスト冷戦システム）を変えてしまうはずのものである。現時点で全く意識できていない何らかの兆候が既にあるはずだが、その発見に向けて、またじっくりと観察を続けていきたい。

（二〇二〇年六月一六日）

注

1　実は韓国の場合に、国民全員にＩＤカードを持たせるアイデアは、朴正熙《パクチョンヒ》大統領の時代にもたらされたわけであるが、それは満州国憲兵であった朴の満州国時代において経験したノウハウを生かした事績である——このことが、韓国の歴史学者、韓洪九《ハンホング》氏などによって指摘されている。

2　筆者はそのため、戦後日本に対して「ソフト反共地域」と名付けている。その一方で、例えば大学でマルクス主義を講じること自体が命の危険を伴っていた韓国や台湾を「ハード反共地域」

と名付け、これまで冷戦文化論を論じてきた。

3 時系列を遡って整理すると、原因不明のウイルス感染症が中国政府からWHOに報告されるのが一二月三一日。その後、一月初旬にその感染症が新型のコロナウイルスによるものと判明するところとなる。この間の感染状況について、自らSNSでの発信を行い、一月三日に武漢警察に呼び出されることになったのが、後に自らも感染し亡くなる李文亮《リーウェンリャン》医師である。その後、武漢市において同感染症にて初めての死者が報告されたのが一月一一日のことである。筆者の見立てでは、一月七日の中共中央政治局常務委員会において、この問題は既に議題化されていたはずである。しかし、武漢市当局は独自に自分たちの力だけで封じ込められるだろうとタカを括り、そのように説明していただろう、と推察される。その後深刻化する状況に対して、武漢市当局は適切な処置ができず、雪崩《なだれ》をうったように感染状況を悪化させた。習近平から、つまり中央府からの「指示」が出されるのは一月二〇日のことで、この時点で中央政府は問題の深刻さを受け止め行動し始めたことになる。この問題が大きく取り扱われるのは、まさに翌日二一日の「人民日報」の一面に緊急の対策が報道されるようになってからである。この後の本文でも指摘するが、またこの時点で春節の始まりが、僅か四日後に迫っていた。

4 村上太輝夫（朝日新聞オピニオン編集部、解説面編集長）「中国の新型コロナ、初期対応〝失敗〟の検証」（『ウェブ論座』四月二三日）
https://webronza.asahi.com/politics/articles/2020042000015.html

5 以下、YouTube にアップされているアドレス。https://www.youtube.com/watch?v=YfsdJGj3-jM

尚、竹内亮氏はその後、「封鎖体制」が解除された後の武漢に生きる看護師、店舗経営者、高校教師などにインタビューした長編作品、「好久不見、武漢（お久しぶり、武漢）」を完成させている。アドレスは、以下。https://youtube.com/watch?v=N4ABOJ1y5iM

6 後日談として、この建設にたずさわったのが都市封鎖によって故郷に帰れなくなった農民工（出稼ぎ労働者）たちであり、彼らはまさに春節の間、まるまる働いていたことになる。興味深いのはその後、農民工たちは、もらえるべき報酬が少なすぎるとして、集団的に「上訪」（地方政府を飛び越えて中央政府に訴え出ること）の行動を行っている。この「火神山医院」、「雷神山医院」の建設は、国家の一大緊急プロジェクトとして進行したものであり、農民工たちが「上訪」という挙に出た行動の「正当性」への評価は避けがたく、中央からの反応が待たれるところである。

〔日本社会〕

崩壊する日本の「絶望」と「希望」

宮台真司

宮台真司（ミヤダイ・シンジ）

一九五九年宮城県生まれ。社会学者。映画批評家。東京都立大学教授。公共政策プラットフォーム研究評議員。東京大学大学院人文科学研究科博士課程修了。社会学博士。権力論、国家論、宗教論、性愛論、犯罪論、教育論、外交論、文化論などの分野で言論活動を展開。著書多数。

第1部　どのみち崩壊する日本をコロナ禍が加速させる

昨今のコロナ禍では、各国の危機管理の性能が試され、そのことで各国を支える社会の良し悪しが示された。加えて、コロナ禍への対処次第で国際関係上のヘゲモニーが大きく変わるかもしれない。たとえば、ドイツや中国のようにヘゲモニーが増す国、日本やアメリカのように減じる国など。日本は必ず墜ちるがゆえに、そのことが希望になる事実を示す。

うまく行く国／いかない国とは

一〇〇万人当たりの死者数を比べると、欧米各国が一〇〇～三〇〇人台、東アジア各国が一〇人以下で、オーダーが二桁違う。差異をもたらしているファクターXについては、東アジア恒例の冬風邪の、二割を占める四種の軽いコロナ風邪による免疫化や、昨年一一月から日本に侵入していた軽症型のCOVID－19－S型とK型による免疫化などが語られているのが現状だ。

いずれにせよ、東アジア各国と欧米を含めた諸外国の危機管理の巧拙を同列には比較できない。東アジアで見れば、一〇〇万人当たりの死者数は日本が最大だ。麻生太郎財務大臣の言う「民度」に擬《なぞら》えれば日本の民度が最も低いことになるが、冗談を横に措けば日本政府の危機管理が最も拙《つたな》かった。未だに疫学的全体調査がなされないでいない事実が象徴している。

疫学調査は当然として、一方に中国や韓国や台湾のようにITを上手く使えた国があり、他方にドイツやスウェーデンのように政策的判断ゆえに政府への信頼が上がった国がある。イギリスやアメリカのように、初動は遅れたものの問題収束に向けて短期で全面的に舵を切り替えた国も含まれる。ただし、スウェーデンは行動規制をしなかった結果、死者が増えた。

だが、死者数の大小と政策的巧拙は比例しない。それが社会学的思考伝統だ。欧州の多くの国は、政府の情報開示を国民が信頼し、市民が賢明な行動を採ることを互いに信頼する。出社を控えても店を閉めても子を自宅に留め置いても、損失や費用は政府が平等に負担する普遍主義。会社や店の会計士が申請を代行。各人や会社や店の口座に直ちに振り込まれる。

この迅速な対処を可能にしたＩＤカードへの各人のデータの紐付けも、データ結合を含めた乱用はないとの政府への信頼がベース。罰則付きの外出禁止（ロックダウン）も同じことだ。行動規制を省いたスウェーデンでも集団免疫が必要だとの政府説明を国民が信頼、死者数が他国より多くても医療崩壊しない限りは問題にしない。そこには合理主義がある。

この合理主義を一九世紀末に社会学者デュルケムが提唱した。自殺者数や犯罪者数は、無秩序の指標にならない。僕らの体には常に細菌やウイルスが侵入、時には症状が出るが、恒常性を保つ。同じく、社会も与えられた条件下で一定数の病死や事故死を伴うが、警察や司法あるいは医療の作動が通常的である限り問題ない。これは免疫学の思考によく似る。

通常性は、信頼の恒常性に依存する。マスコミの情報バイアスで集団免疫策ばかり注目されるが、スウェーデン人が死者増をさして問題にしないのは、「政府への信頼」と「市民相互の信頼」が揺るがない政策を政府が執るからだ。背景には、「全市民の全選択について損失を平等に保障する普遍主義」と「目先ではなく長期の得失を評価させる教育」がある。

日本がうまくいかない理由は何か。うまくいった国は二種に分かれる。第一は政治権力が強大な国。第二は政府への信頼と国民相互の信頼がある国。第一のケースは中国だ。ヴァーティカルな「垂直の」生体監視システムを用い、各個体を追尾してフラグを立て、その色で個体を隔離、個体の移動経路に存在した全個体の端末にアラートを送って従わせる。

民主主義国では、プライバシーの侵害ゆえに採用できない。例外は韓国やイスラエル。民主主義の形を取るものの、戦時・準戦時状態が継続、直前の非常時を記憶するので、統治権力の「非常事態ゆえの大権を与えよ」という訴えが通る。ただし、韓国では非常事態は過ぎたとの批判もあって、早い時期にホリゾンタル「水平的」(後述)な生体監視に進んでいる。

第二のケースは欧州だ。GoogleとAppleのアプリ共同開発に象徴される。統治権力のヴァーティカルな生体監視に替えて、市民間のホリゾンタルな情報共有システムを使う。人にフラグを立てるのではなく、匿名の行動履歴を収集、場所や交通経路にフラグを立て、各人に賢明な行動を期待する。統治権力への情報集約をせずに個人の安全を確保する。

前者は「政府への信頼」や「国民相互の信頼」の有無に関係なく作動するから、文脈に依存しない有効性がある。後者の場合、場所にフラグが立った際、人々がそこへ行かないでいられるか、行かないと互いに信頼できるかが問題になる。先にデータ結合による個人の生活全体の把握を含め、政府が情報をこっそり流用しないと信頼できることも条件だ。

日本には「政府への信頼」も「市民相互の信頼」もない。「政府への信頼」がないので個人

IDも憲法緊急事態条項もない。これらを強行しても「政府への信頼」がないので政権が倒れる。他方で自粛警察が象徴するように「市民相互の信頼」もない。死者増で上へ下への大騒ぎ。この種の疑心暗鬼に対処できないので「政府への信頼」がさらに失われる。

七月下旬時点でアメリカの新規感染者は一日三万人。感染後の免疫が弱いか持続期間が短い可能性が出てきた。集団免疫はもとより、各国各企業の開発競争にも拘らずワクチンの効能も万全を期待できなくなった。インフルエンザのように抗ウイルス薬開発が待たれるものの、開発期間に数倍を要し、タミフルのように耐性ウイルスだらけになり得る。

ゆえに今後、第二波三波が来よう。コロナ禍の前年にGDPを七%落とし、PCR整備の一〇倍の予算を付けたアベノマスクに象徴されるポンコツな日本政府では、出口はむろん、他国の如きコロナシフトの通常性の維持すら難しい。当然ながら新東京五輪はなくなり、経済活動の再開も遅れて国力が低下する。欧州標準の無差別的保障もなく、失業者や自殺者が続出する。

今、東京や大阪で感染者が激増中だ。単に検査増によるという行政の理由づけは嘘。重症化率も激増中だ。感染者が所詮は感染判明者に過ぎず、感染判明者外に感染が拡がる事実を示す。インバウンド目当てで中国からの渡日禁止が遅れ、初動策に過ぎないクラスター策を続け、五輪目当てで外出自粛要請も遅れたのに、今この程度なのは、ファクターXによる。

コロナ禍で露呈した伝統の矛盾

先の通り、テック（ハイテクノロジー）利用を巡り旧東側・旧西側の価値観が鬩《せめ》ぎ合う。マルクス・ガブリエルやユヴァル・ノア・ハラリも指摘する通り、中国のようなヴァーティカルな利用法に民主社会のホリゾンタルなそれが勝利するのは難しい。すでに述べた文脈依存性もさりながら、特にアメリカや日本に見られるような民主政の劣化もその理由だ。

民主政は知識社会化のシステムだ。知恵を集める社会である。思い込みを脱するべく、他者の生き方や価値観に目を向け耳を傾ける。そうしたコミュニケーションのプラットフォーム自体が、歴史的な共有財（共通利益を与えるリソース）だ。だが、トランプ当選やブレグジットに見る通り、コロナ禍以前からそうしたプラットフォームが崩れつつある。

制度の故障ではない。感情の劣化のせいだ。民主政は知識社会化の前提となる互いを信頼して他者の生き方に開かれる営みが要る。強く言えば、他者の痛みが分かって気に掛ける能力だ（ジャン・ジャック・ルソーのpitié）。それが風化してきた。それを「感情の劣化」と呼ぶ。市場&行政というシステムへの依存で、共同体が空洞化したのが理由だ。

コロナ禍は、特にアメリカと日本で大きな政治不信を醸したが、以前からの問題の顕在化に過ぎない。コロナ禍で起きるのは「早回し」だ。どのみち起こることが起こっている。日本では、政府の自粛要請が惹起した「自粛警察」が典型だ。アメリカでは、ニューヨーク州知事の強力なロックダウンで、連邦政府が州自治に介入せよとの強い右派の世論が生じた。

これらは国の本質に関わる矛盾の露呈だ。アメリカから言うと、一方に各自治体が国や他自治体の干渉されずに、独自の道を歩める伝統がある。一三のステート（国）から始まった建国史に由来する。他方に別の伝統がある。セルフヘルプ（自助）の志向だ。各人の自己決定を妨げる政治介入を許さないのだ。そこには連邦政府と州政府の区別は存在しない。

だから、ニューヨーク州クオモ知事の決定が個人の自己決定を冒瀆《ぼうとく》すると批判され、伝統を壊す州政府に連邦政府が強制介入しろとの主張も出てくる。州自治は伝統だから、州独自のロックダウンは伝統に沿う。だが、自助も伝統だから個人の自由を制限する政策は伝統に反する。もともとアメリカの伝統群に内在していた齟齬《そご》が非常事態で明らかになったのである。

そこにあるのは、アレとコレが両立しないという共時的矛盾だが、日本にあるのはかつて通用した作法が今は通用しないという通時的矛盾だ。他県ナンバーの車を特定してTwitterで曝《さら》し上げ、親が医療対策に従事する子の登園を拒否し、自粛は「要請」なのに補償が万全ではないので営業せざるをえない店を器物損壊する、といった劣化ぶりがその現れだ。

自県の町まで一〇キロあるが、他県の町なら一キロという村が幾らでもある。コロナに罹《か》かれば自らも医療従事者の世話になる。憲法第二五条が規定する生存権があるから、自粛「要請」下でも営業する権利がある。批判される言われはないどころか合理的だ。なのに脊髄反射的な批判に及ぶ。「言葉の自動機械・法の奴隷・損得マシン」＝クズが、湧いているのだ。

クズは、ヒラメ厨とキョロメ厨が合体した安心厨だ。ヒラメ厨はオカミに思考停止で依存、オカミに逆らう者に「不安を煽るな」と噴き上がる。ヒラメとは上位者に伺いを立てる上目遣いを表す昭和語。背景は江戸時代の善政がもたらした統治への信頼による思考停止だ。同時代の欧米は統治への不信から市民革命を敢行。「統治は間違える」が常識だ。

キョロメ厨は、回りをキョロ見して思考停止で同調圧力に屈する。同調圧力に抗う者を見るや「自分が否定された」と不快になり、自由に振る舞う人に嫉妬する。ヒラメ厨とキョロメ厨は重なる。江戸の五人組から昭和の隣組や町内会を含めて、近隣関係にオカミの意向を代行させ、服さない者をチクらせる制度史が、安心厨の増殖を支える背景である。

安心厨は思考停止のゼロリスク・マニアだが、不確実状況では安心は命取り。自分に大切な事象を見定めて優先順位を付け、置かれた状況を観察、各事象毎の生起確率を主観的に見積もり（事前確率）、事象全体の期待利得総計を許容範囲に収めるべく動的に選択を変える。これが安全に不可欠だ。ベイズ統計的戦略とも言う。安心しないことが安全の肝だ。

変化する環境に対して、動的に認識を変更しつつ行動を変えていく。つまり、不安を抱えつつベターを模索するトライアルが必要なのだ。ところが安心厨は主観的な安心に固執する。それがゼロリスク・マニアの正体だ。様々な事象が起こり得るとの想定を嫌い、不安を避けるべく「見たくないもの」を見ない。まさに損得マシンのクズ。倫理は存在しない。

五輪延期を恐れて実態把握を怠った安倍官邸の劣化が典型だ。公共善（最大限広い範囲の善）の視座からあらゆる事態を想定し、最悪の事態を回避するにはどうするべきかを決めるリスク・マネジメントができないのだ。善政の江戸期には「それでもやれる」平穏な環境があったが、昭和の敗戦で「悲劇を共有」して「それではやれない」と認識した……。

と思いきや、アメリカに「おんぶと抱っこ」で反省せずに済み、軽武装対米依存の経済成長でまた「それでもやれる」環境になった。だが、九〇年代の冷戦終焉とグローバル化で、再び「それではやれない」環境になった。なのにヒラメとキョロメのさもしさを変えられず、先進国で日本だけ一九九七年から実質所得を下げ続けた。既得権益ゆえに構造改革できないのだ。

かくて現実を見ぬまま二〇一一年の原発爆発を迎えた。やっと問題が突きつけられたかと思いきや、いくらでも盛れる株価と失業率にだけ注目する安倍政権になった。コロナ対策はバランス戦略だ。日本は失業率と自殺率が相関し、自殺の多くが経済死だ。すでに失業者が急増中だから危険である。感染死者数と経済死者数の合計が最小になる政策が必要なのだ。

ただし、経済死者数の増加までタイムラグがある。バランスを見極めた自粛要請の散発的運用が必要だ。だが、厚労大臣や自民党議員が「夜の街」に給付金は必要ないとし、七月からの感染判明者増と重症化率上昇を都知事が「夜の街」のせいにした。「夜の街」だけ徹底検査をすれば、そこで感染判明者が増えて当然。何かのせいだと帰属して無策を隠蔽する常套手段だ。

社会の概念を欠き、倫理を欠く

海外ニュースを追うと、政府の政策とは関係なく、一般人が医療従事者を応援したり後方支援する動きが目立つ。日本では逆に差別事案が目立つ。他人や隣人を助けるより、自分の経済的不安を主張したり、「何とかしてくれ」と政府に要求する人ばかりで、自己中心性が突出する。思えば、社会心理学者の山岸俊男が統計分析から、かねて主張していたことだ。

彼は、日本人の集団主義が利己主義の表れだと言う。諸外国に比べて日本人は、所属集団でのポジション取りにこだわる一方、非所属集団をも含めた全集団（全社会成員）の共有財にコミットしない傾向が強い。市民社会の伝統では全集団の共有財を公と言うが、日本に公はない。

日本の滅私奉公は、所属集団に対する自己犠牲によるポジション取りに過ぎない。

つまり、社会の概念がない。社会とは仲間（共同体）を越える公の範囲である。三〇年前に「仲間以外はみな風景」という言葉を僕は使った。仲間以外の不特定者を信頼する作法がない。市民相互の信頼醸成を望む規範もなく、市民相互の信頼を前提にした政策も採れない。さらに、昨今は共同体も空洞化し、人々は不安で右往左往する。ポピュリズムがそれに当て込む。

この「規範なき不安」が安心厨やウヨ豚などのクズを量産する。医療従事者を応援する諸外国の動きは単なる善意ではなく、規範だ。社会が社会であり続けるのに必要な相互信頼を高めるための規範的営みだと理解されている。この規範をシビックヴァーチュー（公民的徳）と呼ぶ。誰もが共通に利益を得る共有財への貢献規範（公民的徳）が日本にはない。

理由は、すでに紹介したオカミ頼みの歴史だ。「統治権力の悪政に抗って我々が協力して市民社会を作った」との伝承がない。なので「自分たちでメンテナンスしないと社会が崩れる」との発想もない。だから、「社会に貢献する＝税金を払う」との発想も、「税金を払って社会を操縦する」との発想もなく、「税金を払うのは罰がイヤだから」に過ぎない。

公民的徳がないので「皆に貢献する」という公民的徳を持つ政治家もいない。かつては、いた。共同体があり、かつ共同体の同心円的拡張で「日本人は仲間」と思えたからだ。いずれにせよ公民的徳を欠く日本人は、「自分と仲間内さえ良ければ」と思考停止の安心厨に堕《だ》する。政治家も同じで、「見たい所だけを見る」安倍ケツ舐め勢力の醜悪さが露呈する。

今は、神経症の安心厨とは違って、安倍じゃ安全にならないという「事実」にコロナ禍で気付いた人々が安倍から離反しつつある。良いことだ。気付いた人々は、国を信頼できないから国に従えず、まして国に強権を与えられない。なのに「コロナ禍が鎮められないのは強権がないからだ」と火事場泥棒さながら、改憲を主張する与党政治家がウヨウヨ湧く。

多くの近代国家は、憲法に緊急事態条項を持つ。日本にはない。日本人が政府に強権を与えない理由は簡単。先の敗戦以来「非常事態における賢明な統治」があり得ないと弁《わきま》えるからだ。個人ＩＤも同じ。だが、賢明な統治の不在は「引き受けて考える」ことをせず「任せてブー垂れる」だけの国民のせいだ。国民が規範的にチェックしない統治は必ずそうなる。

コロナ禍のおかげで、「非常事態における賢明な統治」が日本にあり得ない事実を、しばらく忘れていた日本人が思い出した。だが、思い出して政治不信に陥るのに留まらず、市民相互の信頼をベースに統治権力を操縦、統治の信頼を構築する以外にない。信頼せよとの命令では信頼は生じない。信頼は醸成されるもの。外交のＣＢＭ（信頼醸成装置）が典型だ。

パフォーマンスが凄かった↓だから少し信頼した↓そうしたらもっと凄かった↓だからもっと信頼した。市民への信頼も政府への信頼も外国への信頼も、そうして醸成される他ない。時間をかけて信頼が醸成されれば、自粛警察のクズは一掃され、非常時に信頼できないクズは政治家になれなくなる。政府からの情報だけで、互いに賢明に振る舞えるようになる。

絶望こそが希望だ、という逆説

「市民相互の信頼をベースに統治権力を操縦、統治の信頼を構築する以外にない」と述べた。

虚空の叫びに過ぎない「べき論」を超えてこれを現実化する道はあるか。ある。加速主義(ニック・ランド)の発想では、「市場&行政」のシステムへの過剰依存=汎システム化pan-systemizationがカオスに陥る事態が、契機になり得る。そう。コロナ禍だ。

カオスの到来で、従来のやり方ではダメだと気付くからである。前述のようにコロナ禍で気付いた者が増えたとはいえ、三割が安倍を支持する。民主政では民衆にクズが多ければ政治が出鱈目《でたらめ》になる(現になっている)。クズが自滅する状況が必要なのだ。コロナ禍が状況を作り出しつつある。だが、アメリカのコロナパーティのような意図的な感染拡大は論外だ。

ハルマゲドン待望に留まらず、現にハルマゲドンを現出させようとサリンをばらまいたオウム真理教を思えばいい。イデオロギー的なカオス煽動は、多かれ少なかれ思い込みだ。思い込みでの行動はただの自己満足で、公共的ではない。公共とは、辞書的には「仲間以外にも通用すること」。公共的な振る舞いには、多くの人を納得させられるもっともらしさが必要だ。

ただし、一部の加速主義者を含めてイデオロギー的クズ=言葉の自動機械が、量産される状況は、安心厨的クズの量産状況と同じく、「これじゃ国がもたない」との気付きを与える。それを踏まえれば加速主義的発想は、条件付きでのみイエスだ。条件とは、絶望でヘコむ代わりに、仲間と助け合って「絶望から出発しよう」(拙著タイトル!)と前向きになれることである。

オカミに依存する自治体が多い中、出鱈目なオカミに代わり自分たちで実態を掴み、出口戦略を探る動きが出てきた。和歌山県の仁坂吉伸知事は、クラスター策に意味がある段階は終ったとして独自基準でPCR検査を可能な限り拡げ、大阪府知事も独自の数値基準を掲げて出口戦略を示した（数値は出鱈目だったが）。その意味でコロナ禍は自治の出発点たり得る。

山岸敏男的な理由で国が墜ちるとはいえ、「安倍と共に去りぬ」は御免だ。「国がダメなら自治体が自立する。さもないと自治体が墜ちる」「自治体がダメなら仲間集団が自立する。さもないと仲間集団が墜ちる」「仲間集団がダメなら個人が自立する。さもないと個人が墜ちる」という定理群を自覚せざるを得なくなれば、自立した自治体・集団・個人ができる。

ダメの連鎖の最終段階では個人の自立しかなくても、自立した個人が自立した仲間集団を作り、自立した仲間集団が自立した自治体を作る……と、経路を逆に辿ればいい。実際、それ以外の経路は論理的にあり得ない。自立した個人であれ、一人の知恵と能力には限りがある。一つの仲間集団の知恵と能力にも限りがある。だから、こうした経路が必要になるのだ。

その意味で「絶望こそが希望」だ。国への絶望が自治体の希望だ。自治体への絶望が仲間集団の希望だ。仲間集団への絶望か個人の希望だ。だから、一概に日本は絶望的だとか希望的だとか言っても無意味だ。統治への絶望ゆえに、個人の希望が仲間集団の希望を生み、仲間集団の希望が自治体の希望を生み、自治体の希望が……という連鎖の上昇が大切になる。

森林伐採と北極圏融解でパンデミックは高頻度になる。南海トラフ大地震も確実に来る。地球温暖化で豪雨災害も激烈化する。今後は非常事態が常態になる。国も自治体も仲間集団も個人も想定していなかった状況だ。したがって「国に任せてＯＫ」も「自治体に任せてＯＫ」も「仲間集団に任せてＯＫ」もあり得ない。自立した単位の連帯だけが大切になる。

だから、絶望こそが希望だ。「任せられない」という絶望が生む希望だ。依存への絶望が生む自立だ。僕は十数年それを訴えてきた（『絶望から出発しよう』の刊行は二〇〇三年）。だが、平時に安心し切ったヘタレが多く、耳を貸してくれなかった。コロナ禍で耳に届くようになった。この文章もそう。ただ、仲間や家族の危険を思えば「泣き笑い」の状態だと言える。

ただし、根拠がない絶望も蔓延する。巷間《こうかん》の絶望の一つは、インターネットの力の矮小さを巡るものだ。小池百合子東京都知事の再当選を巡る広汎な落胆が一例だ。だが、様々な番組で述べた通り、テレビの影響力に比してネットのそれは極端に小さい。Twitter 界隈がアンチ小池で盛り上がっていた事実を希望だと受け取った人々の、過剰な楽天性にこそ問題があろう。

巷間の絶望の二つ目は、若い世代ほど安倍政権を支持すること。だが、認知的整合化の心理学的機制を思えば当然の傾向だ。ストックが細くて立場が弱い若い世代ほど、後述する理由で現状維持志向が増える。不安ゆえの現状維持志向は「見たいものしか見ない」。ネットを見れば、最低賃金にせよ一人当たりＧＤＰにせよ、日本経済が終っているのは一目瞭然だ。

安倍政権下で非正規化が進んで固定費が浮いたおかげで、非正規の雇用状況が若干良くなって最低賃金も上がった。それを材料に「現状維持されている」「少しは現状改善されている」と思う。正確にはそう思いたい。だから最低賃金や一人当たりＧＤＰや次世代特許数（５Ｇなど）の国際比較データを、五分のネットアクセスで見られるのに見ようとしない。

これは戦間期に既知化した現象だ。グラムシ、ルカーチ、ルクセンブルクなどの欧州マルクス主義者がそれを概念化した。理論的な共通部分は、こうだ。現行の社会秩序が富裕階級をもっぱら利する「特殊利害」貢献的なものだと誰もが知っていても、自分は曲がりなりにも暮らせている。他方、革命の結果は未規定だ。会社や事業が倒産して路頭に迷うかもしれない。「特殊利害」貢献的な秩序にも、人々は末端まで「共同利害」を持つ。ローザ・ルクセンブルクのスパルタクス・ブント（団）を範とする共産主義者同盟（ブント）のメンバーだった廣松渉は、これを「特殊利害と共同利害の矛盾」と称した。これが強い説明力を持つ。若い世代の政権支持率が高いのは、年長世代よりも将来不安が大きく、共同利害に固着するからだ。

かかる傾向ゆえに、ルカーチは「オルグ」を、グラムシは「大衆表現による意識改革」を、ルクセンブルクは「資本主義の加速の末の都市革命」を処方箋とした。オルグや大衆表現はそれにコミットする主体を要するので難しいが、現に生きられなくなれば「共同利害」への固着が止むとするルクセンブルク（加速主義の源）は、事実性にのみ注目している。

その視座に立てば、今は「絶望が足りない」。それを理解すべく香港の話題に飛ぶ。強権下で輝いた挙句に潰された運動と、日本の若者の生ぬるい沈滞を比べて、どちらに希望があるか。一〇年前に中国に出かけて高名な学者らと交流した際、クリスチャンである僕がもっとも印象付けられたのは、活動が禁止されている中国でのクリスチャンの在り方だった。

中国では、集まってのミサはできない。信者の自宅での聖書の読書会という形で、互いの信仰を確かめ合う。話の内容は日本の教会の信者のそれより遙かに高度で、何より真剣だ。一般に政治的情念・宗教的情念・性愛的情念は、抑圧で燃え上がる。自由でありつつも、さして問題がないというフラットな時空で、僕らは自分の方向を測る羅針盤を見失っている。

日本では学園闘争が終わると、誰もがリクルートカットにスーツで会社を訪問、就職・結婚して家族(ニューファミリー)を営み、団塊ジュニアを次々に出産した。要はシステム(市場&行政)に適応したのだ。運動に敗北した香港の若者らは、そうなるだろうか。中国のクリスチャンと同様、社会変革に到れなくても密かな述べ伝えを続けるのではないか。

悲劇の共有の欠落で倫理を欠く

それを予想する手掛りが「悲劇の共有」だ。モリカケ問題・桜を観る会問題・検察官定年延長問題など、安倍の犯罪者ぶりやそれを擁護する官邸官僚の無様さは瞭然だ。加えて軽減税率や賭け麻雀が象徴する権力と新聞の癒着や、それゆえの内閣記者会における会見の出来レースなど、新聞より一部週刊誌の方が遙かに信頼できる実態がある。これは制度の問題か。

否、倫理の問題である。制度を作るのも人だからだ。昨今の日本では倫理を持つ人間が育たないようになっている。ならば制度の問題よりも文化の問題だと言えよう。学校教育の問題だと言う訳にはいかない。学校教育も制度の問題で、制度を作るのは人だからだ。では、倫理とは何か。「これは絶対に許せない」という感覚の共同主観性(公共性)である。

世界には法がいろいろあると見えて、殺すな・盗むな・火をつけるな・犯すな(四つの凶悪犯罪)は共通する。そこから自然法思想(法は人が作ったものではないとの思想で、対極が実定法思想)も出てきた。これらについては、強い否定性の感覚を自分だけでなく、多くの他者が持つと期待できる。他方、何が善いことかという肯定性は、人や社会ごとに分解しやすい。

倫理、つまり「絶対に許せない」という感覚の共同主観性を、左右する歴史的前提が「悲劇の共有」（ニーチェ）だ。進化生物学的に見れば、数多の悲劇をもたらす四つの凶悪犯罪についても、「絶対に許せない」という感覚の共同主観性を持たない社会は滅びたのだろう。つまり、滅びに瀕する程の「悲劇の共有」が社会に倫理をもたらすのだと推察できる。

そこから思考すると、権力とマスコミの癒着に関わる倫理の欠落も「悲劇の共有」の欠落に由来する。たとえば、日本は先の敗戦を悲劇として共有していない。理由は、冷戦体制を背景に戦勝国アメリカに甘やかされたからだ。それゆえ、吉田茂・白州次郎の戦略的な（＝条件付き）対米追従図式（基地提供と安全保障のバーター）が無条件のものに変じた。

条件とは、「戦後復興が終り」かつ「冷戦体制か終れば」対米追従をやめること。後者の条件は、冷戦が終れば「アメリカが西側を守る」という公共性が消える事実に関わる。だが、冷戦体制が終った九〇年代半ば、日本は外交軍事実務者会議を通じて「アメリカが戦争をしたらついていく」となった。仕上げが九九年の通常国会における周辺事態法・盗聴法・国旗国歌法・憲法調査会設置法の成立だった。まさに「悲劇の共有」の欠落ゆえの自堕落だ。

敗戦直後に「悲劇の共有」があって、九条に繋がったと言う人もいる。だが、「保守」の対米追従には「アメリカに守って貰うべく、何でも言うことをきく」反倫理性があり、「革新」の護憲平和には「沖縄を差し出して、護憲平和を支える核の傘を続けさせる」反倫理性がある。そこには「悲劇の忘却」（ベトナム戦争）や「悲劇からの締め出し」（沖縄）があった。

それを「私たちが悪かった」VS「私たちはダメだった」の対比で考えてもいい。ドイツでは「私たちは悪かった」ではなく「私たちはダメだった」として、「ダメさ」を克服して悲劇の再来を回避しようとした。日本の場合、謝罪文化の特徴で、「私たちは悪かった」と謝罪しても何が悪かったのかハッキリさせず、問題の根源を全く変えられないで来た。

要は、何となく良しとする御都合主義だ。それが日本人から倫理を奪う。新聞の世論調査で日本人の七割が「自分を中流だと思っている」との結果が出た。失業率は非正規で盛られ、株価は日銀と保険機構の買い入れで盛られる。盛れない経済指標は、最低賃金が欧米の三分の二から半分、個人別GDPは昨年イタリアと韓国に抜かれた、という惨状である。

なのに中流意識が続く。それと同じ問題がMMT（現代貨幣理論）が成り立つか否かを議論する脳天気さにも見られる。年金財政に似て、財政破綻しなくても急に貧乏になりつつあるのが問題なのだ。日本は、GDPの八割が内需でも資源とエネルギーは輸入に依存する。貧乏になれば、貧乏な中で身銭を切らされて、ますます貧乏になるという悪循環に陥る。

今でさえ義務教育費は、先進国中最低の予算比率。「中流」日本人は家計の三分の一から四分の一が教育費。それを除けば可処分所得が低いから「中流」はお笑い草だ。欧州のほとんどでは、大学まで含めて教育は無料かそれに近く、北欧では医療も無料。税金は高いが「中流」が貧乏に喘《あえ》がない。欧州のように、物価も賃金も税金も高いのが良い経済ということだ。

どんな意味でも日本は終っているのに「中流」なのはなぜか。先の御都合主義が「見たいところだけを見る」キョロメ厨を量産するからだ。自分の周りを見て「自分は皆と同じだから大丈夫」と思う輩たちが空気感を醸成する。かくして茹でガエル。ならば、周囲をキョロメする余裕もないほど急な経済落下が必要だ。だから、僕は長らく安倍を支持してきた。

倫理の欠如をもたらす「悲劇の共有」の不在は、前述の如く善政の江戸期に淵源《えんげん》するとの説が有力だが、古い歴史に遡る立場もあり得る。日本列島では農耕以前から定住していた。縄文期の途中から農耕が入るが、それ以前の狩猟段階から定住していたのだ。国土の九割が山地で、各地に点在する小さな沖積平野に人が住み、動き回れなかったからだ。

沖積平野の間に距離があって、狩場を争う必要もなかったのもあり、縄文期には全殺戮が（春秋戦国時代の弥生人渡来から一五〇年間を除けば）なかった。それで倫理が要らなかったのかもしれない。倫理とは、それをしないと滅びるという事実に由来する「許せないことは許せない」という貫徹の構えだからだ。日本には貫徹がない代わりに、キョロメの学習がもっぱらだ。

現実化する日本の崩落を言祝《ことほ》ぐ

オリンピックレガシーという都市伝説がある。五輪後に景気が良くなるとの内容だ。むろん真っ赤な嘘である。過去四〇年間、五輪後に景気上昇した国はない。リオ五輪後にはブラジルの通貨と債権が暴落して民主主義すら危うくなり、ロンドン五輪後は景気後退からブレグジットを招いて悪循環に陥った。一九六四年東京五輪の翌年の日本も不況に陥った。

メカニズムは単純。五輪客を当て込んでホテルや交通機関やその他サービス産業に投資するが、五輪後に客が入らないからだ。ごく初期に僕が反対の声を上げた新国立競技場も、年間一〇〇億円の維持費をまかなう集客は、コロナ禍以前から到底不可能だと見込まれる。同種の事案がどの国でも起こる。コロナ禍以前から年七%のマイナス成長の日本では、なおさら起こる。

とすると、コロナ禍で五輪中止が現実化しつつある状況は、五輪後の沈下に備える「免疫化」のチャンスだ。コロナ後に「元に戻る」か「ニューノーマル」になるかが議論されるが、V字回復を含め「元に戻る」はあり得ない。多くの供給が需要を失うからだ。たとえば出張や遠距離通勤は稀になる。リモートが可能だから会社は滞在費や交通費を払わない。

ましてや格安航空券で往復一〇万円を超え且つ往復二八時間かかるニューヨーク海外出張などあり得ない。書類はPDFでネット送信で、物品送付はFedExで終了。CO2排出減に大貢献しよう。東京〜大阪間を四〇分で出張する必要もなくなる。リニア新幹線をやめるのも今がチャンスだ。むろん、五輪を当て込んだ様々なサービス産業も今こそ手の引き時である。

教育への影響も甚大だ。大学ランク世界四位だった東大が二二位に後退したことが話題だが、このランクは定員稀少性に依存する。定員稀少性はハコのキャパに依存する。リモート講義が主体になれば、ハコのキャパは意味を失う。現定員より遥かに多くの人に卒業資格を与えられる。留学費用も要らなくなるから、優秀な学生は自国のショボイ大学を見捨てる。

ユヴァル・ノア・ハラリのブームを支えたビッグヒストリー（BH）ブームの仕掛人はビル・ゲイツ。ハーバード中退をリグレットする彼は、引退後に英語で聴けるネットのリモート講義を聴きまくり、BH提唱者デビッド・クリスチャンの講義を聴いた十分後に電話して、「一〇億円を出す」とオファーしたのは有名だが、それが万人の経験になるのである。

一九八五年に放送大学が始まって、直ちに聴講生になった僕は、大学ひいては小中高を含めて教員の大半が程なく要らなくなると思った。有能な名物教員が一人いれば、教員一〇〇〇人分のパフォーマンスができる……と思ったら、東進ハイスクールが衛星授業とDVD授業で現実化させた。数々の参考書がベストセラーになる東進の名物講師が、続々誕生するようになった。

それをヒントに、九〇年代にNHK「クローズアップ現代」に二回出演し、義務教育でも国語なら国語で好きな先生の所で授業を聴ける「クラス制度廃止」を提唱したが、なかなか普及しなかった。その提案が、二五年ぶりにコロナ禍のおかげで急速に現実化されていく。極端な話、日本全国で国語の教員が一〇人も要らないというSF的状況も構想可能である。

そんな状況に応接して、ベーシック・インカム（BI）も一挙に現実化に向かおう。BIはもともと、行政官僚制の非効率の回避すべくミルトン・フリードマンが言い出した。今ポイントになるのは、行政非効率よりも、AI化&IT化で多くの人が失業して再就職できないこと。そんな人たちに「それなりの生活」ができるようにするのがBIの今日的意味だ。

そのことがこの一〇年言われてきて、フィンランドなどはすでに実証実験段階に入ったが、コロナ禍で広汎な現実化が見えてきた。どうせ来るものは早く来た方がいい。先の戦間期欧州マルクス主義者の視座から言えば、変化が緩慢だと、適応して茹でガエルになりがちだ。ちゃんと問題に気付けるという意味で、適応限界すれすれの速度で変化するのが良い。

先の航空機の話を引き継ぐ。二〇一六年のパリ協定から最大のCO2排出国のアメリカが離脱して各国が困っていた。CO2を年間七%減らさないと気温上昇を二度以内に留められないからだ。それがコロナ禍のロックダウンで従来の同期間から八%減になり、やればできるという話になった。あり得ないと思われていた話が、一挙にあり得る話に変じたのである。

CO_2を出さない経済システムの作動の現実化による玉突きで、ＥＳＧ（環境・社会・企業統治）投資も現実的な力を持つだろう。Appleなど先端企業の一部が、ＥＳＧが不十分な企業とのサプライチェーンを切るとすでに宣言している。原発爆発を引き起こしながら、どこよりも電力構造改革に失敗した日本。多くの日本企業がサプライチェーンから外されよう。

そうでなくても、日本企業は生産性の低さでサプライチェーンから外される。生産性の低さの原因を見れば、日本の未来を予測できる。日本の複数の企業がZoom社に、画面表示をログイン順から役職順への仕様変更をするように求めたことが話題だ。経営幹部の名ばかりぶりを象徴する国辱だ。とはいえ、日本の経営幹部の無能ぶりはすでに世界的に有名な話だ。

アメリカのＰＲ会社エデルマンによると、企業経営幹部へのリスペクト度は先進二十数カ国で日本が最低だ。有能だから出世するよりも、上のケツを舐めるから出世することを従業員が弁《わきま》えていることを示す。次官レースから墜ちた今井尚哉が安倍のケツを舐め続けることで、官邸官僚として権勢を揮《ふる》うのも同じ。日本中どこを切っても金太郎飴の「安倍の顔」。

アメリカの三分の二という日本の生産性の低さは、産業構造改革ができないことによる。産業構造改革できないのは、既得権益にしがみ付くから。所属集団でのポジション取りにもっぱら関心を寄せる日本人にとって、所属集団が失われるのが怖い（山岸俊男）。年功序列の如き構造を前提に将来設計せざるを得ない仕組みも、所属集団へのへばり付きを後押しする。

まず、銀行は企業であれ人であれ、事業計画や将来設計に信用を付けて金を貸さない。担保主義を含めて、既存システムのどのポジションにいるかしか評価されない。だから、既得権益が消えると社会に金が回らなくなる。次に昨今話題の「電通中抜き問題」も日本の仕組みの全体に関係する。実は、マスコミこそ巨大な「中抜き産業」である事実をご存知か。

たとえばＮＨＫも民放も子会社を作って大量に天下りさせ、そこに番組を発注したり若いディレクターを出させる。番組制作費やディレクターへの支払いに回るよりも遥かに大きな額が子会社に支払われる。フリーのディレクターを直接雇用すれば三分の一の支払いで済むのにそれをするのは、子会社へ天下《あまくだ》った先輩たちのためだ。自分もやがて天下るのだ

つまり、日本全国どこを切っても金太郎飴の「電通の顔」。加えて中小企業数が多すぎるのも生産性を下げる。スイス時計業組合が投資家によってSwatchブランドに統合されたような構造改革が必要だ。だが、金融機関を含めた融資元・投資元がそうした主導をしようとせず、既存システムでのポジションだけを参照して融資・投資する。これではどうにもならない。

かかる状況が変わらない限り、日本の経済プレイヤーが経済環境を参照して学習的に行動を変化させることはない。だから、テックによる経済環境への適応を巡る競争からも墜ちる。ＩｏＴを支える5Ｇの基幹特許数が中国の七分の一、アメリカの五分の一、人口が半分の韓国の三分の一なのも、それが理由だ。サプライチェーンから外される過程が分かる。

であれば、コロナ禍で、どのみち明らかになる日本のダメさが一挙に内外の衆目に晒されるのは素晴らしい。絶望から出発できる。今回のコロナ禍を奇貨として日本社会の劣等な仕組みを変え、産業構造改革を驀進させる他ない。だが、周りも一緒に墜ちることで安心するキョロメ厨が障害となって不可能かもしれない。ならば、それが「悲劇の共有」になる。

第2部 「脱人間主義の人間性」の実装に向けた準備へ

こうした日本社会の劣等性は、時代普遍的というより時代特殊的だ。だから、どんな特殊な条件が日本社会の劣等性を準備し支えてきたのかを考察すべきである。ここでは趣向を変えてJホラーを手掛かりにする。ホラー映画は古今東西を問わず多かれ少なかれ、社会批評としての機能を持つからだ。その機能は、人々の恐怖が時代特殊的であることに依存する。

九〇年代に「場所の呪い」が出現

七月からNetflixのドラマ『呪怨：呪いの家』が配信中だ。三宅唱監督のこの作品は、冒頭にナレーションが入る。「『呪怨』は実際に起きた出来事を参考に作られた。それらの出来事はある一軒の家に端を発していることが分かった。だが、実際に起きた出来事は映画よりも遙かに恐ろしいものだった」。ここでの『呪怨』は二〇〇三年のオリジナル作品を指す。

つまり、ドラマがオリジナルの映画『呪怨』と当時の社会的現実との関係を考察するものだと宣言されている。実際、『呪いの家』には一九八九年から九九年にかけて社会を恐怖に陥れた事件のほとんど全てが言及される。他方、僕は各所で日本社会の顕在的劣化が九六年から始まり、それが八〇年代の新住民的ジェントリフィケーション(環境浄化)に由来すると述べてきた。だから、『呪いの家』に繋がる六三年からのJホラーの歴史を一覧すれば、ホラー映画の批評機能(前述)を通じて日本社会の劣化の歴史を辿れる。ここでは後述の理由から、六三年から九六年までを「Jホラー Ver1」、九七年から今までを「Ver2」として論じるが、それぞれが同時代の日本社会の劣化状況のフェイズに対応する。以上を枕として本題に入ろう。

「Ver1」と「Ver2」を画するのが黒沢清監督『CURE』(一九九七年)。「社会=言葉・法・損得」への「閉ざされ」の中で腐りゆく夫婦関係と、彼らを「社会の外」に誘《いざ》なうstranger=ヤバイ奴という組合せが示される。誘なわれて「社会の外」に連れ出されてみたら究極の享楽=解放に到れ、そこから振り返るとマトモな家族が「閉ざされた廃墟」として現れる。

『CURE』の画期性は、「新しい腐敗」を描く点にある。「その土地で忘れられた者が、相手が旅人(能)(日本の伝統ホラー)であれ新住民(少女漫画)(Jホラー Ver1)であれ、思いを伝えにやってくる」という形式とは違う。土地のゆかりなき者として、旅人ならぬ新住民を持ち出す「Ver1」は、「経済成長に伴う地域空洞化」に関係している(後で詳述)。

『CURE』の場合、呪う主体は、土地の人や動物ではなく、土地の時空そのものだ。外からやって来た謎の医大生が言う。本当のアンタは、家族も社会もメチャメチャになればいいと思ってる、だったらメチャメチャにしちゃえよ、それでアンタは解放されると。そこには「忘れられた者」はいない。まさにJホラーの新世紀を告げるに相応しい作品だ。

同時期に鈴木光司原作『リング』と続編『らせん』が同時公開されるが(一九九八年)、これらはテック（テレビやビデオ）が道具立てなのにもかかわらず、話は古い。少し後の清水崇監督『呪怨』（二〇〇三年）――『呪いの家』（二〇二〇年）の言及先――は、黒沢清コードの影響が明らかでありつつも、「その土地で忘れられた人」が出てくる点では新旧が混ざっている。

配信中の『呪いの家』は、文字通り「家の呪い」を描くが、忘れられた者の地縛霊の如きものではないことが明示される。地縛霊は鎮められる。もともとは人畜無害な人や動物だからだ。でも「場所の呪い」は鎮められない。コミュニケーション可能な人や動物ではない＝「社会の外」だからだ。それがシリーズ1の最終回で示される。これは重大なポイントだ。

八八年から始まる物語は、八九年の連続少女誘拐殺害事件と足立区綾瀬女子高生コンクリート詰め殺人事件、九五年の阪神淡路大震災とオウム事件、九七年の酒鬼薔薇聖斗事件、九九年の東電OL事件などを劇中のテレビ画面を通じて示す。オリジナル『呪怨』までの実話という設定だからだが、物語と実在事件とのシンクロが繰り返し示され、見事に成功している。

僕は本やテレビ（『朝まで生テレビ』等）でこれら事件の全てにコメントしてきた。繰り返してきたのは、「ヤッたのがたまたまアンタじゃなかっただけで、アンタがやっていても不思議はなかった」ということ。犯罪被害者は誰でも良かったという通り魔殺人とは違い、犯罪者が誰でも良かったという問題だ。社会が犯罪者をロシアン・ルーレットで選ぶのだ。

「忘れるな」から「思い出すな」へ

当時のコメントが、呪う人や動物をモチーフする「Jホラー Ver1」と場所や時空をモチーフとする「Ｖｅｒ２」の違いに重なる。Ｖｅｒ１は、「場所で忘れられた人や動物」に焦点を当て、「忘れるな」と呼び掛ける。『ＣＵＲＥ』以降のＶｅｒ２は、よせばいいのに「ここは一体どこだ?」と知ろうとし、知ること所から怖いことに巻き込まれ、狂うことで救われる。

記憶の機能が逆転するのだ。共同体ベースの便益授受の場たる「生活世界」と市場&行政からなるシステムベースの便益授受の場たる「システム世界」を区別しよう。Ｖｅｒ１は生活世界を忘れない方が＝システム世界への適応を程々にした方が、幸せなのにと示唆し、Ｖｅｒ２は逆に、生活世界を忘れた方が＝システム世界に適応しきった方が、幸せなのにと示唆する。

生活世界を「場所の場所性」と言い換えれば、映画に即して理解しやすい。ちなみに人から場所へというモチーフの移動は、日本映画に限らない。デビッド・ロウリー監督『ア・ゴースト・ストーリー』（二〇一七年）も、人の入れ替わりにもかかわらず存在し続ける場所の力を主題化し、場所からの訴えを受信した男の「混乱を通じた救済」＝イニシエーションを描く。

さて、『ＣＵＲＥ』では抽象的な性質のみ描かれた「場所」に具体性を与えて、観客に自分事化させる作品が黒沢清監督『クリーピー：偽りの隣人』（二〇一六年）だ。映画史上初めて描いたのが「家屋の配置がヤバい」「間取りがヤバい」のモチーフだ。犯罪が起こる「場所」に共通の性質があるとする。忘れられた人や動物に由来する地縛霊であれば凡庸だった。

『クリーピー』『呪いの家』に共通して、鍵になる家屋は化物屋敷のような古いものではない。そこがポイントだ。八〇年代後半はテレクラナンパ、九〇年代前半は売春フィールドワークで全国を回った時の話。八〇年代末に日米構造協議で、日本はアメリカ産木材一〇〇%の2×4

（Two-by-four）住宅の解禁を飲まされ、以降新しい様式の住宅街が開発されていった。

当時の地方郊外の国道を走るだけで、旧来の和風軸組建築の瓦屋根集落と、新種の2×4集落の、佇まいの違いに打ちのめされた。前者には生け垣・庭・縁側・路地・井戸端があるが、後者にはない。同じ集落とはいえ動線が全く異なり、ゆえに住民らがトゥギャザであり得る蓋然性も全く違う。そこで感じた違和感と同じものを、二つの映画が描いている。

構造協議では大店法緩和も飲まされ、地元商店街風化の要因になった。それに先立って「新住民化」による環境浄化で公園遊具撤去が進んだ。新住民とは、地元の何たるかを知らぬ住民のこと。転入者や「一つ屋根の下のアカの他人化」で疑似単身者化した旧住民子弟からなる。六〇年代の団地化から在るが、「新住民化」という場合は新住民が多数派になることを言う。

『呪いの家』に出てくる女子高生コンクリート詰め殺害事件は、共産党員夫婦が一階に住む家の二階で四〇日間も女子高生を暴行し続けた少年らが、彼女を殺してドラム缶に詰めた事件。同じ八九年に東京都五日市町（今のあきる野市）の連続幼女誘拐殺害では、家族が同じ敷地に住む離れのプレハブで、誘拐殺害した幼女たちを犯人が切り刻んでいた事件だ。

共に「一つ屋根の下のアカの他人化＝疑似単身者化」を示す。少し前の八四年には、国道脇に林立するロードサイドショップでNIES諸国（台湾・韓国）製のテレビが一万五〇〇〇円で売られて「テレビの個室化」が進み、八五年の電電公社民営化（NTT化）で電話が買切制になって多機能電話が売られて「電話の個室化」が進んで、「アカの他人家族」が量産された。

九〇年代に入る前の段階で進んでいた「新住民化」の様相が分かるだろう。繋がりのない人間たちが集住するようになったのだ。一見、平穏な住宅街でも昔の近隣関係も家族関係もない。だから、共通感覚も共通前提もない。それで「危険」な公園遊具撤去運動が起こった。かくてブランコの立ち跳び・座り跳びも、花火の水平撃ちも、焚き火も軒並みダメになる。

それ以前から各自治体の火災予防条例で焚き火は禁止だったが、誰でも焚き火をしたし、消防に通報されることもなかった。同じ流れで八〇年代には組事務所排斥運動が起こり、九二年の暴力団対策法施行に繋がった。ビジネスヤクザ化した組がどんどん共同体外に押し出された。かくて、共同体のセーフティネットとしての機能を失う。それには二側面があった。

第一に、当時はストーカー法ができる以前で、警察はストーカー事案に取り合わず、組に相談する他なかった。関西では警察に相談すると「警察じゃ無理だね」という物言いで、暗にソレを示唆されもした。ことほどさように表共同体と貼り合わさった裏共同体が組だった。たとえば前科者だったりで表共同体に居られない者が、三下(電話番や運転手)として抱えられた。

第二に、ケツ持ち役がいなくなって、地元の非行少年に紐が付かなくなる。その悲劇的帰結が女子高生コンクリート詰め殺人だった。かつて、少年の暴走族(ゾク)にもチンピラ(ヤンキー)にもケツ持ちヤクザがいて、「やり過ぎんなよ」と掣肘《せいちゅう》した。それがいなくなって、少年集団非行が暴走し始めた。「適切な非合法」が「不適切な非合法」になったのだ。

『クリーピー』『呪いの家』が描く不可視の「歪んだ街の歪んだ家」が象徴するものが分かろう。そこには人間関係がないので、空間だけが「物を言う」。侵入し易い家とか、人から見られずに何かできそうな家とか。ある種の本末転倒化としての動物化が起こるとパラフレーズもできる。それらこそが九〇年代末以降の「Ｊホラー Ver２」が象徴するものだ。

『クリーピー』冒頭、引っ越してきた主人公夫婦が近所挨拶に行き、怪訝な顔をされる。全く同じ経験を一五年前に僕も世田谷区で経験した（映画の舞台は日野市）。他方、元警察官で今は大学教員をする主人公（西島秀俊）が務める大学が、ガラス貼りのオープンスペースだらけ。人と人が繋がれます的なタテマエを象徴する。それが実に効果的な演出だ。

つまり「コイツらが住む場所がどんななのか分かってんのかよ」的に観客を挑発するのだ。同じ冒頭、若夫婦が荷解きしつつ「庭があっていい家ね」と会話する。それを継いで『呪いの家』では「同じ家」に転居して来る若夫婦が「いい家じゃないか」と会話する。むろん反語だ。「そこがどんな場所なのかちゃんと評価しているのかよ」と嘲笑するのだ。

これは観客の一部への直接的批判だ。『クリーピー』ロケは日野市。都立大学がある八王子市の隣だ。公開当時、僕のゼミにはロケ地を実際に知る者もいて、盛り上がった。九三年に都立大に赴任した僕は一〇年間ほど広範囲に散策したが、唐突に建設資材や重機が放置された空き地や新築直後に放置された空き屋があったりと、嫌な感じが漂う場所が目立った。

一時間歩いても誰にも出会わなかったりする。その時に思った。昔ならそうした工事現場には土管があって子どもたちの秘密基地だった。ウルトラマンの「恐怖の宇宙線」（ガバドンの回）がソレだ。藤子・Ｆ・不二雄は『オバＱ』から『ドラえもん』までそうした子どもの領分を描いた。昭和は、まだそうした場所が活き活きとしたエネルギーの発生源だった。

そこは「法外のシンクロ」が生じる時空だった。だが、『クリーピー』の空き地は「シンクロが起きない法外」である。そこでは「法外＝社会の外」の意味が変じているのだ。「社会の外」に濃密な時空が拡がるか、虚空が拡がるか、という違いである。まさにその違いが「Jホラー Ver1＝外を忘れるな」と「Ver2＝外を忘れろ」との違いに対応している。

かつてのJホラーVer1とは何か

『リング』『らせん』（一九九八年）の原作者鈴木光司とは、よく交流した。この要素とあの要素をこう組み合わせたら怖いといったシナリオ学校的な鉄則を多数持ち、文学的というより建築的で、従来の日本の怪談の要素を的確に摑まえる頭のいい人だ。だからこそ、彼の作品は小道具にテクノロジー機器を使う点で新しく見えて、実は古いモチーフを反復する。

デビッド・クローネンバーグ監督『ヴィデオドローム』（一九八二年）にも、鈴木光司的な「つけっぱなしのテレビから何かが出てくる」というモチーフがある。三池崇士監督『着信アリ』（二〇〇三年）まで含めて、八〇〜九〇年代にはテクノロジー機器をホラーに取り入れる世界的な流れがあった。時代を現代に設定する以上、小道具をアップデートするのは当然だ。

古いモチーフとは、「皆が忘れていくものが、忘れた頃にやってくる」というもの。「忘れられた者が土地に結びつく」というモチーフは、能の伝統もあって「日本の怪談」の基本だ。ただ、「旅人がその土地を知らない」という「ワキモチーフ」から「住む人がその土地を知らない」という「新住民モチーフ」へとシフトした時点で、「Jホラー」が始まった。

「Jホラー」の出発点は、六三年に創刊された『週刊マーガレット』と『週刊少女フレンド』

の少女怪奇漫画だ。前者が古賀新一、後者が楳図かずお。これらは、当時の団地に現実に流布していた都市伝説と密接に関係していた。団地住民は、その場所がもともと何だったのか知らない。その不安が都市伝説を流布させた。僕が幼少期に住んだ団地にも、それがあった。

ある号室に住んだ家族から自殺者が出た。彼らの転居後に住んだ新しい家族からも自殺者が出た。三回続けてそれが起こった。調べたら、墓地を移動した事実が分かった。そこで祈禱師を呼んで住民全員が集まってお祓いをしたら、二度と同じことは起こらなかった。これは僕の実話だが、似た話は小学生の頃に読んだ週刊誌に繰り返し載っていたのである。

古賀新一『白へび館』(一九六四年)も似た話だ。新興住宅地の父娘が乗った車が白蛇を踏んだ所から、その土地で忘れられた者による呪いが始まる。呪いは、英語では spell で呪文と関係づけられているが、日本の呪いはそれとは違って「思いが何かにへバり付くこと」だ。その上で「Jホラー」が新しいのは、呪われる側がVer1と2を通じて「新住民」であることだ。だから「Jホラー」は伝統的な「日本の怪談」と違って、「戦後の再近代化」批判としての彩りを帯びる。ただし五〇年代後半からの「団地化=第1次郊外化」の段階では新住民はマイノリティだったが、八〇年代半ばからの「コンビニ化=第2次郊外化」以降になると新住民がマジョリティになる。それが六〇年代からのVer1と九〇年代からのVer2の違いに繫がる。

Jホラーに共通の凝視モチーフ

『呪いの家』(二〇二〇年)に戻って、映像モチーフを確認する。鏡が何度も出てくる。鏡が映るたびに、僕らは「鏡に何か映るかもしれない」と身構えて鏡を凝視する。同じことは下から見上げた二階の窓で揺れるカーテンにも言える。僕らは「揺れるカーテンの向こうに何かいるかもしれない」と身構えて、揺れるカーテンを凝視する。似たモチーフが他にも多々ある。

ホラー映画としては、部屋の場面は比較的明るめだが、照明効果で薄暗がりが設えられてある。僕らは「部屋の片隅の薄暗がりに何かいるかもしれない」と身構えて凝視する。これは黒闇の中から大音響と共に後ろから襲いかかる類の、情報の非対称性（監督は知っていて観客ら知らないこと）を使った、黒沢清が言う「卑怯なやり方」とは、真反対である。

僕らは、「鏡」や「揺れるカーテン」が出てくるたびに「また鏡かよ～」「また揺れるカーテンかよ～」と凝視して、「そんなの映すなよ～」と嫌になる。黒沢は、これらを「不穏な気配を漂わせる只ならぬもの」と呼ぶが、言い得て妙だ。「不穏な気配を漂わせる只ならぬもの」のモチーフが、実は「Ｊホラー Ｖｅｒ１」から一貫してきたものであることに注意したい。

楳図かずおや古賀新一の少女怪奇漫画にも「凝視＝よく見る」が頻出する。「よく見る」と父親の犬歯が少し伸びたように見える。「よく見る」と母親の頬に鱗が付いているように見える。「よく見る」と家族はもう家族ではないのかもしれない……というモチーフだ。これを裏返すと、皆が当たり前だと思って「よく見ない」ことが、批判されていよう。

「よく見る」と過剰や過少が現れる――戦後の再近代化が余りに急だった日本ならではのモチーフだ。先に『クリーピー』について述べた空間の過剰や過少（の意味の変化）に結びつけることもできる。昭和の僕らは、空き地や工事現場や非常階段や屋上で遊んだ。三〇年前に「屋上論」として展開したように、これらは「機能化されていない空間」である。

要はシステム世界に登録されていない「場所」。学校なら、教室に居れば「学ぶ人」、廊下に居れば「通行する人」、校庭に居れば「休憩で遊ぶ人」だが、屋上に居れば「誰でもない人」。二五年前に記した「地べた座り論」もそう。電車やバスやセンター街で地べた座りして、「地上七〇センチの視線」をとるだけで風景が一変、「誰でもない人」になれる。

この脱機能性＝脱システム性を空間から時間へと拡張できる。『ウルトラQ』のケムール星人の回（「二〇二〇年の挑戦」）に出てくる「真夜中の遊園地」。『ウルトラセブン』のチブル星人の回（「アンドロイド・ゼロ指令」）に出てくる「真夜中のデパート玩具売り場」。普段は見過ごしているが、偶然そこに進入したらどうか。実にクリーピー（ぞわぞわ）である。

「真夜中の遊園地」も「真夜中の玩具売り場」もシステム世界から見れば機能が欠落した「過少な場所」で、システムに適応した者から見れば「過剰な場所」だ。だから、「空間の過剰と過少」は「時空の過剰と過少」に拡張できる。それらは「凝視＝良く見ること」で現れてくる。そこが「社会への閉ざされ」から「世界への開かれ」に通じる扉になる。

昭和的身体は、「社会の外へ」「社会から世界へ」の扉に開かれていた。「真夜中の遊園地」や「真夜中の玩具売り場」を子ども番組で描いた大人たちは、「社会から世界へ」の扉――規定可能なものから規定不可能なものへと通じる扉――に向けて子どもたちを誘なった。それらを見て育った子どもたちが、「鏡」や「真夜中」に強く惹かれるようになったのだ。

昭和の三面鏡は、普段は閉じられた上に覆いがかけられていた。子どもたちは親がいない時に覆いを取り去って三面鏡を開き、角度を調節して無限回廊を覗き込んでは回廊のどこかに、得体の知れぬ何かが映り込んでいないかと脅えた。だが、今の子どもたちは、屋上や空き地に、真夜中の遊園地や玩具売り場に、関心を寄せない。扉に向けて開かれていない。

クズ＝「言葉の自動機械・法の奴隷・損得マシーン」＝「社会に閉ざされた存在」の出発点は、そんな子ども時代の「閉ざされ」にあるというのが、僕の一貫した見方である。そこからすると「Jホラー Ver1」と「Ver2」に共通する「見過ごされた時空＝凝視すべき時空」は、単なる映像モチーフを超えた豊かなインプリケーションに満ちていることになる。

若い読者は考えたことがあるだろうか。鏡は用事がある時しか使わない。だが、鏡は使われていない時にもそこにあって「何か」を映している。遊園地も玩具売り場もそう。僕らが訪れていない夜にもそこにあって「何か」を宿している。「おもちゃのチャチャチャ」の歌のようにだ。ちなみに「何か」とは何なのかが、「Jホラー Ver1」と「Ver2」を分ける。

「忘れられた場所」を描くVer2

鏡が映す「忘れられた者」におののく「Ver1」と違い、「Ver2」では鏡が何を映さなくても、そこに存在する事実におののく。だから、『呪いの家』の鏡は「忘れられた者」を映さない。むしろ、鏡にいつも「見られている」こと、知らない時も鏡が何かを「見ている」ことに、注意が払われる。つまり、鏡が「脱人間中心主義」の象徴として用いられている。

それが示すものはアニミズム的な体験だ。巷間の誤解と違い、アニミズムは万物に精霊が宿るのではない。それはキリスト教的な翻訳である。水木しげる『墓場鬼太郎』（一九六〇年）が描くように、僕らはタライや壁に見られたりする。それがアニミズムだ。現象学的精神分析学者ビンズワンガーは、統合失調に特徴的なそんな体験を原初的な古層であると見なした。

「僕らが見ていなくてもそこにあり続けて、何かを見ているモノたち」に開かれた感受性を、僕のゼミでは「存在論的な感受性」と呼んできた。九〇年代半ば以降の人類学者らの「存在論的転回」にもクァンタン・メイヤスーらの「思弁的実在論」にも、細かいロジックを抜きにして、そうした同時多発的感覚が滲み出している事実に注目しなければならない。

その同時多発的感覚に基づく表現の一つが、「人」ではなく「場所」が主役だとする「Jホラー Ver 2」だ。奇しくも僕が都市計画や街づくりに関わる際にも、「人」ならぬ「場所」が主役だと言い続けてきた（『まちづくりの哲学：都市計画が語らなかった「場所」と「世界」』二〇一六年）。その僕の思考は、一九九四年のベアード・キャリコット『地球の洞察』に拠る。

京都学派の影響を受けたこの環境倫理学者は語る。環境が大切なのは、生き物が大切だから（義務論）でも、人が快楽を感じるから（功利論）でもない。これらはショボい人間中心主義だ。「場所」自体が一つの生き物であって、それをないがしろにすることで人は尊厳を失って狂う。それをパラフレーズすれば「人間主義の非人間性／脱人間主義の人間性」となる。

さらにパラフレーズすると、産業化や技術化で感情が劣化した人間が「人間中心主義」に頽落することで、ないがしろにした「場所」から復讐される。これぞまさに同時代の黒沢清『CURE』（一九九七年）に始まる「Jホラー Ver 2」のコードそのもの。そこには、「人間が主役」と思った瞬間に「社会への閉ざされ」に埋没するのではないか、との惧《おそ》れがある。

惧れの背後には、いつの間にか自明ではないシステムへと自分たちが閉ざされたという汎システム化 pan-systemization の感覚がある。当初は「我々」がシステムを道具として使っていたのが、システム化によって生活世界が縮小して「我々」が消え、分断され孤立した個人がシステムの駒に堕する事態が、汎システム化である。主体が「我々」からシステムへと移るのだ。

汎システム化が生活世界を破壊、人が孤立状態でシステム（市場&行政）に向き合うようになった結果、不安を背景とした「感情の劣化」が広汎に生じる。そこには、ホモ属が他の霊長類よりも孤独を嫌う社会的動物として進化したというゲノム的前提と、同じ時間でより多くの獲物と収穫物を得るために負担免除を追求するゲノム的前提との矛盾がある。

負担免除（技術）によって人間がもっと多くの選択肢を得ることを良しとする「人間中心主義」が、負担免除の装置であるシステム（市場&行政）の見通し難い複雑化をもたらした結果、人間がシステムの入替可能な部品になり下がる「非人間性」を招き寄せたのだ。これが「人間中心主義の非人間性＝技術による総駆り立て（後期ハイデガー）」という事態だ。

単なる合理化だとされたシステム化（第一次郊外化まで）が、汎システム化段階へと進化した八〇年代以降になると（第二次郊外化以降）、人間が選択の主体であるがゆえの「人間主義の非人間性（閉ざされ）／脱人間主義の人間性（開かれ）」という逆説への気付きに到る。第一次郊外化は旧住民がマジョリティなのが、第二次では新住民がマジョリティ化した事実を想起しよう。

同種の気付きが九〇年代に各国に拡がり、人類学や哲学から映画表現や文学表現まで含めた

「存在論的転回」をもたらした。ただし、別の場所で詳述した通り戦間期後期の全体主義化を背景に生じた「一度目の存在論的転回＝ハイデガーの総駆り立て論」があるので、汎システム化を背景とする九〇年代の「存在論的転回」を「二度目の存在論的転回」と呼ぶべきだ。

汎システム化がもたらした「人間主義の非人間性」への広汎な気付きという文脈を踏まえない限り、ダン・スペルベルやブリュノ・ラトゥールら人類学者が駆動し始めた「二度目の存在論的転回」の理解が表層に留まり、今世紀ヴィヴェイロス・デ・カストロの多視座主義・多自然主義やクァンタン・メイヤスーの思弁的実在論の理解に支障を来すことになる。

『ア・ゴースト・ストーリー』がタイムラプスで描くように、僕がいるこの「場所」は昔からずっとあり、これからもずっとあり、「生き物の如く転態する（時間性）」。そうした「場所」が、タイムラプスで消えてしまいがちな僕を「じっと見ている（空間性）」。そんな「場所」へと「開かれる」ことで、僕は「社会」ならぬ「世界」の中で救済される。

僕には幼少期からアニミズム的感受性があって、生物か無生物かを問わずモノに「見られる」という体験を重ねてきた。動物に「見られる」という感受性ゆえに、どんな動物にも異様に好かれる。樹木や電信柱やビルに「見られる」という体験ゆえに、時には街頭で突然うずくまった。当時は、転校が多すぎたための「引っ越し分裂病」ではないかと診断された。

九〇年代半ばまでの一〇年、ナンパした女たちとビルの屋上や非常階段で性交していた時も、避雷針や給水タンクに「見られる」体験を重ねてきた。実際、「ほら、避雷針が僕らを見ているよ」という言葉を幾度となく囁《ささや》いた。中には「いやっ」と頬を赤らめる僕と同じ資質を持つ女もいた。それを僕は『墓場鬼太郎』が描く幽霊族＝先住民の感受性に重ねた。

そんな僕に居場所を与えてくれた「Jホラー Ver2」。Ver1が「場所で忘れられた者」が主役とすれば、Ver2では「場所そのもの」が主役。前者の呪いは鎮められるが、後者の呪いは「場所を忘れた自分が悪い」ので「場所に開かれた脱人間（モンスター）」にならないと鎮められない。当然、「場所」によって救われた僕は、「天使で且つ悪魔」かもしれない。

三度目の「光と闇の綾」の賞揚

繰り返すと「Jホラー」は〝「場所」に関わる「居住者の」脅え〟として六三年に始まる。小四で見た『怪奇大作戦』（一九六八年）シリーズのDVDボックスに、依頼の一〇倍の長大な解説を寄せたが、そのために一本一本精査して分かったのは、「ニセモノ／ホンモノ」モチーフがほぼ全回を貫徹することだ。特に実相寺昭雄監督「京都二部作」（二三〜二四回）に顕著だ。

思えば、このモチーフは戦間期に始まる江戸川乱歩「少年探偵団」シリーズ（怪人二十面相シリーズ）を貫く。社会が急に変化する時に「ニセモノ／ホンモノ」モチーフが噴出するという大衆表現の定理がある。「ちゃんと見ない」からニセモノに騙される。「ちゃんと見ない」というモチーフと「ニセモノに騙される」というモチーフが結びついている。

社会が急に近代化する時、人は強くなりゆく「光」に目を奪われ、そのハレーションで「闇」を見なくなる。このモチーフの嚆矢が、戦間期の川端康成「浅草紅團」と江戸川乱歩「押繪と旅する男」だった。後者は川島透監督が映画化したが、『CURE』直前の九四年である事実に注目しよう。映画の中身は、乱歩の短編を解説するような見事な内容だった。

その解説を言語化すると、戦間期の川端と乱歩の作品は「銀座批判」だった。後藤新平の帝都復興計画の「光」に満ちた銀座はモボとモガが闊歩する、しかしフラットな時空だが、凌雲閣と直下の私娼窟が同居する浅草は「光」と「闇」が綾をなす時空。「光」は人の居場所はないニセモノだが、「光と闇の綾」の中には人の居場所があるホンモノだ――。

だから、再び社会が急速に再近代化した六〇年代に「ちゃんと見ない＝ニセモノに騙される」モチーフがリプライズした。それは「戦後批判」を意味した。それを当時、新左翼に連なっていた佐々木守や石堂淑朗らが担った。その意味で新左翼≒新右翼（戦後の親米ケツ舐め右翼に対し、戦前の反欧米右翼を引き継ぐ真右翼をこう呼ぶ）という定理が如実だ。

そこは深入りしないが、彼ら監督や脚本家らが、戦間期の川端や乱歩が銀座を体験したが如く、高度成長期の高速道やビルやデパートを体験していた事実には注目してほしい。その体験が「光と闇の綾」を描く「Ｊホラー Ｖｅｒ１」の棋図かずおや古賀新一や怪奇大作戦シリーズを生み出した。すなわち、七〇年までは「闇への開かれ」が日本にちゃんと在ったのだ。

直前の五〇年代末から水木しげるが、鬼太郎の誕生秘話を描く『妖奇伝』『墓場鬼太郎』を描いた。先住民たる幽霊族がタライや壁と話し、「よく見る」と道には妖怪がいる。それがホンモノの日本だというのが水木の主張だ。そして、在野哲学者の内山節によれば、その頃までの日本人は狐に化かされたが、六〇年代を通じて化かされなくなっていった。

加えて、北一輝など戦前右翼研究家の松本健一によれば、世論調査で日本人が「アジア（後進国）の一員」から「西側（先進国）の一員」という意識に変わったのが六四年、つまり東京五輪の年（松本は「一九六四年革命」と呼ぶ）。「場所で忘れられた人や動物に復讐される」という「JホラーVer1」の元年一九六三年に重なる事実に注目しなければならない。

大正の戦間期前期に生まれ、上海のフランス租界で母とその兄弟たちを産んだ僕の祖母は、まだ日本にいた女学生時代には人力車で女学校に通うハイカラさんだったにもかかわらず（祖母の父は浅草に映画館と芝居小屋を五つ所有するカブキ者）、時々「通い慣れた道なのに、迷っちゃったよ、キツネに化かされたんだ」と言っていたのを、僕はよく覚えている。

そして、再度のリプライズ（再興の再興）が九〇年代半ばに生じ、「JホラーVer2」の形を採った。それが「鏡をちゃんと見ろ」という「存在論的モチーフ」として表れた。同じ頃「レトロ・フューチャー」（六〇年代の「光＝未来」を懐かしむ営み）もブーム化した。なぜ九〇年代半ばなのか。

九五年は援交のピーク。一九九九年までの十余年を舞台とする『呪いの家』が参照する事件がヒントだ。九五年は阪神淡路大震災とオウムのサリン事件が連続した。九七年には酒鬼薔薇聖斗事件。九六年は『新世紀エヴァンゲリオン』シリーズに象徴されるアダルトチルドレンと自傷系のブームの起点。ストーカー騒動とセクハラ騒動の元年でもある。九七年に「新しい歴史教科書をつくる会」が結成され、ウヨ豚が湧き始める。そう。狂いが顕在化した。

問いの答えは、八〇年代来の「新住民化＝第二次郊外化＝汎システム化」の結果、社会がフラットな「光」に包まれた裏面で、「社会の闇」が「心の闇」へと移転したことだ。それが、当時思春期を過ごした子どもが大人になるまでのタイムラグを挟んで、九〇年代の「狂いの顕在化」に繋がった。それを最大限に象徴したのが、九七年の東電OL事件だったと考えられる。「JホラーVer2」の出発点は、「人類学ルネサンス」ないし「二度目の存在論的転回」に時期が重なる。グローバル化とテック化による「汎システム化＝フラットな社会への閉じ込め」（格差化にも拘らずそれを感じないジョック・ヤングの「過剰包摂社会」がそれを象徴する）よって、闇の「社会から心へ」の移行と共に「社会の外」への強い志向が生じた。

その「心の闇」は、酒鬼薔薇聖斗のような犯罪者としてのみならず、性愛における「コントロール系のクズ男」や「被害妄想の糞フェミ女」という神経症として表れたことが重大だ。なぜなら、それが、クズ化＝「言葉の自動機械・法の奴隷・損得マシーン」化の一般化という現象を代表するからである。これらのクズの特徴は、不倫炎上するところにある。

クズは、「見ている時」に相手が自分にしたがっていたら＝コントロールできていたら安心する。だが、思い出すべきだ。「鏡」や「避雷針」や「空き家」は「見ていない時」にも存在する。同じくその男やその女は「見ていない時」にも存在する。「見ていない時」に鏡が何を映すか未規定なように、「見ていない時」に相手が何をしているのかも未規定なのだ。

「LINE見せろ」「写メ見せろ」と強いつつ、「ウチの妻は・夫は、不倫してません」とホザく。見える範囲に情報をたぐり寄せて安心する。自動機械のクズである。八〇年代に「寝取りのプロ」だった僕に言わせて貰えば、旦那に悟られないで奥さんを寝取るのは実に簡単。「そうしたことがあるかも知れない」と思いつつ幸せな毎日を送るのが、健全だ。

それを「開かれ／閉ざされ」の二項図式を用いて言えば、「絶えず『開かれた』状態でありつつ、腹を括って『閉ざされた』こちら側にいる」状態が倫理的に望ましい。「安心・便利・快適」厨の反対側の構えだ。奇しくも『呪いの家』で仙道敦子演じる霊感のある女が示す構えがそれだ。「開かれ」を忘れれば復讐され、「閉ざされ」を忘れれば社会を生きられない。

黒沢作品を含め「JホラーVer2」が示唆するかかる倫理は、多様な現れを示すものの普遍的だ。それを象徴するのがショーン・ペン監督『イントゥ・ザ・ワイルド』(二〇〇八年)で、映画関連素材で言えばピエール・マイヨール(かつての無呼吸潜水記録者ジャック・マイヨールの兄)が著した『ジャック・マイヨール：イルカと海に還る』(二〇一七年)だ。(ちなみに同作品から厳しいジャック批判を消去したのが、二〇一七年のレフトリス・ハリートス監督『ドルフィン・マン』)。

「鏡の向こうに何かがいる(Ver1)」「自分が知らないものを鏡が知る(Ver2)」との予感を抱きつつ「鏡のこちら側」に留まる構えが、汎システム化によって狂人化しないための処方箋になる。それを「なりきりbecoming＝往相」と「なりすましpretending＝還相」の遣い分けだとパラフレーズしてきた。「霊感のある女」が示す構えとはそのことだ。

理論を実践へと実装する営みへ

巷間、ウヨ豚や不倫炎上厨の如き脊髄反射的でエコーチェンバー的な「見たいものだけを見る」クズの量産を、インターネットのせいにする短絡が蔓延《はびこ》っている。これはウヨ豚が全てを中国人のせいにし、糞フェミが全てを男のせいにするのと同じ、自己のホメオスタシスhomeostasis of the selfのための外部帰属化だ。真実を「ちゃんと見る」必要がある。

インターネット元年である一九九五年の一〇年以上前から、世界各所で、汎システム化による共同身体性・共通感覚・言語的共通前提の崩壊が、「感情の劣化＝言外・法外・損得外への閉ざされ」を招いていた（八五年からのナンパとフィールドワークで全国を回った僕は、日本での過程をつぶさに目撃した）。それがなければ、ネット化は異なる帰結をもたらしたろう。

全ての事象には文脈がある。全てのテクストにはコンテクスト（テクスト随伴物）がある。それを無視して全てをテックのせいにする言葉の自動機械は、人間的なものを目指すつもりで必ずテックを敵視しよう。だが、テック化を含めた技術の複雑化は必然的な過程で、それに敵対するのは絶望への道だ。テック化を「大切な何か」の味方につける方途が必要だ。

コロナ禍は必然的にテック化を後押しする。本来二〇年かかる過程が数年に短縮される。目下の文脈では、そのことが「共同身体性・共通感覚・言語的共通前提」の崩壊による顕著な分断を加速しよう。だが、テック化を別の文脈で機能させ得る。その別の文脈は、コロナ禍の現実を「見ている」だけでは分からない。「見えないもの」を「見る」必要がある。

別言すると「共同身体性・共通感覚・言語的共通前提」の崩壊によるクズ化＝「言葉の自動機械化・法の奴隷化・損得マシーン化」とそれによる倫理の脱落を嘆くだけでは始まらない。コロナ禍によるテック化の加速が幸い「茹でガエル化抜きで」問題を露わにさせる。そこで生じるカオスが、フラット化から一部の人を解放してくれている事実もある。これは重大だ。

理論的には、「共同身体性・共通感覚・言語的共通前提」の崩壊を加速するテックと、逆にそれを押し留め、かつリストアするようなテックを区別し、後者に与するのが重要だ。もともと日本には倫理がなく、日本的共同体のキョロメ作法が倫理の代替物を提供してくれていたところに、共同体の空洞化が生じてアノミーが生じている以上、なおさら急務である。

この日本的文脈が、どのみち各国で生じるだろう劣化を「先取り」させる。その意味で日本はいつも「課題先進国」だ。だが、先の理論的な示唆だけでは過剰に抽象的だ。理論を実践へと実装するには、文脈に伴われて初めて現象する日本的文脈の否定面のみならず、別の文脈に伴われることでリストア可能な肯定面に着目し、手掛かりにする他はない。

実際、半世紀余り前には、日本人の多くが「見えないもの」を「ちゃんと見る」営みを弁え、ユダヤ・キリスト教的な文明化を遂げた人々とは違って「人間中心主義」を生きていなかった。「人間主義の非人間性／脱人間主義の人間性」図式に即して言えば、キャリコットがそう感じたように、日本の歴史には「脱人間主義の人間性」のヒントが満ちている。

（二〇二〇年七月三一日）

口述筆記の聴き手役を務めた和田礼（ダース・レイダー）氏と、文字起こしを務めた立石絢佳氏に、心から感謝申し上げたい。

［メディア］

コロナ禍とメディア

望月衣塑子

望月衣塑子（モチヅキ・イソコ）

一九七五年、東京都生まれ。東京・中日新聞社会部記者。慶應義塾大学法学部卒業後、東京新聞に入社。千葉、神奈川、埼玉の各県警、東京地検特捜部などで事件を中心に取材する。二〇〇四年、日本歯科医師連盟のヤミ献金疑惑の一連の報道をスクープし、自民党と医療業界の利権構造の闇を暴く。経済部記者などを経て、現在は社会部遊軍記者。著書に『武器輸出と日本企業』、『新聞記者』（以上、角川新書）、共著に『武器輸出大国ニッポンでいいのか』（あけび書房）、『安倍政治 100のファクトチェック』（集英社新書）、『同調圧力』（角川新書）など。二児の母。

七年半を超える長期政権となった安倍晋三政権の売りの一つは「危機管理に強い」だった。しかし、新型コロナウイルス（以下、新型コロナ）に対策では、中国の習近平国家主席の来日や東京オリンピック・パラリンピックの開催にこだわり、初動が遅れた。さらに、アベノマスク二枚の配布、歌手・星野源氏の歌を使って首相が自宅でくつろぐ様子をネット配信するなど、緊急事態宣言を発令した数カ月で国民を唖然とさせるような愚策を連発。かたや、一律一〇万円の定額給付金や雇用調整助成金など、国民への給付金や支援金給付は遅れに遅れた。加えて政権に近いとされた黒川弘務・検事長を検察庁トップの検事総長に置くため、定年延長を閣議決定。さらに不要不急の検察庁改正法案でこれを正当化しようとした。

四月七日に緊急事態宣言を出した際、首相は「人と人との接触を極力削減できれば、二週間後には感染者の増加をピークアウトさせ、減少に転じさせることができる」と強調していたが、その後、新規感染者のピークは、緊急事態宣言が出る前の三月二七日だったと明らかになった。「なんとなく安倍政権支持」層の一部も、さすがに政権の無能さに気づいたようで、有事で上がるはずの支持率は下がり続けた。五月二三日の「毎日新聞」と社会調査研究センターが行った世論調査では、安倍政権の支持率は二七％まで急落した。

一方、日本でも豪華客船ダイヤモンド・プリンセスでの集団感染を機に、コロナ禍報道が過熱。感染拡大を防ぐための「手段」だったはずの自粛は、自粛そのものが「目的」化してしまい、飲食店に抗議の張り紙が貼り付けられたり、ネット上に名指しで批判が書き込まれたりする「自粛自警」も台頭してきた。国民の権利の制限を待ち望むかのような論調も登場するなど、危険な動きが広がっている。国民の権利を安易に政府に預けるという、全体主義的な動きが加速してはいないか。新型コロナ感染が確認された昨年末から、五月に緊急事態宣言が解除されるまで「東京新聞」は何をどう報じたのか、反省も踏まえつつ振り返りたい。

遅れた政府の対応

中国では二〇一九年末から武漢市の医師によって、原因不明のウイルスによる死亡例が武漢市を中心に多数報告されていた。二〇一九年一二月三一日、中国政府が、原因不明の肺炎二七例を認めWHO（世界保健機関）に報告したが、その際、この情報に安倍政権が機敏に反応した気配は全く見られなかった。中国からの渡航に制限をかけるタイミングも一月三一日と遅れた。前述の習国家主席来日の可能性を最後まで探っていたためで、この対応については百田尚樹氏はじめ安倍シンパの支持者からも批判の声が上がった。

政府の自粛要請も一貫性がなく、その場しのぎの対応が多かった。二月二五日に安倍政権が発表したコロナ対策の基本方針では、大規模イベントに一律の自粛要請は求めず、臨時休校なども基本的に地方に判断を委ねるとしていた。ところが、自粛への補償を用意していなかったため、K1のイベントが実施されるなど対応にばらつきが出た。そこで方針を一転。二月二六日には首相が「中止や延期、規模縮小の対応を要請する」とより強い要請を表明する。また、二月二七日の新型コロナウイルス感染症対策本部会合では三月二日から春休みに入るまで、全国の小中学校、高校や特別支援学校を臨時休校にするよう要請する考えを表明し、文部科学省

（以下、文科省）が翌日、全国の教育委員会などに通知した。感染者が全く出ていない地方や、共働き夫婦、知的障害児などを抱える保護者からは「突然すぎる。なぜ、今なのか」「仕事はどうすればいいのか」など、戸惑いと怒りの声が広がっていた。

この政権と文科省の迷走ぶりと現場の学校関係者や保護者らの困惑と憤りは、各メディアが報じた。宣言解除後の六月、「東京新聞」社会部でもこの一斉休校は果たして必要だったのか、という観点での企画取材が続けられた。二月の首相の要請表明時には、日本国内で子どもが感染源となった事例は確認されていなかった。なぜ、満員電車やライヴハウスなどに先駆けて小中学校、高校や特別支援学校が自粛要請のターゲットになったのか。取材を進めると、一斉休校の決断は、北海道での緊急事態宣言が比較的うまくいったとする首相補佐官の今井尚哉氏による進言だったとされる。この頃、コロナ対応の遅さについて政府への批判の声が高まっていた。世論の風当たりを一気に反転させようとした結果の「要請」だったのか。

しかし、要請の表明直後、首相の口からは一斉休校への手当、休業補償、カリキュラムの遅れと入試・入学の対応などについて具体的に語られることはなかった。おそらく現場の文科省の担当者も混乱しており、なんの案も持ち合わせていなかったのではないかと思われる。四月七日に緊急事態宣言が出されて休校期間が長引くと、学校関係者や保護者、児童・生徒への負担や不安、教育格差は増大していった。

クルーズ船での感染拡大

二月五日、クルーズ船「ダイヤモンド・プリンセス」による集団感染が発表された。首相は船内隔離を行う方針を発表したが、船内に入った感染症の専門家、岩田健太郎・神戸大教授が「船内で安全と危険を分ける対策が不十分」と告発するYouTube動画を公開して、私たちメディアや視聴者は騒然となった。岩田さんの動画は英語版でも発信され、国内外で一〇〇万回以上の再生回数を記録した。私を含めた「東京新聞」の取材班は、岩田氏や船内に入った複数の医療従事者、乗客から船内隔離の状況などを取材し、報道を続けた。

岩田氏は、災害派遣医療チーム（DMAT）の一員として二月一八日に船内に入り、その日の夜、インターネットで政府の対応を告発する動画を配信。私たちの取材に、岩田氏は「感染の危険がない安全ゾーンと危険ゾーンが区分けされていない、船内に常駐する感染症の専門家がいない」と問題点を列挙し、「医療従事者に感染者がいつ出てもおかしくない状況で、愕然とした」と現場の状況を詳述してくれた。クルーズ船は二月一九日の時点で、乗客・乗員以外に検疫官や厚生労働省（以下、厚労省）職員、救急隊員、看護師の計四人の感染が判明していた。DMATなど支援に関わる人々の手袋やマスクなどの防護具の装着状況はバラバラで、検疫官らの感染について「あの状況ではそうなるだろう」と岩田氏は話した。

なぜ、このようなことが起こりうるのか。取材をすると、米国の疾病予防管理センター（CDC）の場合、感染症の専門家が現場ですべての陣頭指揮をとっているが、日本の船内では専門家ではない厚労省の職員が指示を出しており、そもそも彼らには感染症対策の具体像がわかっていないのだという。

岩田氏の指摘について、岩手医科大学の櫻井滋教授は二月一九日、「ゾーン分けは当初からされていた。岩田氏は船内に一時間しかおらず、臆測に基づく発言が多い」と反論。一方で、「乗員や医師らの中に二つのゾーンを行き来するときのルールを守らない人がいた」と述べた。船内に入った複数の医療関係者が「東京新聞」に寄せた情報は、「全体の指揮をとる対策本部は船外に出すべきだった」「危険と安全ゾーンの区分けはできていなかった」というもので、岩田氏の主張を裏付けるものだった。「政府側から、安全・危険ゾーンの区分けの説明もなかった。DMATは防護服を着ていたが、それ以外は医療用マスク一枚で動いている人がほとんどだった」と岩田氏は明かした。

ある医療スタッフは、配膳やコンシェルジュでの乗客からの呼び出し対応などで奔走していた乗員の外国人男性が、呼吸困難で搬送されたという話も聞かされた。同スタッフは「防具が十分ない中で、発熱や頭痛を訴えて医療センターに直接来る乗客や乗員など、多くの人が簡単に出入りしており、センターも安全ゾーンとはとても言えなかった」と述べた。

こだわったオリンピック開催

政府の対応が遅れた最大の理由は、「二〇二〇東京オリンピック」という巨大利権も絡むビッグイベントがあったからだ。WHOの事務局長は、三月一一日、コロナの感染拡大を、世界的な流行を意味する「パンデミック」と述べ、中国国外での症例数が二週間で一三倍に増えたと指摘、「心配なくらい対策が実施されていない」と感染防止対策への懸念を表明した。

政府の対応はどうだったか。この頃、東京オリンピック開催の可否に質問が及ぶと、首相は「一〇〇％完全な形での開催実施」を繰り返した。三月一七日の菅義偉・官房長官の会見でも、私が「開催までに、国内で確実に終息する見通しがあるのか。ある場合、専門家会議などの見通しを含め、なんらかの科学的根拠はあるのか」と問うと、菅氏は「完全な形で開催する。先進主要国G7の皆さんから理解を得ている」と、疫学的なエビデンスを示さないまま首相と同様の答弁を繰り返した。そこで「なんらかの科学的根拠はあるのか」と質問を重ねると、菅氏は「今まですべて、専門家の方の考えを参考に決定している」と言い切った。

果たしてあのときの菅氏の説明は本当だったのか。三月一七日の時点で専門家の誰が、ワクチン開発の目処が全く立っていない中で開催できると判断したのだろうか。おそらく一人もいなかったであろう。結局、首相も菅氏もこの説明を、約一週間後にあっさり翻した。

三月二二日、IOC（国際オリンピック委員会）が開いた電話での臨時理事会で、オリンピックの延期を含めた検討を四週間以内に打ち出すとの方針を示すと、翌二三日、首相は「IOCが決めた場合、今夏のオリンピック延期を受け入れる」と発表。翌二四日には「一年程度の延期をIOCに表明し、バッハ会長が私の意向に同意した」と発表した。一見、首相が決断しIOCに理解を促した形を装っていたが、選手団含め、海外から中止や延期を求める声が日増しに強まる中、延期判断をせざるを得なくなっただけだった。

出された緊急事態宣言

四月七日、首相は、改正された新型インフルエンザ等対策特別措置法に基づく緊急事態宣言を初めて発令した。期間は五月六日までの一カ月とし、対象区域は東京など七都府県。政府は、商業施設の使用停止指示など、一定の私権制限を伴う宣言を決断した。首相は会見で、公共交通機関や道路の通行に影響はないとして、「都市封鎖（ロックダウン）は全くない」と国民に冷静な行動を呼び掛けた。

商業施設などへの休業要請について、東京都は一一日からの実施を目指す方針を固めたが、神奈川と埼玉の両県は、この時点では消極的だった、千葉県は推移を見るとしていた。しかし、その後、七都府県以外の場所に人が移動していく状況などが報告されるようになると、首相は四月一六日、緊急事態宣言の対象地域を全都道府県に拡大。新たに対象となった地域の知事は、法的根拠に基づいた外出自粛要請が可能になった。

ところが自粛を要請する一方で、政府の休業補償への対応の鈍さもまた浮き彫りになった。フリーランスの職種は、補償額が会社員の半額程度の四一〇〇円に留まることにも、フリーランスや自営業者から批判が集中した。さらに映画や演劇、歌舞伎、コンサートなども次々と自粛を要請されたが、こうした芸術活動に対して政府が補償策を打ち出さなかったことにも国民の不満が募った。例えば、文化や芸術を大切なものと位置づけるドイツでは、ネット上での簡単な手続きだけで、二日で六〇万円近くがフリーランスや芸術家にも振り込まれた。アンゲラ・メルケル首相が五月九日、「文化的イベントは、私たちの生活にとってこの上なく重要なものです」と強調し、いち早く文化や芸術への支援を始めた。フリーランスや中小零細企業のオーナー、その従業員には、総額五〇〇億ユーロ（約六兆円）の支援策を打ち出した。

労働者の七割とされる、中小企業で働く従業員を救うための「雇用調整助成金」も不評だった。社会保険労務士への手数料が必要で、手続きが煩雑で時間もかかるなど数々の問題点が指摘された。雇用調整助成金への相談件数は、四月二八日までに二三万六八八三件だったが、申請書を提出できたのは、うち七九九四件。助成金の決定が出たのは二五三三件と、全体の相談件数のわずか一％に満たない状況だった。

「東京新聞」では、複数回にわたり、雇用調整助成金の申請状況や申請での問題点などについての報道を続けた。申請を支援している社会保険労務士からは「（雇用調整助成金は）現場を知らない官僚が机上で考えた制度、本当に苦しい経営者を救えない」との声が聞かれた。

給付金を巡る動きでも首相の動きは二転三転した。当初から国民に対し、一律一人一〇万円の給付をいち早く打ち出したのは、国民民主党の玉木雄一郎代表だったが、官邸や安倍首相の動きはここでも鈍かった。

当初、政府が決めた三〇万円給付の枠組みは、「世帯主の年収が、住民税非課税水準にまで減少した場合」など複雑でわかりづらく、全世帯の二割ほどしか支給対象にならないことが与党内でも問題視され、自民党の若手・中堅議員からも疑問の声が相次いだ。最後は公明党の山口那津男代表から「今やらないと私も首相もおしまいです」と迫られ、首相はいったん決まった予算を組み替え、給付を決める。これにより、三〇万円給付で調整していた岸田文雄・自民党政調会長のメンツは丸つぶれになったばかりか、官邸内の政策立案力や調整力に問題があることがあらわになった。

アベノマスクと首相動画

安倍政権の新型コロナ対策の中でも、後世に語り継がれる愚策が「アベノマスク」二枚の全世帯への配布だ。アイディアを出したのは、経済産業省出身のキャリア官僚で、首相のスピーチライターを務める佐伯耕三・首相補佐官だ。「マスク二枚で不安がパッと消える」と提案したという。一九九八年入省の佐伯氏は二〇一三年に内閣副参事官として官邸入り。二〇一七年七月に史上最年少の四二歳で首相秘書官に抜擢された。今井尚哉・首相補佐官に仕事ぶりを高く評価され、前任者を一四年若返る異例の人事だった。驚くのは、ガーゼ製の布マスク二枚で不安が消えるという、現実離れした側近の思いつきを、内閣府に設置されたマスク・タスクフォースチームの人々を含めて誰一人反対しなかったことだ。

政府は四六六億円の経費のうち、二〇二〇年度の予備費で二三三億円を確保し、さらに二〇二〇年度の補正予算で二三三億円を計上。全世帯向けの半分にあたる約六五〇〇万枚の配布を進める。しかし、一部地域や妊婦らに配られたマスクの中に、虫やゴミなどが入っていたことが判明し、返品騒ぎに発展。ＰＣＲ検査で多忙を極める保健所の職員が検品作業に追われるという本末転倒の事態になった。また、アベノマスクの配布が完了する前に、市中には既にサージカルマスクが店頭に並んでおり、受け取ったアベノマスクを寄付する動きも広がった。業者選考の不透明さと合わせて、税金の無駄使いで政府の無能さを示す事例として、各メディアでも盛んに取り上げられた。

もう一つ、佐伯補佐官の仕掛けで批判を浴びたのが、安倍首相の公式 Twitter で発信された動画だ。四月五日、歌手の星野源氏の「うちで踊ろう」という歌にあわせて首相が自宅で愛犬をなでたり、テレビのリモコンを操作したりしている姿が発信された。一方、他国の首脳は何をしたか。英国のボリス・ジョンソン首相は、新型コロナの検査で陽性になり、自宅や退院先から、病院の医療従事者や仕事を続けている人々に対して謝意を述べ、政府としてできうる限りの対策をとるよう発信し続けた。ドイツのメルケル首相は、消費税減税や子育て家庭への現金給付なども発表している。四月二五日付の「東京新聞」の特集面「こちら特報部」では、「内閣支持率 なぜ下がった 一月49%→コロナ禍四月40% 死者多数の欧州は上がったのにピントずれた政策? 言葉尽くさぬ姿勢? 痛みへの共感欠如?」と見出しを立て、安倍首相と欧州の各首相との違いを報じている。

伸びないPCR検査

市中感染率や再生産数を調べるためにもPCR検査の拡充は必要不可欠だ。だが、PCRの検査数は四月末時点で一万件にも達していなかった。財政削減のあおりで、保健所の数も人もピーク時の半分ほど。削減が結果として検査体制の拡充を阻んでいるとの指摘が出た。首相は「検査を増やす段階で目詰まりがあった」と会見で釈明したが、政府はさらに二〇二〇年度から二〇二四年度までの四年間で、国立感染症研究所を含めて厚労省の職員数を三三九四人減らす目標を立てている。このちぐはぐな対応に対し、五月九日の「東京新聞」朝刊に掲載された「時のおもり」のコーナーでは、「何が不要不急なのか　予防医療切り捨ての末」との見出しで、「日本を見れば、予算の大きな割合を占める福祉・医療の経費を削減するために（中略）保健所を削減し、（中略）中規模病院の統廃合を進め、医師の増員を抑制。流行ってもいない病気のための研究も不要不急というわけだ」と予算削減の末に大幅な人数減を進めている保健所行政などについての総合研究大学院大学名誉教授の池内了教授による批判を掲載している。

しびれを切らした東京都医師会は四月一七日、都内四七の地区医師会と地元自治体が協力し、感染の疑いがある人を検査する「PCRセンター（仮称）」を順次、各地に設置すると発表した。保健所を通過させるやり方でなく、地域のかかりつけ医がこれまで以上に窓口的な役割を果たせるようにした。さらに日本医師会は五月一三日の報告書で、「COVID－19と共存していく上で、PCR検査は医療と社会経済を維持するための社会的基盤と認識すべきだ」と指摘。PCR検査が進まなかった最大の理由は、「それらの対策に財源が全く投入されていないためだ」と政府の対応を批判している。

五月五日付の「朝日新聞」は、「PCR検査の不十分な体制は日本の恥」とする山梨大学の島田眞路学長の見解を伝えた。島田氏は、「感染症の拡大防止には、患者を検査で見つけて隔離するしかない。検査を重症者に絞り、市中感染がどのくらい広がっているのかを分からなくした国のやり方は、最初から何もかも間違っている」と述べている。政府は、さらに新型インフルエンザのときの対応を踏襲し、「発熱後四日間は自宅待機」との検査目安を、全国の医療機関やかかりつけ医などに指示した。帰国者・接触者相談センターに電話相談という体制を作ったが、保健所がセンターにつなぐ件数は限られ、センターに電話しても検査が拒否される状況が相次いだ。島田氏は「『検査拡充すれば軽症者が大量に判明し入院患者になり、病床を圧迫するから医療崩壊する』と感染症専門の医療関係者らが盛んに主張したため、検査抑制につながった」と指摘。「医療崩壊させないためにも、とにかく検査をして軽症者は自宅やホテルに、重症者だけを医療機関に、と当初から分けるべきだった」と批判する。

取材をする限りは、PCR検査数を増やすことは、市中感染を含めて、感染拡大の基礎情報を知る上では必要不可欠なものだ。その上で、医療崩壊を防ぐために、軽症者や中等症、重傷者をどう振り分け、処理するのか、というビジョンが必要だったはずだ。しかし、安倍政権や政府のクラスター対策班は、クラスターの追跡調査に重点を置いたため、検査拡大の資金投入、全国にある検査機関や研究員や技術員を持つ大学や研究施設などの大規模な投入も行わず、どのくらい感染者がいたかという基礎的な情報まで辿りつけずに終わってしまった。

七月から始まるGo Toキャンペーンで旅行や宿泊を推奨し、消費を喚起する以前に、感染拡大の状況を把握するためにやらなければならないことはたくさんあるはずだ。

欠けた市民目線、支持低下の原因に

日本の内閣支持率は、緊急事態宣言下で下がり続けた一方、英国やフランス、米国、中国や韓国、台湾などでは、首相や大統領の支持率が軒並み上がった。特に世界における割合は七％以下である女性リーダーの活躍が目に付いた。五月九日の「東京新聞」朝刊外報面では、ロンドン支局の沢田千秋記者が、世界の女性首脳陣のコロナ禍での活躍ぶりと安倍政権を対比させて報じている。台湾の蔡英文総統は、優れたIT技術を持った若手閣僚を登用、即座に渡航制限をかけ、いち早く感染拡大対策に舵を切り、自粛宣言の解除も早かった。アイスランドのカトリーン・ヤコブスドッティル首相は無症状者を含めた検査を推進し、ニュージーランドのジャシンダ・アーダーン首相は自らの報酬の二割カットをいち早く打ち出した。ドイツのメルケル首相はロックダウン（都市封鎖）の理由と出口戦略について、会見で科学的根拠を交えながら説明した。

有事のときにどれだけ市民に寄り添い、必要なメッセージや対策をわかりやすく発信できているか。市民側のシビアな視線が、世論調査には如実に反映する。シンガポールの調査会社「ブラックボックス・リサーチ」とフランスのメディア会社「トルーナ」が共同で行った意識調査では、二三カ国の国民による政権評価で日本はダントツの最下位を記録している。

自粛自警団の登場、強まる同調圧力

市民に自粛ムードが強まる中、一部の飲食店に匿名の張り紙などで休業を求める「自粛警察」と呼ばれる行為も相次いだ。コロナ感染者が発生した二月は、クラスター（感染者集団）を出した屋形船やライヴハウス、スポーツジムがやり玉にあがったが、四月七日に政府の緊急事態宣言が出されると、休業要請の対象の店が営業していることに市民からの批判が集まるようになった。大阪府には、営業しているパチンコ店などの通報が数百件に及び、宣言が延長されることが濃厚になった四月下旬からは、飲食店などに営業自粛の徹底を求める張り紙や落書きが目立つようになっていった。

市民の中に鬱積したストレスが、過度な自主規制や他の市民への攻撃を加速させているようだった。五月五日付「東京新聞」の「こちら特報部」では、「先の見通し立たず ストレス増で貼り紙か 休業要請実態は『強制』 補償不十分店側にだけしわ寄せ」との見出しで、新型コロナを巡って、同調圧力が日増しに強まっている状況などが報道された。匿名の嫌がらせの張り紙を受けた店主らは、「行き過ぎた嫌がらせだ」と戸惑いや怒りの声を上げ、有識者は自粛自警の動きについて、「日本特有の同調圧力が悪い方に出てしまった」と指摘している。

法政大の明戸隆浩・特任研究員が、「新型コロナウイルスに感染した人は本来被害者なのに、感染を広める犯罪者のようなイメージで捉えられるようになった。飲食店などが営業していれば、人が集まって感染を広げる『犯罪の助長』をしていると見なす風潮が広がっている」と警鐘を鳴らした。

自粛警察の台頭と軌を一にして、政府の要求も強まった。西村康稔・経済再生担当相が五月四日の国会で、休業要請や指示に応じない店舗などが相次げば、罰則を伴う指示を可能とする法改正を検討する考えを重ねて強調した。店名公表での休業が相次ぐパチンコ店についても、四月下旬の会見で「従わない施設が多数発生する場合、罰則を伴う法整備を検討せざるを得なくなる」と発言。こういった政府側の強気な発言が、さらに過剰な「自粛自警」を拡大生産したと見られている。

コロナ禍とメディア

緊急事態宣言が五月に解除されると、メディア各社がコロナ禍の検証記事をスタートさせた。「朝日新聞」は五月一七日の紙面で、屋形船を利用した七〇代の男性タクシー運転手と屋形船従業員に関する二月の都の発表について、批判的な検証記事を掲載した。感染者の確認が取れていなかったにもかかわらず、都の発表を受けた「中国人観光客が感染」が前提の報道が国内メディアで急速に拡大していった、と指摘している。メディア各社は、第二波が訪れる前の備えや対応だけでなく、報道の仕方についても反省と教訓を踏まえた検証が不可欠だろう。

一方、コロナ禍で、既存のマスメディア以上に世の中を動かしたのは、Twitter などのSNSの発信だった。アベノマスクや首相くつろぎ動画への批判も、足りないPCR検査への不満の声も、「三七・五度以上で四日間自宅待機は誤解」発言への反発も、国民の怒りはまずSNSから始まっている。かつては新聞・テレビなどの旧来メディアをコントロールすることで世論誘導を図ってきた政権の手法が、通じない時代に入った。

それはコロナ対応に限らない。黒川前検事長の人事と検察庁改正法案を巡る反発のうねりは、ネットメディアを通じた新たな民主主義、市民社会の合意形成が可能になっていくことを示唆した。「#検察庁改正法案に抗議します」というハッシュタグの付いたツイートが瞬く間に拡散し、これまで政治的な発信が少なかった俳優やタレント、映画監督など文化・芸術人らから も抗議の声が続出。賛同ツイートは一〇〇〇万を超えた。

長年の法解釈を変更し、政権に近いとされる黒川検事長（当時）の定年を延長した閣議決定は、あきらかに黒川氏を次の検事総長に据えるためと見られていた。国会に法案として出された検察庁法改正案の「特例規定」は、解釈変更を後付けで正当化するものと受け止められた。当時、河井克行・前法相夫妻の公職選挙法違反疑惑の捜査が進んでいた。「官邸の守護神」を総長に置くことで、首相周辺に捜査のメスが及ぶのを防ぎたかったのではないか。それは新型コロナ対策より優先させるものか——。民意を無視した政権のやり方に、大きな疑問符が付けられた。

同調圧力が強く、声を上げづらいと言われる日本において、ＳＮＳは市民が新たに手にした「武器」になる。既存のマスメディアはどうやってＳＮＳの声をくみ取り、向き合いながらジャーナリズムとしての役割を果たせるか。ＳＮＳの進化とともにメディアの価値、真価が改めて問われる時代になったと思う。

（二〇二〇年七月七日）

［日本社会］

禍福は糾える縄の如し

森 達也

森 達也（モリ・タツヤ）

一九五六年、広島県呉市生まれ。映画監督、作家、明治大学特任教授。テレビ番組制作会社を経て独立。九八年、オウム真理教を描いたドキュメンタリー映画『A』を公開。二〇〇一年、続編『A2』が山形国際ドキュメンタリー映画祭で特別賞・市民賞を受賞。佐村河内守のゴーストライター問題を追った一六年の映画『FAKE』、「東京新聞」の記者・望月衣塑子を密着取材した一九年の映画『i－新聞記者ドキュメント－』が話題に。一〇年に刊行した『A3』（集英社文庫）で講談社ノンフィクション賞。著書に、『放送禁止歌』（光文社知恵の森文庫）、『「A」マスコミが報道しなかったオウムの素顔』『職業欄はエスパー』（角川文庫）、『A2』（現代書館）、『ご臨終メディア』（集英社）、『死刑』（朝日出版社）、『東京スタンピード』（毎日新聞社）、『マジョガリガリ』（エフエム東京）、『神さまってなに？』（河出書房新社）、『虐殺のスイッチ』（出版芸術社）、『フェイクニュースがあふれる世界に生きる君たちへ』（ミツイパブリッシング）など多数。

一月一六日、国内で初めて感染者が確認されたと厚生労働省が公表した。そして二月五日、クルーズ船「ダイヤモンド・プリンセス号」における集団感染が判明した。

こうしてコロナ禍が始まる。ちなみに「禍」とは何か。日常語としてはほとんど使わない。『広辞苑』で引いた。

か［禍］クワ

わざわい。災難。

「禍福・禍根・水禍・筆禍・交通禍」

普通は戦争や天災に禍の字は使わない。なぜなら被害があって当たり前だから。つまり禍のニュアンスは、普通なら被害に直結しないものによってもたらされる大規模な災難。だからスペイン風邪（補足するまでもないとは思うが、正確には風邪ではなくインフルエンザ）や鳥インフルエンザにも禍はつけない。最近は禍の使用例がもうひとつあった。六月に入ってからアフリカ、中東、インドなどを中心に、過去七〇年で最大規模とされるバッタの大発生。農作物は大きな被害を受けている。これをメディアはバッタ禍（蝗害《こうがい》）として伝えている。

普段は使わない漢字。でもコロナ禍はあっというまに日常語になった。特にメディアが好んで使う理由のひとつは、新型コロナとかウイルスとか感染とか発症とか、本気で説明しようとすれば多くの文字数を使わなければならない微細なニュアンスを、たったひとつの「禍」という文字で一括変換のように表すことができるからだろう（だから見出しに使いやすい）。
いずれにせよ普段は使わない「禍」が流通する現状は、「かつてない事態に自分たちがいる」ことが示されていると解釈できる。あるいは、普段は使わない「禍」を頻繁に目にすることで、「かつてない事態に自分たちはいる」との感覚が社会にフィードバックされ続けている、との見方もできる。

……とここまで、「かつてない事態」を前提であるかのように書いてしまったが、実はこれは正しくない。だって人類はこれまでパンデミックの脅威を、何度も体験してきている。決して「かつてない事態」ではないのだ。

ただしそれは個の記憶ではない。十字軍や応仁の乱やロシア革命と同じ歴史のひとつだ。特に日本は、近年のMERSやSARSでも大きな被害は受けていないし、ヨーロッパにとっては悪夢の歴史である（一説では半分以上の人たちが死んだ）ペストの災禍もほぼ体験していない。情報はあっても実体験の記憶がない。つまりバーチャルなのだ。初めての視界。初めての感触。だからこそ（初めてVRゴーグルを装着した人のように）ずっと手探りで前に進んでいるような状況が続いている。

生きることは加害すること

「刊行によせて」にも書いたけれど、コロナ禍が始まった時期、つまり一月から二月、そして三月にかけて、僕は状況を相当に舐めていた。だって自分はもちろん、親戚や知り合いに発症者は一人もいない。脅威を実感できなかった。でも四月に入ってコロナ禍という言葉が新聞やテレビで使われ始めたあたりで、自分たちはこれまでなかった事態を迎えている、と気づき始めた。

ちょうどこの頃から、僕はほとんど家を出なくなった。といっても感染に過剰に脅《おび》えたわけではなく、打ち合わせやシンポジウム、映画祭や大学新学期の授業も含めて、直近の予定がすべて消えたからだ。そもそも家にいることは嫌いじゃない。でもたまには気分を変えたい。五月上旬、しばらくぶりに家を出た。出歩く人は少ない。駅前の大型スーパーに行った。店内は暗い。多くのテナントはクローズしている。カップヌードルやレトルト食品など保存食の棚はほぼ空だ。人が少ない通路を歩きながらふと思う。この感覚と光景には見覚えがある。

ちょうど九年前の春、東北を襲った大地震と福島第一原発の爆発を契機に、首都圏の街からネオンが消えてコンビニやスーパーは一斉に薄暗くなり、保存食やトイレットペーパーなどの買い占めが問題になった。石原慎太郎・東京都知事は「同胞の痛みを分かち合うことで初めて連帯感ができてくる」「戦争のときはみんな自分を抑え、こらえた。戦には敗れたが、あのときの日本人の連帯感は美しい」と発言して花見の自粛を呼びかけ、多くの行事や予定が消え、出歩く人も少なくなった。

……何でこういうときに「戦には敗れたが」とか「日本人の連帯感は美しい」などと口走りたくなるのかな。まあそれはともかくとして、震災後に日本列島を覆っていた重苦しい気分は、津波や原発爆発によって被害を受けた人たちへの共感や哀悼の感情だけではなく、どうにも拭いきれない「後ろめたさ」に由来していたと思う。

僕自身がそうだった。家に閉じこもってテレビが伝える被災地の苛烈で理不尽な状況に吐息をつきながら、時には涙ぐみながら、自分や自分の家族は何の被害も受けていないし、暖かい布団でいつものように眠ることができる現実に困惑した。そもそも福島の原発は首都圏に電力を供給するために稼働していた。その原発がメルトダウンを起こして福島の人たちは仕事や日常を奪われた。それなのに電気を供給されていた東京都民の生活は何も変わらない。いつだって犠牲になるのは中心ではなく周辺。統合本部や大本営ではなくジャングルで飢えながら疲れきった兵士たち。首相や官邸ではなくヒエラルキーの下部層。それでいいのか。いいはずはない。でも何をどうすればよいのかわからない。

この感覚を言葉にすればサバイバーズ・ギルト。生き残ったがゆえの罪責感。ホロコーストのサバイバーたちが抱く思い。自分はなぜ生きているのか。彼らはなぜ死んだのか。自分の生は誰かの犠牲によって成り立っている。生きることは加害すること。これに気づく。だからつらい。後ろめたい。

アウシュヴィッツからの生還者であるプリーモ・レーヴィは、この負い目を抱えると同時に、パレスチナを加害するイスラエルの占領政策に異を唱えながら戦後世界を生き続けたが、この二つの重責に耐えられなくなったように自害した（事故死との説もある）。罪責感は時として自分をも蝕む。つらい。苦しい。だからレーヴィのように必死で抱え続ける人もいれば、さっさと手放して楽になって「美しい」とか「崇高だった」とか「気高い」などの語彙を安易に口走る人もいる。

かつての同盟国であるドイツと日本の現在が、自分たちの戦争責任だけではなく新型コロナ対策や政治リーダーへの評価も含めてこれほどに隔たりを持ってしまった理由のひとつは、罪責感を保持し続けたか手放したかの違いにある。

数年前の夏、ベルリン自由大学の学生たちとディスカッションする機会があった。ちょうど日本では、首相の靖国参拝問題が大きなニュースになっていた。だから一人の学生から、「八月一五日は日本のメモリアル・デーなのですか」と質問された。うなずく僕に「他に日本の戦争のメモリアル・デーはありますか」と別の学生が訊ね、「八月六日と九日。広島と長崎に原爆が落とされた日です」と答えた僕は、「ドイツのメモリアル・デーはナチスドイツが降伏した五月八日ですよね」と訊き返した。でも学生たちは首を横に振りながら、「その日はヨーロッパの祝日（戦勝記念日）ですが、ドイツにとって本当に重要な日ではありません」と答えた。

「ドイツのメモリアル・デーは一月二七日と三〇日です」

それが何の日かわからず首をかしげる僕に、「連合国はアウシュヴィッツを一月二七日に解放しました。そして三〇日は、ヒトラーが首相に任命されて組閣した日です」と彼らは説明した。

僕はしばらく言葉がない。日本の戦争のメモリアルは自分たちの被害の体験と戦争が終わった日。そしてドイツのメモリアルは、自分たちの加害の体験とナチス体制が始まった日。真逆だ。この違いは大きい。とてつもなく大きい。

そんな思いでいたからこそ、震災後に薄暗いスーパーやコンビニで買い物をしながら、サバイバーズギルトについてあらためて考えた。この国はそもそも電気を使い過ぎていた。東京は世界で最も夜が明るい都市と言われている。この時点で原発の数は世界第三位。一位のアメリカは国土が圧倒的に大きいし、二位のフランスにはほぼ地震がない。これほど狭くて地震ばかり起きる国で、五四基の原発はやっぱり常軌を逸していた。ならばなぜ自分は抗いの声をあげなかったのか。情報は隠されていたわけではない。警告を発している人もたくさんいた。それなのに自分は本気で捉えていなかった。他人事だった。声をあげなかった。

だからこそ後ろめたい。悔しい。そして申し訳ない。結局のところ自分は沈黙することで、この国の原発政策に加担してきたのだ。

未来のエネルギーと称された原発によって国土は汚染され、多くの人が故郷を失った。多くの人が自分たちの過ちに気がついた。強い後ろめたさを持った。ならばこれを機会にこの国は変わる。これからはダウンサイジング。資源のない小さな国だ。だから身の丈に合わせる。振り返ればこの国は戦後ずっと、消費経済と利便性ばかりを追い求めてきた。原発はその象徴だ。でも本当の幸福は違う方向にある。そんな国家にきっと変わる。

一時はそう思った。でも結局は一時だった。結果としてこの国は、やっぱり後ろめたさを持続できなかった。震災後に政権は民主党から自民党へと戻り、一時はすべて休止していた原発の再稼働が始まり、アベノミクスをキーワードに経済繁栄と過去の栄光を礼賛する傾向が強くなり、戦後復興と高度経済成長を体現した東京オリンピックの再度の招致まで現実になった。排外主義が強くなったのもこの時期だ。

自分は加害の側にいるのでは、との思いからサバイバーズ・ギルトは生起する。実際に痛みがあるわけではない。だから忘れる気になればすぐに忘れる。こうして震災後、高い支持率で支えられる安倍政権と共に、日本社会は以前と同じステップで踊り始める。夜の東京は煌々《こうこう》と明るくなり（震災直後の電気が足りなくなるとの宣言は何だったのだろう）、オリンピックに向けて至るところで再開発が始まり、アメリカへの従属をより強く進めながら、美しい日本を取り戻すと選挙のたびに連呼する安倍政権は、安全保障法制や集団的自衛権の解釈変更など強硬採決を重ねてきた。

そして震災からちょうど九年後、新型コロナウイルス（以下、新型コロナ）の脅威が現出した。

過剰に発動する馴致《じゅんち》能力

脅威はリスク（危機的状況の度合い）とハザード（実際の危険性や有害性）に分けることができる。この二つは似て非なるもの。例えばマムシはハザードが大きい。もしも咬まれたら幼児や高齢者ならば命にかかわる。でも僕たちは日常生活で、マムシを警戒して長靴を履いて外出したりしない。なぜならマムシと都市部で遭遇する可能性はとても低い。つまりリスクは圧倒的に小さい。この二つを冷静に見きわめることができなくなったとき、不安と恐怖が増殖して極端なセキュリティ社会が発動する。

特に地下鉄サリン事件以降、理解不能な犯罪と常軌を逸した報道に不安と恐怖を激しく刺激されたこの国のセキュリティ意識は急激に肥大し、集団化を進めながら見えない敵に脅え、善悪二元化が進行した。街には監視カメラやテロ警戒中などの掲示が増殖し、官公庁や大企業やメディア各社はセキュリティゲートやIDカードを新設して警備員を増やし、厳罰化が進行してセキュリティ関連企業は一気に業績を拡大した。

でも監視カメラが密集する空間で人は安心できるだろうか。その状況を想像してほしい。むしろ逆だ。刺激された不安と恐怖は、過剰なセキュリティで出口を失いながら増殖を続け、やがて飽和したセキュリティ意識は国の外に溢れ出し、中国と韓国に北朝鮮など周辺国すべてが、いつか自分たちを攻撃する仮想敵国に見えてくる。異物を排斥しようとする集団の振舞いが、ヘイトスピーチとして顕著になったのもこの頃だ。

あいちトリエンナーレの騒動や映画『主戦場』上映をめぐる論争など表現の自由の問題も、その本質は権力の検閲や抑圧ではなく、「万が一の事態が起きたら」とのフレーズが体現する過剰なセキュリティに端を発している。北朝鮮の実験用ミサイルの破片が万が一落ちてきたら、海を渡ってやってきたヒアリが仮に大繁殖したら、もしも会場で誰かが実際にガソリンを撒いて火をつけたら、おまえ（自分）はその責任をとれるのか。

北朝鮮の実験用ミサイルが日本上空を飛び越えたときの高度は四五〇キロだ。国際宇宙ステーション（ISS）の軌道である四〇〇キロよりも高い。ほぼ宇宙空間。ヒアリの毒性と攻撃性は、日本の田舎ならどこにでもいるオオスズメバチに比べれば相当に低い。ガソリンを撒いて火をつけようと本気で考えたなら、脅迫電話や予告ファックスなどするはずがない。

そう理性や論理で説いても、肥大する不安と恐怖は聞く耳を持たない。万が一のリスクを本気でゼロに近づけようとするならば、人は家から一歩も出られなくなる。つまり究極のステイホームだ（それでもリスクはゼロにはならない）。不安と恐怖に耐えられない集団は、見えない（存在しない）敵を無理やりに可視化しようとする。

こうしてサイトカインストームが発動する。

身体の中にウイルスなど異物が侵入したとき、細胞はたんぱく質の一種であるサイトカインを放出し、身体全体にアラームを発令する。しかし新型コロナに感染したとき、この免疫システムが過剰に発令し続けて止まらなくなる。こうして身体全体が戦場と化し、人はウイルスではなく自らの免疫細胞によって大きなダメージを受ける。新型コロナに感染した多くの重症患者にとって、最大の脅威となるのはウイルスそのものではなく、自らのセキュリティ・システムなのだ。

群れる生きものは少なくない。イワシにメダカ、スズメにムクドリ、ヒツジにトナカイ、まだまだたくさんいる。彼らの共通項は弱いことだ。一人だと天敵に食われてしまう。だからいつも脅えている。特にホモサピエンスは弱い。翼はないし、二足歩行だから走っても遅い。練習しなければ泳げないし、爪や牙はすっかり退化した。

だから僕たちは、群れる本能がとても強い。

補足するが、群れる生きものであるからこそ言葉を発達させたホモサピエンスは、言葉や文字によって情報の伝播や継承を可能にし、現在の繁栄につながっている。つまり群れとは社会性。でも副作用がある。同調圧力が強くなることだ。特に不安や恐怖を感じたとき、群れようとする動き（集団化）は加速する。そして全員が同じ動きをするようになる。

イナゴ禍（蝗害）を起こすバッタの正式名称はサバクトビバッタ。彼らは通常は単独で暮らす。ところが降水量が減って餌《えさ》になる草が減ったりしたとき、幼齢のバッタは残された餌場を求めて集まってくる。つまり集団（クラスター）化だ。このような環境で育ったバッタが生む次世代は、身体が大きくなって翅《はね》が長くなり、そして性格も狂暴になる。これを相変異《そうへんい》という。群れとなったサバクトビバッタは、単独ではなく群れとして全体がひとつの生きもののように同じ動きを始め、食性も変わって共食いしたり他の虫や生きものを襲ったりするようになる。

水族館やテレビのドキュメンタリーで、ひとつの生きもののように整然と動くイワシの群れを、きっとあなたも見たことがあるはずだ。ただし、水槽に大量のイワシだけを入れても、実はあのような群れはできない。同じ水槽に大きな（イワシにとっては自分たちの捕食者となる）サカナを入れる。つまりセキュリティを刺激する。その瞬間に何千匹のイワシはひとつの群れとなる。

群れる生きものは、鋭敏な感覚で周囲の動きを察知して同調する。鋭敏な感覚と引き換えに言葉を得たホモサピエンスは、集団化と共に言葉を求め始める。つまり指示だ。「全体止まれ」や「右向け右」。指示に従って一斉に動く。こうして強い指示を発する独裁的なリーダーを人々は求め始める。ちなみに指示が聞こえないときはどうするか。リーダーの心中を想像して仮想の指示のもとに行動する。これが忖度《そんたく》だ。

地下鉄サリン事件以降に始まった日本の集団化は、二〇〇一年のアメリカ同時多発テロを契機に（その後のＩＳの出現などを燃料にしながら）、世界規模に拡大した。日本に暮らす僕の視点からはそう見える。だからこそ今は世界中で、独裁的な政治家が強い支持を背景に、続々と台頭し始めている。多くの人はこれを右傾化というが、これは右傾化や全体主義化への前過程であり、正しい呼称は「集団化」だ。

こうして(最も民主的と言われたワイマール憲法下でナチスドイツ体制に移行したドイツのように)民主主義的な手続きを経ながら、集団の最終形態である国家は独裁的な全体主義へと移行する。集団化を言い換えればクラスター化であり、多くの分断も並行して起きる。独裁者は自らへの支持を維持するために敵を探す。いなければ無理やりに作り出す。そして自衛を理由に攻撃する。東方への生存圏を大義にポーランドに侵攻したナチスのように。大東亜共栄圏を大義にアジアを侵略した大日本帝国のように。こうして人類の負の歴史は繰り返されてきた。

だからこそ新型コロナ報道が過熱し始めた二月から三月中旬にかけて、僕は状況に対してかなり懐疑的だった。日々報道される新型コロナの発症者や死亡者などの統計を見ながら、日本だけでもインフルエンザで年間四〇万人近くが死んでいるのに、餅を咽喉《のど》に詰まらせて数千人が死んでいるのに、これほど恐れる必要が本当にあるのだろうか、と思っていた。

でも四月から五月にかけて、僕は意識を変えた。

リスクとハザードの公式は応用できない。だって新型コロナのハザードはまだ未知だ。根絶は不可能だ。ならば希望はないのか。

人の適応能力はとても強い。北極圏にも暮らしているし熱帯雨林のジャングルでも生活できる。こんな生きものは他にはいない(例外的な存在として、石器時代以降の人類と共に進化して様々な品種改良を施されてきたイヌがいるが）。だからこそ人類はここまで繁栄できた。

でも適応能力が強いということは、周囲の環境に自分を合わせる馴致《じゅんち》能力が強いということでもある。そしてこの能力は、時おり過剰に発動する。違和感を抱くべき状況なのに違和感を抑え込んで自分を合わせてしまう。特に日本民族はこの能力がきわめて強い。だからこそすぐには役に立たない罪責感はさっさと手放して、大きな権力機構に包摂《ほうせつ》されることが得意だ。つまりラ・ボエシが唱えた自発的な隷従。特に近年（安倍政権以降）はこの傾向が加速している。こうしてまた負の歴史が繰り返される。群れやすいうえに記憶する力が弱すぎるのだ。

大きな歴史の分岐点としての現在

主権国家という概念はウェストファリア条約によって始まった。それから三〇〇年以上が過ぎる。この間に人類は月にも行ったし、国境をあっさりと飛び越えるネットを身近な存在にした。経済や情報のグローバリゼーションは急速に拡大している。世界一五カ国が協力するプロジェクトである国際宇宙ステーションには、複数の国のクルーが常駐して共同で業務を遂行している。宇宙から地球を見下ろせば国境など見えない。ところが新型コロナ以前、領地や領邦にとってかわった国家の境界は、（集団化の過程と並行して）強まるばかりだった。

国を単位にしながら人は争い続けてきた。もちろん民族や宗教の差異も争いの大きな要因だが、国家というシステムは争いを加速はさせても抑制はしない。ならば国境なんかなくなればいい。これは僕の妄想だ。でも新型コロナはこの妄想を現実化する可能性がある。だってウイルスを前にして一国主義は成り立たない。もちろん国境がなくなる、とまでは思っていないが、これまで大前提だった集団への帰属意識が、国から地域や世界へと拡大するかもしれない。つまり人類は新型コロナによって次の段階へと進む。本当の意味のグローバリゼーションが現実となり、国民国家という概念が変わる。

……もちろんこれは妄想の延長。ならば妄想ついでにもうひとつ。群れの意味が変わるかもしれない。だって新型コロナは、まさしくクラスター（集団）を直撃する。怖いから群れる。群れるから相が変異する。でも群れを作れない。ならば人類はどうするのか。ネットはその代替として機能するのだろうか。

いずれにせよ混乱は必至。完全な終息が無理ならば、ウイルスと共存する覚悟を我々は持てるのか。馴致することができるのか。防疫的な観点からは都市封鎖や社会活動の自粛は正しい。でも経済的な視点からはこれは自殺行為を意味する。どちらも人が死ぬ。二つの正義が衝突する。どちらも正しい。善悪二元ではない。だからこそこの二つを調整する「政治」が、健全に機能することが求められる。世界各国はともかく、安倍政権や小池都政にシンボライズされるこの国の政治は、後世にどのように評価されるのか。

大きな歴史の分岐点にいることは間違いない。

二〇世紀初頭に猛威を振るったスペイン風邪では、最大で一億人の人命が失われた。同時期の第一次世界大戦の犠牲者よりも多いのだ。これほどに拡大した理由のひとつは、戦争当事国が情報を隠蔽して公開しなかったからだ。

情報を隠蔽する政治権力に対して異議申し立てをやめないこと。今後はさらに苛烈な状況が予測されるからこそ、弱者への視点をこれまで以上に大事にすること。世界の他の地域に暮らす人たちに対しての想像力を失わないこと。

セキュリティ意識に端を発する集団化について、僕はずっと異を唱え続けていた。なぜなら集団化とは分断化でもある。異なる集団同士で敵対し争う傾向が強くなる。でも分断しない集団化もある。複数ではなくひとつの集団になればいいのだ。

……もちろんこれも妄想だ。でも今僕たちが見ている光景は、かつて見たことがないけれど現実だ。ならば妄想も現実化するかもしれない。禍福は糾《あざな》える縄の如し。覚悟しよう。サバイブする。しっかりと負い目と後ろめたさを持ちながら。生き残る。間違いなくこれから世界のシステムと意識は変わる。だから祈る。少しでもより良く変わりますように。

（二〇二〇年七月四日）

［ヘイト・差別］

コロナ禍の差別と排除

安田浩一

安田浩一（ヤスダ・コウイチ）

一九六四年、静岡県生まれ。「週刊宝石」「サンデー毎日」記者などを経てフリージャーナリストに。事件・社会問題を主なテーマに執筆活動を続ける。ヘイトスピーチの問題について警鐘を鳴らした『ネットと愛国』（講談社）で二〇一二年の講談社ノンフィクション賞を受賞。一五年、「ルポ　外国人『隷属』労働者」（「G2」Vol・17）で第四六回大宅壮一ノンフィクション賞雑誌部門受賞。著書に『「右翼」の戦後史』（講談社現代新書）、『ルポ　差別と貧困の外国人労働者』（光文社新書）、『ヘイトスピーチ』（文春新書）、『団地と移民』（KADOKAWA）など多数。

非常時レイシズム

コロナ禍は未知のウイルスに対する恐怖をもたらしただけではない。日本社会に溶け込んだ差別と偏見を、〝非常時レイシズム〟ともいうべきよりわかりやすい形で表出させている。

埼玉朝鮮初中級学校幼稚部（園児四一人・さいたま市）の朴洋子《パクヤンジャ》園長が、市のホームページで「マスク配布」の計画を知ったのは三月九日のことだった。新型コロナウイルス（以下、新型コロナ）の感染防止策として市内の幼稚園や保育園、放課後児童クラブに備蓄マスクを届けることが広報されていた。

「ありがたい話だと思ったんです。本当に」

朴園長は私の取材にそう答えた。

マスク不足が問題となっていた時期である。価格も高騰し、誰もがマスク獲得に奔走していた。

「すでに園で保管しているマスクは底をついていました。職員や保護者が連日、ドラッグストアなどを回り、マスクをかき集めているような状態だったんです。すぐに市へ連絡しました」（朴園長）

助かった。市はちゃんと子どもたちのことを考えてくれている。深刻なマスク不足に直面していたこともあり、朴園長がそう思ったのも当然だ。

ところが――「マスクの配布対象に朝鮮学校は含まれていない」。それが市の返答だった。

マスクの配布先は市が直接に指導監督する施設に限定されているのだという。つまり「各種学校」に分類される朝鮮初中級学校幼稚部は、市とは無関係であるというのだ。

しかも、市の担当者は配布マスクが転売される可能性をも示唆したのである。差別施策以外の何ものでもなかろう。何ひとつ根拠を示すことなく、朝鮮学校に対してのみ「転売」の疑念を向けたのだ。

なんという偏見であろうか。国籍や人種にかかわらず、地域で暮らすすべての人の命と健康を守ることが地方公共団体の責務だ。さいたま市はそれを放棄した。朴園長が「子どもの命の線引きをされた」と感じたのも無理はない。

「何がなんでもマスクをよこせと言いたかったわけではありません。朝鮮学校の園児たちも同じように扱ってほしかっただけなんです」(同)

抗議が相次いだこともあり、結局、市は同園にもマスクを配布することを決めた。とはいえ、差別や偏見があったことを認めたわけではなかった。

清水勇人市長は記者会見で「(朝鮮学校側の抗議を)判断材料にしたのではない。市の管理施設に限定すると、必ずしも市全体の感染拡大防止につながらないため」と説明した。「命の線引き」をされた子どもたちのことなど、まるで念頭にないのだろう。

問題はこれで収束したわけではなかった。その後、なんとも醜悪な〝余波〟に、同園は襲われたのだ。

ヘイトスピーチの嵐である。

〈マスクが欲しければ国に帰れ〉

〈浅ましい〉
〈厚かましい〉
〈日本人と同じ権利と保護があると思っているのか〉

こうした内容の電話やメールが同園に相次いだ。差別主義者による嫌がらせである。電話の場合、一方的に大声で怒鳴りつけ、返答を待たずに切れてしまうものが多かったという。私も経験しているが、この手の連中は最初から議論するつもりなどない。怒鳴る、脅す、あるいは嘲笑するだけで、人の話に耳を傾けることはない。そのうえ自らが何者であるのか、名乗ることもない。卑怯、下劣、陰湿であることが連中の特徴である。

こうした嫌がらせ電話に脅え、受話器を手に取ることのできなかった職員もいた。同園では非通知でかかってくる電話に対しては留守番機能を用いるなどの対応を取らざるを得なくなった。

いったい「浅ましい」のは誰なのか。一施設につき一箱（五〇枚）しか配布されることのないマスクを出し惜しみし、差別扇動の旗振り役を務めた市ではないのか。「厚かましい」のはいったい誰なのか。日本人に優越的権利があるのだと主張し、人権や尊厳、地域の安全にまで身勝手な分断線を強いる側ではないのか。

コロナ禍は、日本社会に潜むもっとも醜悪な部分を炙《あぶ》り出した。

「武漢ウイルス」と呼称する政治家たち

「中国人お断り」――こうした張り紙を提示する商店や飲食店が各地で相次いで「発見」されるようになったのは一月末からである。この時期、新型コロナ発祥を疑われる中国・武漢市が都市閉鎖され、日本国内でも感染者が確認された。これをきっかけに「反中国」感情が盛り上がる。

中国人を国内に入れるな。中国人は出ていけ。ネットを中心にそうした声が日増しに強くなった。

保守系メディアはそろって新型コロナを「武漢肺炎」「武漢風邪」「武漢ウイルス」などと呼称した。なぜにわざわざ人口に膾炙《かいしゃ》したわけでもない「武漢肺炎」を用いなければならないのか。あえてそうすることで、差別や偏見を喚起したかったのか。それが社会に亀裂をもたらすものだという想像力もないのか。新型コロナが中国由来であることを強調し、ナショナリズムを高揚させることが目的だとすれば、まさにパンデミックの「政治利用」である。

私が時折利用していた東京・新宿の喫茶店も、「武漢風邪流行のため休業します」との張り紙を出した。うんざりするしかなかった。おそらく、この店を利用することは二度とないだろう。

世界保健機関（ＷＨＯ）がウイルスの呼称に国名や地名などを付けることは避けるといったガイドラインを定めたのは二〇一五年だ。特定の地域や民族に対する攻撃、差別や偏見の助長を防ぐことが第一の目的である。さらには疾患名が疾患に対する理解をミスリードすることをも考慮している。地域名を用いることで、感染地域が限定的なものだと誤解される可能性も否定できない。

だが、それに挑むように、拒むように「武漢」を強調する者たちが後を絶たない。

麻生太郎財務相は四月一〇日の参院財政金融委員会で「新型とか付いているが、『武漢ウイルス』が正確な名前なんだと思う」と発言。他にも「武漢ウイルス」を呼称する国会議員や地方議員が相次いだ。

こうした物言いが、主に保守派を自認する人々、あるいは排外的な傾向の強い人々の口から発せられているところに、医学とは無関係な「反中国」の文脈が透けて見える。

疫病の初期対応や情報公開などに関して、中国側に問題があったのは事実だろう。それを批判することにはまったく異議がない。私には中国政府に肩入れする理由もない。

しかし、特定の事象を一般化し、その国に住む人々、そこにルーツを持つ人々に憎悪を向けることは間違っている。差別や偏見を煽《あお》る行為は絶対に許されない。

便乗ヘイトの感染力

実際、こうした空気に煽られた者たちにより、国内に住む中国人に対する卑劣な差別攻撃も各所で見られるようになった。

横浜・中華街の老舗中華料理店に差出人不明の封書が届けられたのは三月上旬である。Ａ４サイズの紙には、赤文字で次のように書かれていた。

「中国人はゴミだ！　細菌だ！　悪魔だ！　早く日本から出ていけ!!」

その後、同種の手紙が中華街の複数の店にも届いていたことがわかった。嫌がらせというよりも脅迫状だ。許しがたいヘイトスピーチであり、店の営業を脅かしたという点においては、ヘイトクライムでもある。

愛知県では、クルーズ船「ダイヤモンド・プリンセス号」のウイルス感染者を藤田医科大学岡崎医療センターに受け入れた際、「外国人に税金を使うな」「中国人を追い返せ」といった抗議電話が相次いだことを大村秀章知事が明かしている。

コメディアンの志村けんさんが新型コロナに感染し、亡くなった直後には、「中国人に殺された」「日本にいる中国人は国に帰れ」といった書き込みがネット上であふれた。哀悼でも追悼でもない、単なるヘイトが流布されたのである。

日ごろから外国人排斥を訴えている差別者団体「日本第一党」（代表の桜井誠氏は在特会元会長）は二月二九日、東京・銀座で中国人排斥を訴える差別扇動デモをおこなった。一〇〇人を超えるデモ隊は日章旗や旭日旗を掲げて、中国人の蔑称である「シナ人」を連呼。「日本に流入させるな」「日本から出ていけ」などと叫んだ。

また、六月初旬には別の差別扇動団体が、今度は東京・秋葉原でヘイトデモを実施した。隊列の先頭には「不逞《ふてい》外国人から日本国民と税金を守れ」と大書された横断幕が掲げられ、「きったないシナ・中共」「武漢菌をまき散らすな」「日本から出ていけ」といったシュプレヒコールが繰り返された。

沿道でヘイトデモに反対する市民に対しては「ちゃんころ（中国人に対する蔑称）」「在日コリアンは死ね」といった罵声も飛ばされた。

同様のヘイト活動は沖縄・那覇市でも見ることができた。

那覇市役所前で毎週水曜日に差別扇動街宣をおこなっている団体は、コロナ禍にあって、ますます勢いづいた。本土からの移住者である団体の代表は、大型のトランジスタメガホンを用いて「武漢肺炎」を連呼しながら、「ウイルスが変異して感染力が高まっている」などと根拠不明な自説を展開。さらには「いま入国しているチャイニーズは歩く生物兵器かもしれない」などと中国人に対する露骨なヘイトスピーチを繰り返した。代表はこれまでにも中国人観光客を追いかけまわし、「出ていけ」などとマイクで恫喝するなどの悪質な街宣をおこなってきた。いわば〝札付き〟のヘイトスピーカーであるが、こうした人物をつけあがらせるほどに、日本社会は未熟だったということにもなる。

このように、非常時レイシズムと便乗ヘイトは、ウイルス以上の感染力を持って日本社会に広がっていったのだ。

多くの自治体は差別を野放しにした

本来、こうしたときにこそ行政が「差別は許さない」と明確なメッセージを発するべきではないのか。

二〇一六年に施行されたヘイトスピーチ解消法では「不当な差別的言動はあってはならず、

こうした事態をこのまま看過することは、国際社会において我が国の占める地位に照らしても、ふさわしいものではない」としたうえで、国や地方公共団体が率先して差別解消に努めるよう求めている。にもかかわらず、行政や政治家が外国人、外国籍住民に対する偏見を野放しとするどころか、ときに差別の旗振り役を務めるのは、法の精神に真っ向から反しているといってもよいだろう。

私が知る限り、繰り返される差別扇動に毅然と声を上げた首長は、前述した愛知県の大村知事ただひとりではなかったか。

大村知事は「病院から中国人を追い出せ」といった抗議に対し「情けない限りだが負けません」とTwitterで意思表示した。そこは「許さない」の一言もほしかったところだが、あるべき首長の姿を示したことにはなる。

だが、多くの自治体も、国も、差別の蔓延に関しては野放しのままだった。政権内部からは、新型コロナをわざわざ「武漢ウイルス」と言い換え、特定の地域や民族に対する差別や風評被害を煽る者を出しているのだ。法令違反であると同時に、政治家としての役割の放棄だ。

生活支援を目的とした特別定額給付金に関しても、支援対象を「日本人」に限定するよう訴える与党政治家もいた。

自民党・小野田紀美参院議員である。小野田議員は三月三〇日、「マイナンバーは住民票を持つ外国人も持っていますので、マイナンバー保持=給付は問題が生じます」とTwitterに書き込んだ。つまり給付対象に外国人が含まれるのは「問題」だとしたのである。私は同議員に真意を訊ねるべく、秘書を通して取材を申し込んだが、一切の返答はなかった。

ちなみに、外国人労働者の受け入れ促進を目的とした改正出入国管理法の成立時（二〇一八年一二月）、小野田議員を含む自民党所属議員は国会で賛成票を投じている。同法は外国人労働者を増やすことで少子高齢化による深刻な人材不足を解消するといった趣旨で生まれたものだ。人権保障の点で多くの問題点を抱えた同法ではあるが、これによって少なくない企業が労働力を確保し、事業存続が可能となったことは事実だ。つまり、日本の雇用は外国人によって「助けられている」のである（納税という点ではすべての外国人が貢献している）。

「日本で働いてください」とお願いしておきながら、非常時の補償から外国人を排除するとは、どういうことなのか。そんな都合の良い〝切り捨て〟が許されて良いわけがない。そして、こうした政治家に限って、日本社会に根付いた深刻な差別にはまったくといってよいほどに無関心を貫き通す。

パチンコ店を標的にした根拠なきデマ

想像してほしい。非常時に、社会全体が苦しんでいるときに、差別の扇動はときに取り返しのつかない事態を招いてしまうのだということを。

一九二三年の関東大震災では、差別と偏見、デマによって、多くの朝鮮人が殺された。いまなお地震や水害といった自然災害が起きるたびに、外国人を危険視する書き込みがネット上にあふれる。

昨年、大型台風が関東全域を襲った際も、二〇一八年の大阪北部地震、二〇一六年の熊本地震のときも、「朝鮮人が井戸に毒を投げ込んだ」「外国人窃盗団が空き巣を繰り返している」といったデマ情報がSNSで流布された。

二〇一四年に広島で大雨による土砂災害が発生した際は、同様に「外国人窃盗団」デマが広まっただけでなく、〝犯罪外国人制圧〟を目的とした自警団結成の動きまであった。

根拠なきデマは、一歩間違えれば殺戮にも発展することは歴史が証明している。

差別は命にかかわる問題だ。そう、「命の線引き」だ。これを許容する社会であってはならないはずだ。

五月に入ると、営業中のパチンコ店に出向き、「自粛しろ」と叫びながら、利用客や従業員に食ってかかる手合いも登場した。

彼らは訴える。「感染を広めるな」「社会の安全を守れ」云々。

本気でそう思っているのかどうかは疑わしい。感染拡大を防止したいのであれば、わざわざ唾をまき散らし、大声を上げながら利用客の列に割って入ることなどしないだろう。

たとえば兵庫県内のパチンコ店に押し掛けた者は、Twitter にこう記した。

〈休業指示に従わないパチ屋ガチで追い込んだわ〉

さらにそこに続くツイートには、パチンコ産業従事者に多いとされる在日コリアンに向けたヘイトスピーチが書き込まれていたのである。

また、こうした者たちをネットで囃し立て、扇動しているのも、これまで在日コリアンの排斥などを訴えながら街頭でのヘイトデモを繰り返してきた者たちだ。

自らを「排外主義者」だと自認する差別扇動団体のリーダーは、営業中のパチンコ店に対する嫌がらせを、自らのブログで次のように記した。


〈「日本人VS在日朝鮮人」のドンパチ（抗争）が東西で本格化したと言えるだろう〉

〈反パチンコ暴動の日本版「水晶の夜」は近し!?〉


これだけを見ても、彼らが決して感染拡大防止や社会の安全を考えているわけではないことが理解できよう。

「水晶の夜」がいったい何を意味する言葉であるのか知っているのか。

クリスタルナハト――一九三八年一一月九日、ドイツで起きたナチスによるユダヤ人迫害事件のことだ。ナチスは同日夜、ドイツ全土で〝ユダヤ人狩り〟をおこなった。七〇〇〇カ所以上の商店と数百カ所のユダヤ教礼拝所が焼き討ちにあい、三万人近くのユダヤ人が逮捕された。路上には焼き討ちの残骸や砕け散ったガラス片が飛び散っていたことから、〝水晶の夜〟と呼ばれるようになったのだ。差別と偏見が引き起こした蛮行である。

わが国のレイシストたちは、このような惨事をパチンコ店への抗議活動と重ねる。在日コリアンとの闘いなのだと主張する。バカバカしい、というよりも背中の筋肉が強張るほどの怒りが全身を貫く。軽々しく殺戮を煽るような者たちに対して。

命の線引きを許さない

忘れてならないのは、パチンコ店の抗議に同調するレイシストを煽ったのが、またしても行政だったということだ。自粛要請に従わない店舗の名前と住所を公表し、一部の者たちが抱えた差別と偏見を、そこに誘導した。「従業員の生活を守りたい」という一概に否定することはできない店側の声も、「非国民」の合唱にかき消される。

非常時というより戦時の風景だ。

〝自粛〟期間の長期化がさらに人の心を荒廃に導くのか、排他の矛先はもはや外国人だけにとどまらず、貧困者、風俗産業従事者、そして感染者にも向けられている。

生活保護利用者に給付金は必要ないのだと著名人が訴え、同調する意見が相次いだ。同様に風俗産業従事者への偏見を煽り立てる者もいる。

感染者の素性暴きがおこなわれ、営業自粛のできない店に「出ていけ」と書かれた紙が何者かによって貼られる。

路上に飛び散ったガラス破片の不気味な煌《きら》めきを、こうした風景のなかに見る。「水晶の夜」が日本社会と無縁だとは言い切れまい。

ウイルスも、そして差別も、世の中のもっとも脆弱な部分に襲いかかった。

むろん、日本だけではない。米国や欧州では、かつての黄禍論（黄色人種警戒論）を想起させるようなアジア人差別が横行している。そうしたなか、米ニューヨーク市のビル・デブラシオ市長は「差別は違法」としたうえで、市民にこう呼びかけた。

「差別やヘイトクライムを見たらすぐに通報してほしい。アジア系のみなさんへ。ニューヨークはあなた方の味方です」

いま必要とされるのは、こうしたメッセージではないのか。

同時に、私たち一人ひとりが差別と偏見に毅然と立ち向かうべきだ。

いや、その点に関してはわずかな希望だって見えている。

たとえば東京や沖縄など各地で実施されたヘイトデモ・街宣――これらは〝やつら〟の思い通りにおこなわれたわけではない。そこには必ず、ヘイトに反対する人々の姿があった。差別主義者が一〇〇人集まれば、その倍の人数が〝カウンター〟として沿道を埋める。ヘイトスピーチが路上で飛び交えば、即座に抗議の声がぶつけられる。

冒頭で記した朝鮮学校の幼稚部が市からマスクの配布を拒否された際には、全国から多くのマスクが届けられた。

「日本社会に絶望しなかったのは、名もなき多くの人に支えられていることを、あらためて実感したからです」

同園の朴園長はそう述べた。

「命の線引き」を許さない人たちがいる。差別を乗り越えようとする人々がいる。

コロナ禍は日本社会の醜悪な姿を炙り出すと同時に、それと闘う人々の存在も映し出した。まだ負けちゃいないのだ。私はそう信じている。

（二〇二〇年七月一五日）

［難民］

共感の種を育てるために

コロナ禍で孤立する難民と仮放免の人々

安田菜津紀

安田菜津紀（ヤスダ・ナツキ）

一九八七年、神奈川県生まれ。NPO法人 Dialogue for People（ダイアローグフォーピープル／D4P）所属フォトジャーナリスト。同団体の副代表。上智大学卒。一六歳のとき、「国境なき子どもたち」友情のレポーターとしてカンボジアで貧困にさらされる子どもたちを取材。現在、東南アジア、中東、アフリカ、日本国内で難民や貧困、災害の取材を進める。東日本大震災以降は陸前高田市を中心に、被災地を記録し続けている。著書に『写真で伝える仕事 - 世界の子どもたちと向き合って - 』（日本写真企画）ほか。現在、TBSテレビ『サンデーモーニング』にコメンテーターとして出演中。

「この世界に、私たちの居場所なんてどこにもない」。そんな声がイラク北部、クルド自治区から届いたのは三月後半のことでした。三月二一日は、クルドの人々にとってのお正月「ノウルーズ」です。三年前、イラク戦争開戦から一五年という時に、一度このノウルーズに参加したことがありました。前夜である三月二〇日の夜には、トーチを持った人々が山へと登り、星空が地上に降りてきたかのような光景が広がります。ノウルーズ当日は、伝統衣装に身を包んだ家族連れが、緑に覆われた草原でピクニックを楽しむのです。

夏になると、この地域の気温は五〇度を超え、頭を圧するほどの日光の下、ハロゲンヒーターのような熱風に全身であたっているような気候に見舞われます。三月は、束の間の過ごしやすい、そして最も美しい時期。そんな心躍る季節が忘れられず、今年のお祝いも再び現地で過ごす予定でした。

ところが日本でも新型コロナウイルス（以下、新型コロナ）の感染者数が増加し、二月末、イラクは早々に日本からの入国を禁じました。その後、クルド自治区は治安部隊を導入しての強力なロックダウンへと踏み切ります。「いつも戦争と隣り合わせの国だからね」と、取材を手伝ってくれている友人から、苦々しい思いを綴ったメッセージが届きます。「強硬な政策に慣れている」とはいえ、移動や外出の制限が、元々疲弊していた経済に与える影響は計り知れません。

クルド自治区は比較的治安が安定している場所である分、隣国シリアや国内の不安定な地域から多くの避難者を受け入れてきました。「私たちの居場所なんてどこにもない」と連絡をくれたのは、現地で会う予定だったシリア難民の家族です。隣国から安全を求めて逃れてきたものの、今度はロックダウンで、やっと見つけたガソリンスタンドでの仕事も見通しが立たなくなってしまったのだといいます。

シリアでは数十年にわたり、父子アサド政権による支配が続いてきました。チュニジアやエジプト、リビアなどで次々と民衆が現政権へと抗い、路上へと繰り出した〝アラブの春〟は当初、強力な支配体制にあるシリアには波及しないとみられていました。けれど二〇一一年三月、ついにシリア国内でも民主化デモの波が広がっていきました。

もっと発言する自由を、もっとよい政治を、もっと仕事を選ぶ権利を、といった人々の声が日に日に高まっていったものの、政権は耳を傾けず、容赦なく彼らに銃口を向けました。ロシアが本格的に加勢するようになってからは、無差別爆撃が街を根こそぎ破壊していきました。UNHCR（国連難民高等弁務官事務所）によると、二〇二〇年六月の時点で、国外に逃れ、避難生活を送る人々は約五五〇〇万人、国内避難民も六〇〇〇万人を超えています。つまり戦争が起きる前のシリアの人口の半数が、家を追われたことになるのです。

難民女性の苦難と「鎖国」

人々が密集して暮らす難民キャンプや、キャンプ外であっても安アパートがひしめき合う地区に暮らす人々にとって、このコロナ禍は輪をかけての脅威でした。

とりわけ気がかりなのが、女性たちの置かれた状況です。難民の人々に限らず日本でも、何か緊急事態が起きた時、残念ながら女性たちの声が置き去りになりがちです（本筋からは少しそれますが、この本の書き手も女性は三割に満たない人数です）。東日本大震災後の避難所でも、女性の着替え場所など、プライバシーへの配慮が後回しにされた問題が指摘をされたほか、性暴力被害もあったことが後になって分かったこともありました。

新型コロナ感染拡大と共に「ステイホーム」が呼びかけられましたが、虐待やDVなどのケースのように、自宅に居場所を見いだせない、もしくは自宅にいること自体が、却って身を危険に晒してしまう場合もあります。四六時中加害者から離れることができない状況は、被害者にとっては脅威以外の何ものでもないでしょう。特に密室での虐待や性暴力被害は、まだまだ被害者が声をあげにくく、問題が発覚するまでに時間がかかったり、うやむやにされてしまったりすることがあります。

難民となった人々は、そもそもステイするための「ホーム」ですら不安定な状態です。そこに先行きの見えない暮らしのストレスと、新型コロナによる不安が重なれば、ただでさえ届きにくい女性たちの声が、より一層、逃げ場のない家庭内に押し込められてしまう恐れがあります。

執筆時現在（二〇二〇年七月）、感染拡大防止のため、いまだ多くの国々・地域の行き来が制限されています。国際機関やNGOが従来通り活動できなくなれば、「助けて」の声を届ける先がなくなってしまうでしょう。過激派勢力「イスラム国」（IS）が、ヤズディ教徒の女性たちを性奴隷としてきたように、戦争では時に性暴力が相手を支配するための「武器」として利用されることがあります。私自身も、一三歳で戦闘員の「妻」とされた少女にインタビューをさせてもらったことがありますが、彼女たちの中では、戦争は決して終わっていません。ただでさえこうしたトラウマを抱えている人々が暮らす地で、新たな性被害につながりかねない、もしくは被害者を孤立させるような環境を生み出してしまったのが、このコロナ禍でした。

隣国に逃れたシリアの人々の状況が深刻なのは、イラクだけではありません。シリアの南側に位置するヨルダンには、正式に登録されているだけでも約六五万人のシリア難民が身を寄せています。この国で子どもたちの支援を続けてきたNPO法人「国境なき子どもたち」の松永晴子さんは、四月末に行ったオンラインインタビューにこう答えてくれました。

「例えば今、日本への帰国要請が出されたとして、私自身は日本に帰ろうと思えば帰れる、帰る場所があるんです。でも、シリアの方たちは、国境も閉ざされているし、万が一ヨルダンが大変な状況になってしまったとしても、帰るという選択肢がないんです。シリアの人々に限らず、世界中に今、自分の国に帰れない人たちがたくさんいますが、そういった人たちは平常時から社会的に弱い立場に置かれてしまっていることが多いと思います。そして非常時にますます、様々なサービスや保護からこぼれ落ちてしまいます。私が日本に帰れることになっても、非常に後ろめたい気持ちがやはりあります」

故郷は戦場、そして避難先でもじわじわと真綿で首を締められるような日々。数々の困難に翻弄されてきた人々が、こうしてさらに窮地に追い込まれていくほどに、現地へ取材に赴くことができないもどかしさが募ります。治安の悪化によって現場に近づけなくなるリスクは常にありましたが、まさかウイルスによって取材地から遠ざけられるとは、想像もしていませんでした。三月のイラク・クルド自治区への渡航だけではなく、七月のヨルダンへの渡航も中止を余儀なくされました。

けれども今、ジャーナリストが現地に赴けないこと以上に深刻なことがあります。UNHCRが六月に発表した統計によると、世界で避難生活を送る人々は、現在八〇〇〇万人近いとされています。世界人口の一%、一〇〇人に一人が故郷を追われたことになるのです。ところが今、各国が国境を閉ざし、逃れようとする人々が「難民にさえなれない」状況が続いています。新型コロナの場合、人々が移動しないことで守れる命があるかもしれません。けれども戦争や迫害は、そこから移動しなければ守れない命があるのです。

三月二三日、国連のグテレス事務総長は、人道支援を可能にする環境づくりや停戦に向けた外交努力が重要だと世界に呼びかけました。ところがそれと逆行するように、アメリカは三月末、難民申請者の裁判審理を中断。トランプ大統領就任後により強まった「排斥」の動きに、新型コロナが拍車をかけてしまったのです。

こうして迫害や紛争から逃れようとする人々が直面する「壁」の問題は、海の向こうの遠い問題なのでしょうか。難民とならざるを得ない人々は、あらゆる手段でより安全で、より危険から遠い場所へと逃れようとします。ここ日本も決して例外ではありません。ところが二〇一九年、日本では一万人を超える難民申請がありながら、認定を受けた人数はわずか四四人です。

難民認定率でいえば、前年に続き一％にも満たない狭き門です。「万が一認定を受けられればものすごくラッキー、くらいに思っていないと、精神状態がもたない」と、ある難民申請者の方に打ち明けられたことがあります。

メキシコに壁を作れとまくしたてきたトランプ大統領就任後のアメリカさえ、認定率は約三五％（二〇一八年）、日本より遅れて難民条約に加わった隣国の韓国は三・一％（二〇一八年）。日本では新型コロナ蔓延前から、難民に対して事実上の〝鎖国状態〟が続いてきたのです。

立証の壁――シリア難民のジュディさんの場合

日本では出入国在留管理庁（入管）が難民認定の判断を下します。入管は不法滞在を取り締まるなどの役割を果たしている法務省の機関です。つまり、「日本から出て行かなければならない人かどうか」と、「保護を必要としている人かどうか」という全く別の判断を、同じ機関が担っているのです。第三者の目も届きにくい不透明なプロセスの中で、入管が強い権限を持ってこれを判断するという制度そのものに、まず大きな問題があるでしょう。そこで難民申請者が突き当たるのが、「立証」の壁です。

ユセフ・ジュディさん（三五）は、二〇一二年にシリアから日本へと逃れてきました。ある時、自身の故郷である北東部ハサカ県内で起きた丸腰の民衆デモに、治安部隊が武力で応じる光景を目の当たりにしてしまったのです。「銃を乱射する治安部隊に弾圧され、逃げまどう人々の足元で、射殺された父母に泣きすがる幼い子どもの姿がありました。その光景が目に焼き付いて離れなくなったのです。なぜこんな政府に支配されなければならないのかと、憎しみを抑えることができませんでした」。

それからジュディさんは、反政府デモに出資をするなど、積極的に活動を支えるようになりました。ところがデモを支援したことで、政府に指名手配されてしまいます。妊娠中の妻や娘を置いていくことに後ろ髪をひかれながらも、まずは身の安全のため、着の身着のまま故郷を離れる他ありませんでした。

ジュディさんは進んで日本を避難先に選んだわけではありませんでした。当初、弟のいるイギリスを目指したものの、頼ったブローカーに騙され、たどり着いたのは全く馴染みのない成田空港だったのです。「当時の日本のイメージといえば、質のいい家電や車、最新技術でいい製品を作ることぐらいでした。他に記憶に残っているのは二〇一一年の津波のニュースです。けれどもまさかその日本に自分が来るなんて……」と、途方に暮れてしまった当時を語ります。

けれども入管でジュディさんに下された判断は、難民認定ではなく、特定活動という資格での在留許可でした。ジュディさんの兄と弟二人は、イギリスですでに難民認定を受けています。なぜ同じような状況にあった自分が認められないのかと、ジュディさんは二〇一五年三月、難民不認定となった処分の取り消しなどを求めて提訴しました。けれども二〇一八年三月、東京地裁はジュディさんの訴えを退けました。裁判所はジュディさんが反政府デモに参加していたことは認めたものの、逮捕状や判決文など、迫害を受けた「客観的な証拠」がない、としたのです。

この判決には私自身、疑問を持たずにはいられませんでした。望まずして故郷を離れなければならなかった人々が、「客観的な証拠」を集めることができるのでしょうか。シリアでは戦乱以前から、逮捕状のない不当な拘束などが横行してきました。これまで隣国へと逃れた方々からも、おぞましい拷問などの実態を幾度となく耳にしたことがあります。家族が知らないうちに連行され、刑務所内で虐殺された人々は、世間的にはただ「いなくなった」ことにされてしまうのです。こうした闇の中に葬られてしまいがちな迫害、光が当たらない脅威こそ、難民となってしまう人々がくぐり抜けてきたもののはずです。仮に証拠が集められたとしても、国境を越える際にもしもそれが見つかりでもすれば、彼らの身に何が起こるのかは想像に難くありません。だからこそ多くの人々は、その証拠を捨てたり、時には焼き払ったりして逃れざるを得ないのです。

問題になっているのは立証の「ハードル」だけではありません。二〇一七年三月、政府軍兵士から性的暴行などを受けたとして、難民申請中だったアフリカ出身の三〇代女性が、東京入国管理局の難民審査で、難民審査参与員から「美人だったから狙われたのか」と質問を受けたことが分かっています。性被害を訴える女性に対し、あろうことかそのトラウマをえぐるような言葉を審査する側が投げつけたことになります。ただ、発覚した事例は氷山の一角に過ぎないでしょう。なぜなら、「抗議したら難民認定されないのでは」という不安から、多くの難民申請者は声をあげることが難しい立場にあるからです。

ジュディさんはそれでも辛うじて、日本に留まる正式な資格を得られています。一方で、難民申請者が入管の施設に「収容」されてしまうケースも後を絶ちません。在留資格がないなどの理由で外国人を無期限に収容する日本の方針は、国連から再三「拷問にあたる」と勧告を受けてきました。

二〇一八年二月二八日付けで、法務省の入管局長が、『被退去強制令書発付者に対する仮放免措置に係る適切な運用と動静監視強化の徹底について（指示）』という通知を出しています。ここで触れられている「仮放免を認めない」類型の中には、「再犯のおそれが払拭できない者」が挙げられています。「おそれがある」から拘禁されるのは、まるで敗戦まで日本で制定されていた治安維持法の「予防拘禁」のようです。機能していたかは別として、「予防拘禁」の判断さえ、裁判所の決定が必要でした。時代を逆行するような制度が、難民申請者を含む外国人に対して公然と適応されてきたことになります。

加えて入管内でのハラスメントや、適切に医療を受けさせないなど、「密室」で起きている問題も指摘され続けています。この半年だけを振り返っても、トイレの様子まで監視されていたクルド人女性、着替え途中、下着姿のままで別室へ連行されたコンゴ民主共和国出身の女性の証言がメディアで伝えられたばかりです。茨城県牛久の入管施設では二〇一四年、カメルーン人男性が体調不良を訴えるも放置され亡くなるという事件が起きました。床の上を転げ回るほどもがき苦しんでいるにもかかわらず、職員は監視カメラで様子を観察しながら適切な処置をしなかったとされています。こうした人権侵害が横行する現状に、新型コロナ感染の懸念が重なれば、収容されている人々の恐怖は計り知れません。

公的支援の対象から外れる仮放免の人々

三月に一一〇四人だった全国の収容者数は、四月には九一四人となりました。「仮放免」を増やし、収容施設内の「三密」を解消する動きは確かにあります。「仮放免」は、在留資格がないなどの事情を抱える外国人を、入管施設に収容するのではなく、施設の外で生活をしていいと認める制度です。ただ、収容を解かれたとしても、彼ら彼女たちはその後、あらゆるセーフティーネットからこぼれてしまいがちです。

愛知県豊川市に暮らすケーシー・ディパックさん（四〇）は、ネパールの王族を支える一族に生まれました。国王による政治に反対する毛沢東派から拷問を受け、二〇〇七年に日本に逃れてきました。日本に在留できる期日はすぐに過ぎてしまい、途方に暮れたケーシーさんを待ち受けていたのは、高架下で震えながら寝泊まりする生活でした。「公園の水を飲んだり、何とか身振り手振りで農家のおばあさんに大根を分けてもらって、空腹をしのぎました」と当初の生活を振り返ります。

「難民申請」の制度を知ったのは、それから三年も後のことでした。何とか入管に書類を提出したものの、在留資格喪失後の難民申請だったため、ケーシーさんの立場は「仮放免」となりました。「仮放免」では就労は認められず、国民健康保険の加入も認められません。その上、公的支援につながることもほとんどできません。以前、同じく仮放免の立場で生活する難民申請者に、「日本は私たちに死ねっていうの？」と怒りをぶつけられたことがありました。彼ら、彼女たちがそう訴えるのも無理はありません。自立したくてもそれを許さない仕組みになっているからです。

当時ケーシーさんの足は、拷問を受けた際の傷がまだ癒えていませんでした。ぎりぎりの生活を送る家族からの仕送りだけに頼っていたため、通院もままならず、ただ痛みが治まるまで耐えることしかできなかったといいます。

加えて「仮放免」の間は、月に一度、面談のため入国管理局に赴かなければなりません。何とか転がり込んだアパートから入国管理局のある名古屋までは電車で一時間、けれどもその交通費を工面する余裕さえありませんでした。片道六～七時間、痛む足を引きずりながら、歩いて通ったこともあったといいます。携帯電話も持ち合わせていないため、最初のうちは人に道を尋ねて回って入管を目指しました。その上、面談は朝九時から夜八時ごろまで及ぶこともあったといいます。

ケーシーさんは二〇一五年に難民認定を得ることができましたが、現在も仮放免での生活が続いている人々は、無保険のままです。コロナ禍で体調を崩したとしても、医療機関にかかることも躊躇するでしょう。

彼ら彼女たちに追い打ちをかけたのが、一律一〇万円を給付するという「特別定額給付金」からの除外でした。新型コロナ対策としての現金一律給付の議論では、当初から「給付は日本国籍者に限るべき」という声が複数の議員からあがっていました。その後、住民票登録があれば、外国籍でも受給できることが決まったものの、仮放免者はこの中に含まれません。

この現状に異議を唱えると、毎回のようにSNS経由でおびただしい数のバッシングが返ってきます。「不法残留は不法残留だ」「犯罪者の肩を持つのか」「だったらお前の家に全員受け入れろ」と。「なぜ彼らは故郷に帰れないのか」と、その理由に耳を傾ける人は多くはありません。「不満があるなら出て行けばいい」という発言も耳にします。新型コロナの感染拡大を受け、そもそも帰る便もなく、むしろ「移動をしないように」と再三、要請が出されている最中であっても、です。

仮に様々なバックグラウンドを持つ人々が、公的支援の対象から外れてしまったとしたら、何が起こるでしょうか。彼らは生活をつなぐために、時に感染リスクの高い場所で、隠れて働かざるを得なくなるでしょう。

例えばポルトガルでは、移民や難民の申請をする人々と、その対応にあたるスタッフ両者のリスクを軽減するため、「全員の権利を保障する」として、一時的な市民権を一律に付与しました。これによって、少なくとも六月末までは滞在することができ、その間、医療も受けることができます。誰に在留資格を与えるのかということよりも、まず目の前の命を守ることを優先したのです。

つまり、人権の観点からも、感染拡大防止という意味からも、今必要なのは公的支援の対象から、日本国籍者以外を排斥することではないのです。

懸念すべき事態は、仮放免者への排斥に留まりません。法務大臣の私的懇談会の下に設置された「収容・送還に関する専門部会」は今、退去強制処分に応じない外国人に「送還忌避罪」という刑事罰を科すことを提言しています。契機となったのは二〇一九年六月、長崎県大村の入管施設でナイジェリア人男性が餓死したことだとみられています。彼らはこの餓死事件の原因を、送還が果たせなかったことだと分析し、そこに刑罰を科すことによって、本人に帰国やパスポートの取得の同意をさせることが狙いだとされています。

この部会は発足当初から問題をはらんでいました。例えば刑事罰の導入を検討するための会合に提出された資料、「送還忌避者の実態について（令和元年六月末現在）」に、内容の誤りがあったことが指摘されています。資料には仮放免中の人々が起こした犯罪として、四つ事例が載せられていました。「仮放免中の外国人は危険」という〝エビデンス（根拠・証拠）〟のひとつとして提出されたのでしょう。そのうちのひとつが、警察官に対する殺人未遂、公務執行妨害、銃刀法違反を犯したラオス人男性の例でした。確かに判決では、刃物を持っていたため銃刀法違反は有罪となりました。けれども殺人未遂は起訴すらされず、公務執行妨害については刺した行為が認められなかったため無罪となっています。

判決は一年半も前に確定したものであり、その情報は当然伝わっているはずでした。推測の域を脱しないものの、判決の確認を怠ったというよりも、「こんなに危ない人がいます」ということを故意に示した、とも思えてしまいます。

その他の資料では、仮放免中に逃亡した人が増えていることが示されています。ただ、〝なぜ逃亡したのか〟を分析した痕跡はほとんどありません。入管に収容されている人々の中には、「仮放免」を求めてハンガーストライキを続けている人もいます。大村入管で亡くなった、ナイジェリア人の男性もその一人でした。命の危険ぎりぎりのところでどうにか収容から解かれたとしても、二週間後にまた再収容されてしまう、ということが問題になっています。一度自由を味わわせた直後に、また絶望へと突き落とすのです。当然彼らは、再収容を逃れたいと願うでしょう。そう考えるとこれは、「逃亡」ではなく、「避難」ともいえるのではないでしょうか。

万が一、刑事罰が導入されたとして、その先に待っているのは「負の無限ループ」です。在留資格を失っている人々がまず入管の施設に収容され、送還を拒否すれば刑務所へと送られる。そして刑務所から刑期を終えて戻ってきて、やはり「帰れない」となると、入管施設に帰されたと思いきや、また刑務所に……そんなサイクルに閉じ込められるかもしれません。

日本の難民認定率の圧倒的な低さは先述の通りです。送還を拒否している人々の中には、必ず難民に該当する人が含まれているはずです。刑事罰を導入すれば、難民であること自体を罪に問うようなものです。事実上の難民条約からの離脱とさえいえるでしょう。

小さな共感の種をどう育てるか

こうして日本ではこのコロナ禍に際し、「皆大変だから手を取り合おう」ではなく、「皆大変だから切り捨てよう」という政策が、難民や外国人に対してより露骨に進められるようになってしまったのです。

「それでも戦争がない国に住めるだけましじゃないか」と思うでしょうか。ここで最初に記した、「世界中に自分たちの居場所なんてない」というシリア難民の一人の言葉を思い返してほしいのです。人間は雨風をしのげる場所と最低限の食料さえあれば、「人間らしく」生きていけるのでしょうか。「居場所」とは、人間としての尊厳を保てる場所であるはずです。

国内外の厳しい現状を書いてきましたが、こうした状況で、思わぬ声をかけられることがありました。「今まで安田さんが伝えてきた難民問題は、〝大変だな〟とは思っていたけれど、それ以上踏み込んで考えてこなかった。でも今自分が、自由に移動ができない、スーパーに物がない、先行きが見えない状況になって、初めて避難生活をしている人たちの大変さに思いを馳せられた気がする」。

世界各地で移動制限や隔離が続く中、パレスチナ・ガザ地区の友人は「そんなの私たちは毎日よ」と語ります。こうした制限は人権や生活に大いに影響を及ぼすものですが、見上げるような壁に囲まれ、自由な出入りさえ許されないガザ地区やヨルダン川西岸地区では「日常」なのです。こうした人々の状況がどれほど過酷かを、世界的な非常時にあってようやく感じられた、という声が私の元に届くようになったのです。

もちろん、新型コロナの感染拡大は、今後も防がなければならない事態でしょう。けれども、そこから生まれた共感も、確かにあるのです。今問われているのは、この小さな共感の種をどう育てていくのか、ではないでしょうか。

（二〇二〇年七月三日）

「新型コロナウイルスと私たちの社会」関連年表（二〇一九年一二月〜二〇二〇年五月）

2019年

12月31日　中国で報告された原因不明の肺炎について、中国がWHOに報告

2020年

1月

7日　肺炎の原因が新型コロナウイルスであることを確認

11日　新型コロナによる肺炎で死亡者。武漢市当局が発表

16日　日本で初の感染者を確認したと厚労省が公表

20日　クルーズ船「ダイヤモンド・プリンセス号」が横浜港を出港

23日　中国の武漢市で閉鎖が始まる

28日　日本国内でヒト‐ヒト感染があったことを厚労省が認める

29日　武漢市からのチャーター機、二月一七日にかけて五便が帰国

30日　新型コロナウイルス感染症対策本部の設置を閣議決定

31日　WHOが「国際的に懸念される行使遊泳政治用の緊急事態」を宣言

2月

1日　新型コロナによる肺炎などが指定感染症に

5日　クルーズ船「ダイヤモンド・プリンセス号」における集団感染が判明。政府の指示で一四日間の検疫が開始される

8日　武漢市で日本人が新型肺炎で死亡
11日　新型コロナの感染による疾患について、「COVID-19」と命名
13日　新型コロナによる初めての死者が確認されたことを厚労省が発表／政府が新型コロナ対策の第一弾を発表。総額で一五三億円
14日　新型コロナウイルス感染症対策専門家会議を政府が設置
21日　日本国内の新型コロナ感染者が一〇〇名を越えたと厚労省が発表。クルーズ船の感染者数は六三四人
24日　専門家会議が会見で、「新型コロナウイルス感染症対策の基本方針の具体化に向けた見解」を発表
25日　厚労省が新型コロナについて会見。「今後の国内での健康被害を最小限に抑える上で、極めて重要な時期」
27日　安倍首相が全国の学校に対し、三月二日から春休みまでの休校を要請
28日　東京ディズニーランドやUSJなどが休園を発表。上野動物園や葛西臨海水族園も
29日　首相会見。東京オリ・パラは「万全な準備を整える」。習近平国家主席の訪日は、「現時点で予定に変更がない」。「今後、二週間は国内の感染拡大防止にあらゆる手を尽くすべき」「一、二週間が瀬戸際」

3月

2日　新型コロナによる世界全体の死者数が三〇〇〇人を越える
5日　中国と韓国からの入国を制限する措置を安倍首相が発表／習国家主席の訪日を当面延期すると政府が発表
6日　厚労省、PCR検査の保険適用を開始／世界全体の感染者数が一〇万人を突破

9日　専門家会議が認識を公表。「爆発的な感染に進んでおらず、一定程度持ちこたえている」
10日　新型インフルエンザ等対策特措法改正案を閣議決定／政府が新型コロナ対策の第二弾をまとめる。財政措置が四三〇八億円、金融支援が一・六兆円
13日　新型インフルエンザ等対策特措法改正案が可決、成立
14日　首相会見。「緊急事態の状況でない」と述べ、大型経済対策に意欲的であることや、卒業式は「是非、実施」と呼びかける。また、この時点でも東京オリ・パラについては「感染拡大を乗りこえて無事予定通り開催したい」と述べた。「機動的に必要かつ十分な経済財政政策を間髪入れず講じる」とも
15日　クルーズ船の検疫が終了し、感染者数の合計は七一二人となった
16日　一部地域の小学校と高校で授業を再開／G7首脳会議で安倍首相が「東京五輪・パラリンピックは完全な形で実施する」と発言
17日　政府・与党が緊急経済対策として、国民一人ずつへの現金給付を検討開始
19日　専門家会議。「国内の感染状況は引き続き持ちこたえているが、一部の地域で感染拡大」
20日　東京オリンピック聖火が日本に到着
22日　IOCが東京五輪の延期も含めた対策を検討／クルーズ船を除く、日本の新型コロナによる感染者数が一〇〇〇人を越える
23日　首相、参院予算委員会で「瀬戸際は続いている」
24日　東京オリ・パラの「一年程度」の延期を安倍首相が発表
25日　小池東京都知事が会見し、「感染爆発の重大局面だ」と述べる。平日の自宅勤務と夜間の外出自粛を要請
26日　「このままでは学費払えません」と大学生の声

28日　首相会見。「ぎりぎり持ちこたえている」「瀬戸際の状態が続いている」「感染拡大が抑制され、社会的な不安が払拭された段階では、一気に日本経済をV字回復させていく」
30日　接待を伴う飲食店などに行くことへの自粛を呼びかけ。三つの密を避けることを提唱

4月

1日　専門家会議が会見。医療現場の機能不全の可能性と、都市部の感染爆発を示唆／政府が国内の全世帯に布マスク二枚を配布する方針を示す／首相、参院決算委員会で緊急事態宣言について「現時点で出す状況でない」
2日　京大の山中伸弥氏が自身の公式サイトで新型コロナ情報を発信開始／世界全体の感染者数が一〇〇万人を突破。死者は五・二万人
3日　政府が、新型コロナの感染拡大によって収入が減った世帯などへ、一世帯三〇万円の給付する枠組みを決める／「夜の歓楽街」で生活困窮の声相次ぐ／休校に伴う助成金、厚労相が「風俗業は対象外」と述べる／世界で学校閉鎖が一八八カ国、一五億人以上の子どもが学校にいけずとユネスコ
4日　WHO「弱い立場の人たちへの対策が必要」
5日　東京都の新型コロナ感染者数が一〇〇〇人を越す／日本集中治療医学界が治療体制の崩壊が早期におとずれるおそれがあると声明
7日　首相が緊急事態宣言を発令。対象は東京・埼玉・千葉・神奈川・大阪・兵庫・福岡の七都府県。「国民生活、国民経済に甚大な影響を及ぼす恐れがある。経済は戦後最大の危機に直面している」と述べ、感染者を減らすには「人と人との接触を七割、八割減らすことが前提」としたうえで、「二週間後には感染者の増加をピークアウト」と述べた。不要不急の外出禁止や学校の休校、各種店舗の休業については、知事が要請または指示できるようになった。

期間は、五月六日まで。事業規模一〇八兆円、財政支出三九・五兆円の緊急経済対策を決める／緊急事態宣言を受け、企業が出社禁止やテレワーク拡大の動き

8日　クルーズ船を除く、国内感染者が五〇〇〇人を越える／国内で新型コロナに感染し、死亡した人が一〇〇人を越す

9日　愛知県が緊急事態宣言対象地域に加えるよう要請／「うちは休業の対象？・」。緊急事態宣言で東京都に問い合わせ相次ぐ／緊急事態宣言でネカフェ休業、居場所失い窮地の人も

10日　世界全体の新型コロナによる死者数が一〇万人を越える

11日　WHO「日本は感染経路分からないケース多い」と懸念を示す／在宅勤務なのにハンコを押すために出社。電子契約の普及は四割

12日　安倍首相、自宅でくつろぐ動画を投稿し、批判の声があがる／新型コロナ、世界の感染者数が一七七万人を越え、死者数は一〇万人を越える

13日　新型コロナ、全国で院内感染が相次ぐ／麻生財務相「今の段階で消費税率の引き下げは考えていない」

14日　七都府県で二四九の介護事業所が自主休業、介護崩壊の懸念も／トランプ大統領がWHOへの資金拠出を停止、中国寄りと批判

15日　世界全体の新型コロナによる感染者数が二〇〇万人を越える／三月の訪日客が九三％減少、減少幅は過去最大／厚労省専門家チームが「対策なければ最悪四〇万人が死亡」

16日　政府は、緊急事態宣言の対象地域を全国に拡大することを決定／あしなが育英会、全奨学生に一五万円給付

17日　首相会見。一六日に決めた政策を発表。すべての国民に一律一〇万円を給付するとして、一世帯三〇万円の給付からの変更に伴う補正予算編成のやりなおしについて謝罪。全国の事業

者に幅広く現金を給付することを宣言。さらに、「医療従事者の皆さんに全国各地で拍手を送り、またライトアップを行って、感謝の気持ちを示す取り組み」を紹介／布マスクの全戸配達を開始／DV増加懸念、二四時間対応の相談窓口開設

18日　世界全体の新型コロナによる死者数が一五万人を越える／クルーズ船を除く、日本の新型コロナ感染者数が一万人、死者数が二〇〇人を越える／政府の妊婦向け布マスクに「変色」「髪の毛混入」などの不良品の報告相次ぐ

20日　世界全体の新型コロナによる感染者数が二四〇万人を越え、死者数は一六万人を越える／介護者の四割近く、疲労やストレス増加

21日　厚労省、「濃厚接触者」の定義を変更／新型コロナの影響で、全国八八三の介護サービス事業所が休業／世界各地で休校の子どものうちネット環境なしが四三％。ユネスコが発表

22日　専門家会議「人との接触を減らす、一〇のポイント」を発表／配布した布マスクに不良品が見つかっていることに対し、菅官房長官は会見で「現時点において計画を変更する予定はない」／世界全体の新型コロナによる死者数が一八万人を越える／WHO事務局長「新型コロナと長いつきあいに」

23日　政府が月例経済報告で景気判断「急速に悪化」、「悪化」の表現はリーマンショック以来

24日　マルイ、休業期間中のテナントに対し家賃と共益費を減免／非正規労働者から生活困窮の声、支援団体が提言／院内感染相次ぐ、医師・患者など疑い含め一〇〇〇人余

25日　NHKが「ステイホームの影で居場所を失う少女たち」放送／クルーズ船を除く、日本の新型コロナによる感染者数が一万三〇〇〇人を越える

26日　高校総体、中止を決定

27日　西村経済再生相、休業しないパチンコ店に対して「罰則や強制力を伴う法整備」の検討を示

喚／新型コロナの影響で倒産した企業が一〇〇社に。うち四月に倒産した企業は六九社

28日　日本医師会が会見。「宣言から三週間がたったが、当初狙っていたほどの感染者の減少には至っていない」／知事一七人で作る政策グループが、九月入学制の導入を政府に要請することを含む共同メッセージを発表／安倍首相、衆院の予算委員会で経済への影響が世界恐慌よりも厳しいと発言

29日　授業料の減免を求める署名活動が、全国一六〇以上の大学で拡がる／国連人口基金が、新型コロナの感染拡大による外出制限などの影響で、女性や少女に対する様々な形の暴力が三一〇〇万件増えると予測

30日　現金一〇万円の一律給付や中小企業・小規模事業者に最大二〇〇万円を給付する持続化給付金、無利子・無担保で元本返済五年据え置きの融資、税金や社会保険料納付の猶予を含む補正予算が参院で可決、成立

5月

1日　中小企業などに最大二〇〇万円を支給する持続化給付金の申請受付を開始／西村経済再生相「事態が長引くようなことになれば、当然、さらなる支援策も必要になってくる」／厚労相、医療従事者へ偏見や差別を「決して許されず、看過できない」と啓発を強化する方針を示す／小一・小六・中三優先登校、段階的に教育活動再開を、文科省通知へ

2日　新型コロナによる国内の死者が五〇〇人を超える／飲食店に匿名嫌がらせ、忍び寄る「自粛警察」

3日　首相、緊急事態への対応を憲法にどう位置づけるか、国会で議論すべきという考え示す／大学・専門学校生の二割が「退学検討」

4日　政府が緊急事態宣言を五月三一日まで延長すると決定。東京など一三都道府県は引き続き

「特定警戒都道府県」に／専門家会議が「新しい生活様式」を提言／緊急事態宣言の延長で、介護の現場「経営さらに厳しくなる」／首相、記者会見で「ある程度の長期戦を覚悟する必要があります」「出口に向かってまっすぐに進んでいく一カ月です」と述べる

5日　避難民の子ども、過去最多の一九〇〇万人とユニセフ発表。新型コロナが新たな脅威に／営業自粛で休業手当払われず、相談相次ぐ／東京都、月内全面休業で協力金を追加支給

6日　厚労省、ＰＣＲ検査の目安を見直しへ。「三七・五度以上」という基準を削除／学習格差の広がりに懸念、自治体は学校再開模索も

7日　感染源めぐり米中対立／新型コロナの影響で倒産した企業が一一九社に／東京都内のスナックなどの組合、都や国に家賃補助要望へ／厚労省、新型コロナ治療薬としてレムデシビルを承認

8日　新型コロナ、国内の死者六〇〇人超える／米失業率、戦後最悪の一四％／企業の倒産、一二五件に／衆院内閣委で「検察官定年延長」法案、野党が欠席。自公と維新で質疑強行／加藤厚労相がＰＣＲ検査の相談目安の見直しを発表。「我々から見れば誤解」と述べ波紋を呼ぶ

9日　国の借金、一一一四兆円で過去最大／自粛警察、相次ぐ。社会の分断防ぐ冷静な対応を

10日　検察庁法改正に抗議、Twitterで四七〇万超

11日　首相、衆院予算委員会で「収束への道を着実に進むことができている」／日本に生活基盤のある外国人も入国拒否

12日　黒川氏定年延長、不透明な経緯／森法相、検察庁法改正抗議に「検事長人事とは関係ない」

13日　厚労相が抗原検査キット承認、患者負担なし／重症化リスクが高い子どもの親、「先を見通せず不安」／大学生の内定率四五・七％、新型コロナの影響で五年ぶりに前年下回る／電気・ガス料金の支払いが困難な者は、支払い期限が三カ月延長されることに／公立小中八八％、公立高九〇％が休校。文科省全国まとめ

14日　緊急事態宣言、八都道府県を除く三九県で解除される／介護施設の風評被害に「耐えるしかなかった」。全国老人福祉施設協議会が相談窓口を設置／菅官房長官、マスク不足、改善傾向と／首相、記者会見で「九月入学は有力な選択肢の一つ」／詳細議事録作成せず、専門家会議巡り内閣官房、政策決定の検証に壁

15日　新型コロナの死者、世界で三〇万人超す。感染者数は四五〇万人に／保育現場、子どもと接触避けられず。感染対策との両立に不安の声／首相「長期戦を覚悟」、感染拡大なら宣言再指定も

16日　WHO「新型コロナを押さえ込むには、経済的に困窮せずに誰もが医療を受けられることが必要」

17日　新型コロナ、世界の感染者四六三万人余り、死者三一万人越す／検察庁法改正「反対」六三％、内閣支持率三三％、朝日新聞世論調査

18日　新型コロナの患者受け入れ病院で経営悪化が深刻、助成求める／「九月入学」賛成四一％反対三七％、NHK世論調査／検察庁法改正、今国会断念。世論が反発、求心力低下必至

19日　新型コロナで生活苦となった大学生に最大二〇万円給付する支援策を閣議決定／菅官房長官「黒川氏の人事、影響なし」、検察庁法改正案先送りで／河井案里氏秘書、起訴内容認める。広島地裁、公選法違反罪／感染重症者向け二三五六床確保、厚労省集計、一五日時点

20日　映画の四月興行収入九六・三％減、二〇〇〇年以降で最低。「壊滅的な数字」／四月訪日客わずか二九〇〇人、九九・九％減、新型コロナで需要喪失／障害者施設「集団感染したら存続危うい」、対策探る日々／検察庁法案の廃案否定　菅官房長官「成立へ進める」衆院内閣委員会／黒川弘務東京高検検事長、ステイホーム週間中に記者宅で〝三密〟「接待賭けマージャン」／夏の甲子園大会は中止　代表四九校を決める地方大会も

21日　「雇用調整助成金」オンライン申請の受け付け中止、厚労相が陳謝／GoogleとAppleが濃厚接触通知アプリに技術提供／安倍首相、緊急事態宣言の関西解除を表明。首都圏・北海道は継続／黒川検事長が辞表「緊張感に欠け猛省」、首相「批判は真摯に受け止める」／一〇万円一律給付、オンライン申請停止。調布市と福生市で／弁護士ら六〇〇人超が「桜を見る会」めぐり安倍首相を刑事告発

22日　新型コロナの影響で消費者物価指数が三年四カ月ぶりのマイナス／飲食店に自粛迫り「火を付けるぞ」。豊島区職員を威力業務妨害容疑で逮捕／首相、森法相の進退を「強く慰留」賭けマージャン問題で／新型コロナで解雇・雇止め一万人超え、厚労相「日にち追うごと増加」

23日　生活困窮世帯、約三割の子どもがオンライン学習支援受けられず／新型コロナによる国内の死者が八〇〇人を超える／新型コロナ生活苦、個人間融資に注意、性行為求めるケースも／内閣支持率二七％に急落、黒川氏「懲戒免職にすべきだ」五二％、毎日新聞世論調査／政府の失業防止策、後手。解雇・雇い止め一万人超

24日　孤独死の高齢者、新型コロナの感染判明。「見守り」課題に／陽性率の計算、地域でバラバラ。専門家「正確にすべき」／内閣支持率二九％、発足以来最低に　朝日新聞世論調査／「安倍一強」政権に末期感。与党内、自民から公然と異論。公明も「信用されない」

25日　緊急事態宣言を全国で解除。首相「世界的にも極めて厳しいレベルで定めた解除基準を全国的にクリアしたと判断した」と述べる／新型コロナの感染再拡大、「心配している」が九割超、朝日新聞

26日　アジア系差別、英で深刻。コロナへの不満と不安のはけ口として、ヘイトクライムが例年の三倍に／WHO「日本は成功」も感染者発見など措置継続を／新型コロナ感染再拡大想定し、〝医療体制強化と雇用対策〟と加藤厚労相／一〇万円一律給付、一三自治体がオンライン申

請の受け付けやめる／新型コロナ「第二波」に備えた医療体制を、日本医師会長

27日 葬儀の現場に異変、苦悩する現場／若者の六人に一人が仕事なし、新型コロナ影響で。国際労働機関／二月末からの首相会見八回で「お願い」七三回／菅官房長官、黒川氏の処分は「適切に判断している」／東京高検、林新検事長が会見「政治と一定の距離保ち職務遂行」／スーパーシティ法が成立、まちづくりに先端技術活用

28日 新型コロナの影響で貧困の子どもが八六〇〇万人増えるおそれ、ユニセフが分析／ピーク時必要な病床数、国目安の三割以下想定の県も／北九州市で五日連続の感染確認、計二二人に／入管収容者、仮放免求め提訴。施設内で新型コロナ感染を懸念

29日 再び感染者増える北九州、菅官房長官は「第二波と考えていない」／解雇や雇止め一万五八〇〇人余、新型コロナ影響で経営悪化と厚労省／新型コロナ専門家会議、議事録作成せず。官房長官は「適切に対応」／ひとり親世帯がコロナ禍でひっ迫。五九％が収入減 一一％はゼロに／黒人男性死亡の抗議デモで破壊や略奪、州兵出動へ。米ミネアポリス

30日 西村経済再生相〝北九州や東京、増加傾向に危機感〟／「経産省が設立関与？」、給付金業務に関して協議会に疑問噴出／東京、新たに一四人感染、「アラート」二指標上回る。北九州では一六人／米、WHOとの関係解消、トランプ氏が表明

31日 新型コロナで増える地方移住希望者、オンラインで相談会も／「感染疑わしい人とは働けない」。陰性証明の要求相次ぐ／米各地で抗議激化、黒人男性殺害と「もはや関係なくなっている」とミソネタ州知事／新型コロナによる世界の死者数は三六万六五八一人

参考資料 … 朝日新聞、毎日新聞、読売新聞、産経新聞、ロイター、AFP、CNN、NHK、日本テレビ、テレビ朝日、ニューズウイーク日本版、週刊文春など

論創ノンフィクション 005
定点観測
新型コロナウイルスと私たちの社会　2020年前半

2020年9月25日　初版第1刷発行

編著者　森　達也
発行者　森下紀夫
発行所　論創社
東京都千代田区神田神保町 2-23　北井ビル
電話　03（3264）5254　振替口座　00160-1-155266

カバーデザイン　宗利淳一
組版・本文デザイン　アジュール
校　正　小山妙子
印刷・製本　中央精版印刷株式会社
編　集　谷川 茂

ISBN 978-4-8460-1951-8 C0036
落丁・乱丁本はお取り替えいたします